D1536571

La Promenade au phare

« Ce sera assez court », écrit Virginia Woolf dans son *Journal*, à propos du livre qu'elle entreprend, « rien ne manquera au caractère de Père. Il y aura aussi Mère, Saint-Yves et l'enfance, et toutes les choses habituelles que j'essaie d'inclure, la vie, la mort, etc. » Ce livre c'est *La Promenade au phare*. On est le 14 mai 1925, Virginia Woolf a 43 ans, mais elle va encore quelque temps laisser cette *Promenade au phare* « mijoter à feu doux, en l'assaisonnant peu à peu entre thé et dîner »... A cette époque, le public et la critique ont déjà reconnu Virginia Woolf comme un grand écrivain. Elle a publié *Croisière*, *La Nuit et le Jour*, *La Chambre de Jacob* et surtout *Mrs. Dalloway*. L'important pour elle, l'essentiel même, est de ne jamais perdre contact avec ses émotions. Il lui faut les analyser à fond tout en laissant le livre progressivement se construire dans sa tête. Il y aura donc le père, la mère et les enfants mais aussi la mort et un échantillon d'invités. Tout au long du texte on entendra la mer et, en leitmotiv, la promenade en bateau vers le phare. Virginia se lance dans la recherche de cette chose impersonnelle que ses amis lui défient de tenter : « la fuite du temps ».

Après la lecture de *La Promenade au phare*, Leonard, son mari, crie au chef-d'œuvre. Il n'a pas tort. En effet, c'est peut-être son roman, son « poème psychologique » le plus abouti, le plus réussi, le plus proustien aussi bien par sa technique que par son sujet. Virginia englobe de petites histoires, d'innombrables et menus faits dans un vaste mouvement de vie : une maison habitée, les heures, les années qui s'accumulent, la mort qui vient, la maison qu'on abandonne puis qu'on retrouve, mais alors tout a changé et plus rien ne sera jamais pareil... A chaque instant, Virginia retient l'intensité du moment et saisit le passage fugace des choses.

Au printemps de l'année 1925, Virginia revient du midi de la France où elle a vécu un « bonheur parfait ». Elle a connu de vraies heures de détente au cours de ses promenades au bord de la mer ou à travers les vignes. De retour à Londres, elle se lance dans les frénésies de la vie mondaine. C'est à cette époque qu'à bout de forces elle s'évanouit au beau milieu d'une soirée d'anniversaire. Les migraines la reprennent mais elle se sent plus forte, ce ne sera pas la grande crise qu'elle a connue en 1915, elle va, cette fois, vaincre la dépression qui l'aurait écorchée vive quelques années plus tôt. Et pour se mettre à l'épreuve, elle tourmente ce « pauvre paquet de nerfs noués sur ma nuque » et un peu plus loin, toujours dans son *Journal*, elle note : « C'est à la fois un grand soulagement et une malédiction. »

Retournée à la solitude, elle commence « une rapide et fructueuse

(Suite au verso.)

descente dans *La Promenade au phare* : 22 pages d'une traite en moins de 15 jours ». Jamais elle n'aura écrit avec autant de facilité. Dans sa calme retraite de Monk's House, souvent moitié couchée moitié levée (« je suis toujours amphibie », dit-elle, tout en regardant par la fenêtre un long coucher de soleil « humide et bleu, tardif repentir d'un jour maussade et revêche »), elle vit immergée dans son livre et quand elle fait surface c'est tout juste si elle peut parler.

Le 23 février 1926 elle confie à son *Journal* : « Je pense qu'il est utile de noter dans mon propre intérêt qu'enfin après cette bataille que fut *La Chambre de Jacob*, et cette agonie *Mrs. Dalloway* (car tout fut agonie sauf la fin), j'écris maintenant plus rapidement et plus librement qu'il ne m'a jamais été donné de le faire dans toute ma vie, et beaucoup plus, vingt fois plus que pour aucun autre de mes romans. Et deux mois plus tard, alors que la première partie de son roman qui se découpe en trois périodes, est déjà terminée, elle écrit : « J'en suis au passage le plus difficile, le plus abstrait, je dois exprimer une maison vide; pas de personnages humains, le passage du temps, tout cela sans yeux, sans traits et rien à quoi se raccrocher; eh bien, je m'y précipite et, tout aussitôt, je noircis deux pages. »

Une grande euphorie fait suite à une légère mélancolie, « une dépression nerveuse en miniature ». Elle est heureuse : *La Promenade au phare* s'achève, *Mrs. Dalloway* et *The Common Reader* se sont bien vendus et ses droits d'auteur à Monk's House lui ont permis d'installer des cabinets et l'eau courante chaude. Cependant l'automne approchant, elle se sent lasse, « femme d'âge mûr, mal fagotée, tatillonne, laide et incompétente; vaniteuse, papoteuse et futile ». La sévérité avec laquelle elle se juge n'est pas heureusement partagée par tout le monde et l'arrogante et belle Vita Sackville West, qui revendique son homosexualité avec naturel, s'est éprise d'elle. Propriétaire d'un château de 300 pièces, romancière fantasque, affranchie, elle était faite pour plaire à Virginia et même pour lui inspirer une certaine passion.

Avant de donner son livre à la composition, une dernière fois elle le retravaille, le corrige pour en éliminer les mots inutiles. Elle se souvient qu'on lui avait reproché sa « technique d'habillage ». Alors elle est draconienne. Pas de superflu, d'adjectifs redondants, rien que l'essentiel. Son livre sera superbe, un tour de forces ! Quand elle l'enverra à son amie Vita le 5 mai 1927, elle lui écrira la dédicace suivante : « Pour Vita, de la part de Virginia (à mon avis le meilleur roman que j'ai jamais écrit) ».

Avant de se suicider le 28 mars 1941 Virginia Woolf publiera encore *Orlando*, *Une Chambre à soi*, *Les Vagues*, *Flush*, *Les Années*. *Entre les Actes* sera édité après sa mort.

Nicole Chardaire

VIRGINIA WOOLF

La Promenade au phare

TRADUIT DE L'ANGLAIS PAR M. LANOIRE

Préface de Monique Nathan

STOCK

ŒUVRES DE VIRGINIA WOOLF

Dans Le Livre de Poche Biblio :

ORLANDO.
LES VAGUES.
MRS. DALLOWAY.
LA TRAVERSÉE DES APPARENCES.

PREFACE

LORSQUE, en 1925, Virginia Woolf commence à écrire *La Promenade au Phare*, elle est tout étonnée de l'aisance et de la rapidité avec laquelle elle se met à l'ouvrage. Après la lutte acharnée qu'elle a menée avec *La Chambre de Jacob* pour se libérer des contraintes du roman traditionnel, après « l'agonie » savamment entretenue de *Mrs. Dalloway*, voici que prend naissance sous sa plume, et dans sa forme définitive, le nouveau roman. C'est comme si tout lui était apparu en un éclair : la composition du livre avec ses trois parties inégales se succédant comme les trois feux alternatifs d'un phare ; le cadre, cette maison délabrée des Hébrides, battue des vents et des vagues, si proche de celle où, petite fille, elle allait passer ses vacances sur la côte de Cornouailles ; les personnages, Mr. et Mrs. Ramsay, qui rappellent si curieusement le père et la mère de la romancière, comme elle le note dans son *Journal :* « Ce sera assez court. Rien ne manquera au caractère de Père. Il y aura aussi Mère, St Ives, l'enfance et toutes les choses habituelles que j'essaie d'inclure, la vie, la mort, etc. Mais le centre, c'est l'image de Père, assis dans un bateau et récitant *Nous pérîmes chacun tout seul*[1], pendant qu'il aplatissait un maquereau mori-bond. » Pour la première fois, Virginia Woolf, à quarante-cinq ans, se penche sur son passé, passé brumeux, aperçu comme à travers l'eau, qui livre moins les traits de Sir Leslie Stephen, père redouté et adoré, qu'il ne découvre l'image à demi effacée de cette douce mère peu connue, trop tôt perdue et qu'il s'agissait d'arracher à l'oubli. De toutes les héroïnes de Virginia Woolf, Mrs. Ramsay est, par les liens qui l'unissent à l'histoire personnelle de l'écrivain, la plus réelle, la plus fidèle à son original, Mrs. Leslie Stephen (ou Virginia Woolf elle-même, car il suffit de voir côte à côte les deux portraits pour être saisi de la ressemblance entre la fille et la mère). Voici l'épouse parfaite, la mère inquiète qui porte comme une couronne ses huit enfants et une neuvième, plus dépourvue, Lily Briscoe ; voici la maîtresse de maison qui avec le même souci paie les factures, arrose les fleurs, calme les humeurs de son mari et les cauchemars de ses enfants endormis ; voici la bonne hôtesse qui veille à ce que tout se passe bien dans le domaine qui lui a été départi, et que, de la cuisine où mijote doucement le bœuf en daube au jardin où sommeille le vieux Carmichaël, rien n'altère l'harmonie dont elle est responsable. De ce centre rayonnant de beauté, de bonté, émane comme d'un phare une chaude lumière qui chasse les ténèbres, protège les amoureux, féconde les sté-riles, réunit les solitaires, apaise les cœurs malades et envahit d'amour tout ce qu'elle touche. « Voici ma mère, dit Prue... Voici l'être qu'il nous faut. » On aperçoit clairement, de l'Helen Ambrose de *La Traversée des Apparences* à Mrs. Ramsay

---

1. Vers célèbre de *La Charge de la Brigade de cavalerie légère* de Tennyson.

et jusqu'à la Suzanne des *Vagues*, la filiation dans l'œuvre de l'artiste de cette image maternelle.

Mais les données autobiographiques ne suffisent pas à rendre compte du personnage central de *La Promenade au Phare*. Clarissa Dalloway, c'était encore le reflet d'une société donnée à un moment donné, une femme du monde recevant du haut d'un escalier symbolique tout ce que Londres compte en 1923 d'aristocratique et de raffiné. En Mrs. Ramsay les particularités commencent à s'estomper, moins sans doute que chez les protagonistes des *Vagues*, mais c'est déjà le même effort de dépersonnalisation. Lorsqu'elle se retire au fond d'elle-même, épuisée d'avoir déversé sa sympathie, de s'être donnée tout entière à ceux qui l'entourent, elle n'est plus qu'une espèce de médium à peine conscient, au travers duquel passe le courant discontinu de sa vie intérieure, une plaque ultra-sensible sur laquelle s'inscrivent les grands thèmes qui irriguent d'un bout à l'autre l'œuvre de Virginia Woolf : Qu'est-ce que la vie ? Qu'est-ce que l'amour ? Comment lutter contre le chaos ? Comment retenir les heures qui passent ? Comment vaincre la mort ?

Deux de ces questions trouvent dans *La Promenade au Phare* une réponse que Virginia Woolf reprendra en la développant dans *Les Vagues* : celle du temps et celle de l'art. C'est au personnage, apparemment accessoire mais aussi essentiel en réalité que Mrs. Ramsay, qu'il revient de résoudre l'une et l'autre en une éclatante synthèse.

Lorsque s'ouvre le roman, Lily essaie de fixer sur sa toile l'heureux tableau de famille qu'elle aperçoit à la fenêtre du salon où Mrs. Ramsay lit une histoire à son petit garçon. « Irons-nous au Phare demain ? » demande l'enfant, et toute la maisonnée reprend en silence la question : saurons-nous émerger des apparences et saisir notre liberté, ce long rayon qui, à travers la brume, nous réunit et nous élève ? La première partie se clôt sur le regret : « Il pleuvra sûrement demain », conclut Mrs. Ramsay. Passent dix années, brèves et longues comme l'espace d'une nuit, au cours desquelles Mrs. Ramsay et deux de ses enfants sont morts. La poussière a continué à couvrir les murs de la maison, les vagues à se briser sur le rivage. Mais cette parenthèse de temps vide ne saurait interrompre la journée commencée dix ans auparavant. Nous reprenons où nous les avons quittés le vieux Carmichaël sommeillant sur la pelouse, Lily devant ses pinceaux, essayant de retrouver de mémoire la scène qu'elle a peinte il y a longtemps, lorsque Mrs. Ramsay était assise à la fenêtre du salon, et les deux plus jeunes enfants aussi hostiles que jadis à l'autorité paternelle. A *La Fenêtre*, segment de temps ouvert sur l'avenir, correspond la dernière partie, *Le Phare*, destiné à illuminer le passé. Et ce Phare, on le suppose bien, ce n'est pas seulement l'effort que poursuit isolément chacun des personnages pour « effacer les plis de quelque chose qu'on lui avait donné tout plié il y a des années », c'est entre eux la présence unifiante de Mrs. Ramsay, les rassemblant tous dans sa tendresse inquiète. La voilà enfin conquise cette liberté, cette vie que Lily ne parvenait pas à enclore dans le rectangle du tableau, cette réalité que devinait le petit James à travers les apparences. Ce n'est pas par hasard que le bateau aborde au Phare au moment où Lily, épuisée, découvre ce qui manquait à sa toile pour vivre hors de l'espace et hors du temps. « J'ai eu ma vision », murmure-t-elle, et en cette minute elle saisit dans sa miraculeuse spontanéité ce que Virginia Woolf appelle « un moment d'être » et qui dans notre souvenir se superpose curieusement aux « impressions privilégiées » de Proust.

La Promenade au Phare est le seul roman de Virginia Woolf qui fasse entendre en sourdine ce chant d'amour et de joie, le seul qui se termine autrement que dans l'angoisse d'une solitude implacable. Elle-même le considérait comme le meilleur de ses livres, plus cohérent que *Jacob*, moins superficiel, moins tendu que *Mrs. Dalloway*. Ce fut également l'opinion du jury Femina qui l'année suivante, en 1928, lui décerna, après E. M. Forster, le prix Fémina-Vie Heureuse. Mais était-ce encore un roman que cette lente méditation inondée de poésie où l'action a si peu de place : « J'ai l'idée, lit-on dans le *Journal*, le 27 juin 1925, qu'il me faudra inventer un mot nouveau dans mes livres pour remplacer le mot roman. » Un nouveau... par Virginia Woolf. Mais quoi ? Elégie ? Abandonnant pour le moment le mode narratif, Virginia Woolf, à partir de *La Promenade au Phare*, s'enfonce de plus en plus dans ce que Proust appelle « la grande nuit impénétrée et décourageante de notre âme ». Pour une exploration aussi souterraine, les techniques mises au point par ses prédécesseurs ne lui suffisent plus. Elle s'invente des instruments nouveaux, plus souples, capables d'épouser le « flux de conscience » dont elle fait la matière première de son roman : monologue intérieur, soliloque lyrique, changements de perspective... « Quand j'écris, dit-elle, je ne suis qu'une sensibilité. » Mais ce n'est là que le premier temps de la création ; au second, elle compose, calcule, organise, sélectionne, en un mot devient l'artiste que nous connaissons. Ainsi n'est-on pas peu surpris de découvrir, comme une fleur épanouie pendant la nuit, ce talent secrètement mûri depuis *Mrs. Dalloway*, qui rompt avec ses dernières acquisitions pour mieux trouver sa voie et son originalité. C'est là l'un des plus étonnants paradoxes du roman woolfien que de chaque fois nous révéler le premier matin du monde, comme si jamais auparavant nous n'avions entendu les vagues battre sur le rivage et vu la mer refléter l'argent du ciel. Constituée de lignes brisées mises bout à bout, l'œuvre de Virginia Woolf apparaît avec le recul du temps comme une magnifique solution de continuité, dans laquelle chacun des romans se projette dans l'avenir en un effort patient et courageux pour toucher l'invisible.

Monique NATHAN.

LA FENETRE

1

« OUI, bien sûr, s'il fait beau demain, dit Mrs. Ramsay. Mais il faudra vous lever à l'aurore », ajouta-t-elle.

Ces paroles causèrent à son fils une joie extraordinaire. Pour lui il était désormais entendu que l'excursion se ferait sûrement et que la merveille contemplée depuis des années et des années, semblait-il, se trouvait maintenant à portée de sa main, qu'il n'en était plus séparé que par une nuit de ténèbres et une journée de navigation. Comme il appartenait, à l'âge de six ans déjà, à la grande famille des êtres incapables de séparer leurs sentiments les uns des autres et d'empêcher la perspective de l'avenir, avec tout ce qu'elle contient de joies et de peines, d'obscurcir la réalité présente ; comme pour ces êtres, si petits qu'ils soient, le tour le plus léger de la roue des sensations a la faculté de cristalliser, de transpercer et de fixer le moment sur lequel il a posé son ombre ou sa lumière, James Ramsay, assis sur le plancher et en train de découper des images dans le catalogue illustré des « Army and Navy Stores [1] », attribuait à celle d'un appareil frigorifique, pendant que parlait sa mère, un caractère de

---

1. Grands magasins de Londres. (N. d. T.)

divine félicité. Cet appareil était auréolé de joie. La brouette, la tondeuse de gazon, le bruissement des peupliers, le blanchiment des feuilles avant la pluie, le croassement des corneilles, les balais heurtant les murs, le frou-frou des robes — chacune de ces sensations avait dans son esprit une couleur si nette, un aspect si distinct, qu'il possédait déjà son code particulier, son langage secret. Il apparaissait cependant comme l'image de la sévérité inflexible et sans mélange avec son front haut, ses farouches yeux bleus d'une pureté et d'une candeur impeccables, ses légers froncements de sourcils devant le spectacle de la fragilité humaine, et cela au point que sa mère, en le regardant guider adroitement ses ciseaux autour du frigorifique, l'imaginait assis sur un fauteuil de juge, tout en rouge et en hermine, ou en train de diriger quelque grave et formidable entreprise dans une heure critique du gouvernement de son pays.

« Mais, dit son père en s'arrêtant devant la fenêtre du salon, il ne fera pas beau. »

Si James avait eu à sa portée une hache, un tisonnier ou toute autre arme susceptible de fendre la poitrine de son père et de le tuer sur place, là, d'un seul coup, il s'en serait emparé. Telles, et aussi extrêmes, étaient les émotions que Mr. Ramsay faisait naître dans le cœur de ses enfants par sa seule présence lorsqu'il se tenait devant eux, à sa façon présente, maigre comme un couteau, étroit comme une lame, avec le sourire sarcastique que provoquaient en lui non seulement le plaisir de désillusionner son fils et de ridiculiser sa femme, pourtant dix mille fois supérieure à lui en tous points (aux yeux de James), mais encore la vanité secrète tirée de la rectitude de son propre jugement. Ce qu'il disait était la vérité. C'était toujours la vérité. Il était incapable de ne pas dire la vérité ; il n'altérait jamais un fait, ne modifiait jamais un mot désagréable pour la commodité ou l'agrément d'âme qui vive, ni surtout de ses propres enfants, chair de sa chair et tenus en conséquence à savoir le plus tôt possible que la vie est difficile, que les faits ne souffrent point de compromis et que le passage au pays fabuleux où nos plus brillants espoirs s'évanouissent, où nos barques fragiles s'engloutissent dans les ténèbres (arrivé à ce point Mr. Ramsay se redressait et fixait l'horizon en rétrécissant ses petits yeux bleus) représente une épreuve qui demande avant tout du courage, de la sincérité et de l'endurance.

« Mais il peut faire beau — je crois qu'il fera beau », répondit Mrs. Ramsay, tortillant avec impatience un bout du bas de couleur rouge sombre qu'elle était en train de tricoter. Si elle le finissait ce soir, si, en définitive, on allait au Phare, elle destinait au gardien cette paire pour son petit garçon menacé de tuberculose de la hanche, ainsi qu'un ballot de vieux magazines et une provision de tabac, et d'ailleurs tout ce qu'elle avait pu ramasser de choses inutiles en somme dans ce qui traînait à la maison et ne faisait qu'encombrer, pour donner à ces pauvres gens qui devaient mourir d'ennui à rester tout le jour sans rien à faire que d'astiquer des lampes, entretenir les mèches et ratisser leur jardinet, de quoi se distraire. Car, demandait-elle, qu'est-ce que vous diriez d'être enfermé pendant tout un mois et peut-être davantage par gros temps, sur un rocher grand comme une pelouse de tennis ; de ne recevoir ni lettres ni journaux et de ne voir personne ; étant marié, de ne pas voir votre femme et d'ignorer comment vont vos enfants, s'ils sont malades, s'ils sont tombés et se sont cassé une jambe ou un bras ; de voir se briser les mêmes vagues mornes pendant des semaines entières, puis arriver une terrible tempête, les fenêtres se couvrir d'écume, les oiseaux se jeter contre la lampe et le phare tout entier osciller, sans qu'on ose mettre le nez dehors de peur d'être balayé par la mer ? Qu'est-ce que vous diriez de ça ? demandait-elle en s'adressant à ses filles en particulier. Aussi, ajoutait-elle, sur un ton un peu changé, il faut porter à ces gens-là toutes les douceurs possibles.

« Ouest en plein », dit Tansley, l'athée, en tenant en l'air ses doigts écartés de manière à faire passer le vent au travers de sa main, car il accompagnait Mr. Ramsay dans sa promenade le long de la terrasse. Cela revenait à dire que le vent soufflait du pire côté pour débarquer au Phare. Oui, il disait des choses désagréables, Mrs. Ramsay était bien obligée d'en convenir. C'était très mal à lui d'insister ainsi et d'augmenter la déception de James. Mais, d'autre part, elle ne voulait pas permettre à ses enfants de se moquer de lui. Ils l'appelaient « l'athée », « le petit athée ». Rose se moquait de lui ; Prue se moquait de lui ; Andrew, Jasper, Roger se moquaient de lui ; le vieux Badger lui-même, qui n'avait plus une seule dent dans la mâchoire, l'avait mordu pour le punir d'être (suivant l'expression de Nancy) le cent dixième jeune homme à leur courir après jusqu'aux Hébrides, alors qu'on aurait été tellement mieux en restant entre soi.

« Que vous êtes sots ! » dit Mrs. Ramsay avec une grande sévérité. Sans parler de cette habitude d'exagérer qu'ils tenaient d'elle, ni de leur façon d'insinuer — c'était d'ailleurs la vérité — qu'elle invitait trop de gens chez elle, au point qu'elle était obligée d'en loger quelques-uns en ville, elle ne pouvait supporter qu'on se montrât incivil à l'égard de ses invités, des jeunes gens en particulier, pauvres comme des rats d'église, « d'un mérite exceptionnel », disait son mari, dont ils étaient de grands admirateurs et chez qui ils venaient passer leurs vacances. Même elle prenait sous sa protection la totalité du sexe qui n'était pas le sien et cela pour des raisons dont elle ne pouvait rendre compte, parce que les hommes sont chevaleresques et vaillants, négocient des traités, gouvernent l'Inde, dirigent les finances et en conséquence enfin d'une certaine attitude envers elle qu'aucune femme ne pouvait manquer de sentir ou d'apprécier et qui consistait en quelque chose de confiant, d'enfantin, de révérend qu'une vieille femme peut accepter d'un jeune homme sans rien perdre de sa dignité. Et malheur à la jeune fille — fasse le Ciel que ce ne fût pas une de ses filles ! — qui n'eût pas senti au plus profond d'elle-même tout le prix de ce sentiment avec tout ce qu'il impliquait.

Elle s'en prit sévèrement à Nancy. Il n'avait pas couru après eux, dit-elle. On l'avait invité.

Il fallait trouver un moyen de sortir de tout cela. Il devait y avoir un moyen plus simple, moins laborieux, soupira-t-elle. Lorsqu'elle se regardait dans la glace et voyait, à cinquante ans, ses cheveux gris et sa joue creuse, elle se disait qu'elle aurait, peut-être, pu tirer un meilleur parti des choses — de son mari, de l'argent, des livres de son mari. Mais, quant à elle, elle ne regretterait jamais, non, pas une seconde, la décision prise ; n'éluderait jamais les difficultés ; n'escamoterait jamais ses devoirs. Elle était maintenant formidable à contempler et ce ne fut qu'en silence, en levant le nez de leur assiette, après ses remarques sévères sur leur conduite envers Charles Tansley, que ses filles, Prue, Nancy, Rose, purent se permettre de jouer avec d'hétérodoxes notions, venues toutes seules dans leurs cervelles, d'une vie différente de la sienne, passée peut-être à Paris ; plus débridée que la leur ; dans laquelle on n'était pas toujours obligée de veiller au bien-être de quelque homme ; car elles avaient toutes dans l'esprit une défiance muette de ce que représentent la déférence, la chevalerie, la Banque d'Angleterre, l'Inde impériale, les doigts ornés de bagues et la dentelle, bien que, pour elles toutes, il y eût dans tout cela un élément d'essentielle beauté qui faisait monter à la surface la virilité contenue dans leurs cœurs de jeunes filles et les faisait, ainsi assises à table sous les yeux de leur mère, honorer l'étrange vérité de celle-ci, ainsi que l'extrême courtoisie grâce à laquelle elle ressemblait à une reine relevant de la boue et lavant le pied malpropre d'un mendiant, et cela pendant qu'elle les réprimandait si vertement à propos de ce malheureux athée qui les avait poursuivis dans l'île de Skye ou — pour parler plus exactement — qu'ils y avaient invité.

« Il n'y aura pas moyen de débarquer au Phare demain », dit en frappant des mains Charles Tansley qui se trouvait debout devant la fenêtre avec Mr. Ramsay. Assurément il en avait assez dit. Elle aurait voulu qu'ils cessassent de s'occuper d'elle et de James et continuassent leur conversation. Elle le regarda. C'était, disaient les enfants, un bien misérable échantillon de l'espèce humaine, tout en bosses et en creux. Il ne savait pas jouer au cricket ; il avait des façons fouineuses et fuyantes. Avec ses airs sarcastiques, ce n'était, disait Andrew, qu'une sale bête. Les enfants savaient bien ce qu'il aimait pardessus tout : arpenter perpétuellement la terrasse à côté de Mr. Ramsay tout en lui racontant qui avait gagné telle ou telle récompense, qui était « de première force » en vers latins, qui se montrait « brillant, mais à mon avis dépourvu de fond », qui apparaissait, sans l'ombre d'un doute, comme « le garçon le plus capable de Balliol [1] », qui avait temporairement mis sa torche sous le boisseau à Bristol ou à Bedford mais ne pouvait manquer de faire parler de lui plus

_____

1. Collège universitaire d'Oxford. (N. d. T.)

tard quand paraîtraient ses Prolégomènes à quelque branche de mathématiques ou de philosophie dont il avait, lui, Tansley, les premières pages en épreuves sur lui, à la disposition de Mr. Ramsay s'il avait envie de le lire. Voilà de quoi ils s'entretenaient tous les deux.

Elle-même parfois ne pouvait s'empêcher d'en rire. Elle avait parlé, l'autre jour, de « vagues hautes comme des montagnes ».

« Oui, dit Charles Tansley, il faisait assez mauvais.

— N'êtes-vous pas trempé jusqu'aux os ? avait-elle demandé.

— Mouillé, oui, mais ça n'a pas traversé », répondit-il en pinçant sa manche et tâtant sa chaussette.

Pourtant, assuraient les enfants, ce n'était pas de cela qu'ils se plaignaient. Il ne s'agissait pas de son physique ; il ne s'agissait pas de ses manières. C'était à lui tout entier, à son point de vue, qu'ils s'en prenaient. Lorsque leur conversation roulait sur quelque chose d'intéressant, sur des gens, de la musique, de l'histoire, n'importe quoi ; si même ils se contentaient de dire que la soirée était belle et qu'on serait aussi bien assis dehors, ce qu'ils reprochaient à Charles Tansley c'est qu'il n'avait de cesse qu'il n'eût complètement retourné leurs propos de façon à les faire, pour ainsi dire, réfléchir sa propre personnalité et critiquer la leur ; qu'il ne les eût fait grincer des dents avec sa façon acide de dépouiller tout ce qu'il touchait de chair et de sang. Et, disaient-ils, il allait dans les musées de peinture et demandait aux gens s'ils aimaient sa cravate. Ah ! grand Dieu, non ! ajoutait Rose.

Les huit fils et filles de Mr. et Mrs. Ramsay disparurent de la table du dîner, prestes et silencieux comme des chevreuils, dès que le repas fut terminé, et gagnèrent leurs chambres, leurs forteresses, les seuls endroits de la maison où ils pussent être tranquilles pour causer de n'importe quoi et de tout : de la cravate de Tansley, de l'adoption du « Reform Bill[1] », des oiseaux de mer, des papillons, des gens ; et cela pendant que le soleil inondait ces mansardes séparées les unes des autres par une simple planche à travers laquelle on entendait distinctement le moindre bruit de pas et les sanglots de la Suissesse dont le père se mourait d'un cancer dans une vallée des Grisons ; posait sa vive lueur sur des battes de cricket, des costumes de flanelle, des chapeaux de paille, des bouteilles d'encre, des pots de peinture, des scarabées, des crânes de petits oiseaux et faisait sortir des algues suspendues au mur en longues bandes ruchées une odeur de sel et d'herbes que l'on retrouvait dans les serviettes rendues râpeuses par le sable des bains.

Luttes, discordes, différences d'opinions, préjugés tissés dans la trame même de l'être... Oh ! Mrs. Ramsay déplorait que tout cela dût commencer si tôt. Ses enfants avaient une tournure d'esprit bien critique. Ils disaient beaucoup de bêtises. Elle quitta la salle à manger en tenant James par la main car il ne voulait pas s'en aller avec les autres. Cela lui semblait si absurde d'inventer des différences entre les gens alors qu'ils sont — qui ne le sait ? — bien assez différents les uns des autres comme cela. Les vraies différences, songeait-elle, debout devant la fenêtre du salon, sont suffisantes, oh ! oui, bien suffisantes. Elle se représentait en ce moment les riches et les pauvres, les grands et les humbles. Ceux qu'exaltait leur naissance recevaient d'elle, non sans résistance, un certain hommage, car ne coulait-il pas dans ses veines le sang de cette Maison d'Italie, très

_____

1. Loi électorale fameuse votée en 1832 et qui fut une des étapes les plus importantes du mouvement libéral au XIXᵉ siècle. (N. d. T.)

noble, encore que légèrement fabuleuse, dont les descendances, dispersées dans les salons anglais au cours du XIXᵉ siècle, avaient zézayé avec tant de charme, s'étaient emportées avec tant de fureur ! Son esprit, son allure, son caractère venaient tout entiers d'elles ; ils n'avaient rien de la lenteur anglaise ni de la froideur écossaise. Mais elle ruminait plus profondément l'autre problème, celui des riches et des pauvres, songeait à ce qu'elle voyait de ses propres yeux, tous les jours de la semaine, ici ou à Londres, lorsqu'elle allait visiter elle-même telle veuve ou telle ménagère en difficultés, un sac sur le bras et, à la main, un carnet et un crayon pour inscrire dans des colonnes soigneusement réglées les salaires et les dépenses, les journées de travail et de chômage, et cela dans l'espoir qu'elle cesserait ainsi d'être une femme ordinaire dont la charité sert à apaiser tant sa propre indignation que sa curiosité et deviendrait ce que son esprit sans formation spéciale admirait grandement, c'est-à-dire une investigatrice penchée pour l'élucider sur le problème social.

Comme elle restait là debout, tenant toujours James par la main, ces questions lui apparaissaient insolubles. Il l'avait suivie dans le salon, ce jeune homme, objet de leur dérision ; il se tenait près de la table et tortillait maladroitement un objet avec la sensation d'être à l'écart de la vie des autres. Elle n'avait pas besoin de se retourner pour en être sûre. Ils étaient tous partis, les enfants ; Minta Doyle et Paul Rayley ; Augustus Carmichaël ; son mari — tout le monde avait disparu. Elle se tourna donc avec un soupir et dit : « Cela vous ennuierait-il de venir avec moi, Mr. Tansley ? » Elle avait à faire en ville une course sans intérêt et une ou deux lettres à écrire ; elle allait mettre son chapeau ; cela ne lui prendrait pas plus de dix minutes. Et, dix minutes plus tard, elle reparaissait avec son panier et son ombrelle, donnant l'impression d'être prête, équipée pour une sortie qu'elle dut cependant interrompre un instant pour, en passant devant la pelouse de tennis, demander s'il n'avait besoin de rien à Mr. Carmichaël qui entrouvrait au soleil ses yeux jaunes de chat semblant, comme ceux des chats, réfléchir le mouvement des branches ou le passage des nuages, sans jamais rien trahir de ses pensées ni de ses émotions. Car ils partaient pour la grande expédition, dit-elle en riant. Ils allaient à la ville. « Pas de timbres, de papier à lettres, de tabac ? » suggéra-t-elle en s'arrêtant près de lui. Non, il n'avait besoin de rien. Ses mains se croisaient sur son ample bedaine, ses yeux clignaient comme s'il eût voulu répondre aimablement à ces douces attentions (elle se montrait séduisante quoique un peu gênée), mais sans pouvoir y arriver tant le gagnait une somnolence faite de gris et de vert qui, sans qu'il fût besoin de parler, les embrassait tous dans une vaste et léthargique bienveillance où flottaient la maison tout entière, le monde tout entier avec tous les habitants ; car il avait versé dans son verre, au lunch, quelques gouttes d'une certaine drogue à laquelle les enfants pensaient qu'il fallait attribuer cette vive traînée jaune serin dans sa moustache et sa barbe, par ailleurs d'une blancheur de lait. Il n'avait besoin de rien, murmura-t-il.

« Il serait devenu un grand philosophe, dit Mrs. Ramsay en descendant la route dans la direction du village de pêcheurs, s'il n'avait pas fait un mariage malheureux. » Tenant son ombrelle très droite en marchant, son air exprimait, sans qu'on sût bien de quelle façon, une attente, comme si elle allait rencontrer quelqu'un au prochain tournant. Elle raconta l'histoire de Mr. Carmichaël : c'était une jeune fille dont il avait fait la connaissance à Oxford ; un mariage au commencement de sa carrière ; la pauvreté ; un départ pour l'Inde ; quelques traductions de poèmes, « très belles, je crois » ; il s'offrait à enseigner le persan ou l'hindoustani, mais à quoi cela pouvait-il bien servir ? et puis il s'étendait sur la pelouse comme ils venaient de l'y voir.

Charles Tansley était flatté ; après tant de rebuffades ces confidences de Mrs. Ramsay lui procuraient un apaisement. Il se sentait renaître. Et avec sa façon de laisser entendre que le cerveau masculin conserve sa grandeur même dans sa déchéance, que toutes les femmes doivent rester dans l'ombre des travaux de leurs maris — non qu'elle blâmât cette jeune fille, d'ailleurs elle croyait que leur mariage avait été assez heureux —, elle le rendait plus satisfait de lui-même qu'il ne l'avait jamais été encore et il eût aimé, si par exemple ils avaient pris un cab, régler au cocher le prix de sa course. Et son petit sac, est-ce qu'il ne pourrait pas le porter ? Non, non, dit-elle, *cela* elle le portait toujours elle-même. Et c'était vrai. Oui, il le sentait bien. Il sentait bien des choses, une en particulier qui l'agitait, le troublait pour des raisons dont il eût été incapable de rendre compte. Il aurait voulu qu'elle le vît en robe de cérémonie s'avancer dans une procession universitaire. Une chaire de « fellow [1] » ou de professeur — il se sentait capable de tout et se voyait... Mais que regardait-elle ? Un homme en train de coller une affiche. La vaste et flottante feuille de papier se déployait peu à peu et chaque coup de brosse faisait apparaître des jambes, des cerceaux, des chevaux, des rouges et des bleus éclatants dont aucun pli ne déparait la belle étendue. Bientôt la moitié du mur fut recouverte par une affiche de cirque ; cent cavaliers, vingt phoques savants, des lions, des tigres... Elle leva les yeux le

_____

1. Membre du corps enseignant d'un collège universitaire, recruté au concours. (N. d. T.)

plus haut possible, car elle était myope, et lut que...
« arrivera dans cette ville ». C'était un travail terriblement dangereux, s'écria-t-elle, pour un homme qui
ne pouvait disposer que d'un bras, de se tenir ainsi
en haut d'une échelle — le bras gauche de celui-ci
avait été sectionné dans une machine à battre il y
avait deux ans.

« Allons-y tous ! » s'écria-t-elle en reprenant sa
route, comme si devant tous ces cavaliers et tous
ces chevaux elle eût été envahie par un enthousiasme
enfantin, oubliant la pitié qu'elle était en train
d'éprouver.

« Allons-y ! » dit-il. Il répétait les paroles de
Mrs. Ramsay mais en leur donnant délibérément une
importance qui la saisit. « Allons au cirque. » Non,
il ne pouvait pas dire cela comme il aurait fallu. Il ne
pouvait pas sentir cela comme il aurait fallu. Mais
pourquoi ? se demanda-t-elle. Qu'y avait-il donc en
lui de défectueux ? Elle éprouvait en ce moment
pour lui une chaude sympathie. Ne les avait-on pas
menés au cirque dans leur enfance ? demanda-t-elle.
Jamais, répondit-il, comme si elle lui eût demandé
la chose même à laquelle il avait envie de répondre ;
comme si, depuis longtemps, il eût éprouvé le besoin
d'expliquer comment il se faisait qu'ils ne fussent
pas allés au cirque. Sa famille était nombreuse, neuf
frères et sœurs, et son père travaillait pour vivre.
« Mon père est pharmacien, Mrs. Ramsay. Il tient
un magasin. » Lui-même avait gagné sa vie depuis
l'âge de treize ans. Il lui arrivait souvent de se passer
de pardessus l'hiver. Il ne pouvait jamais « rendre
de politesses » (suivant sa cérémonieuse expression)
à ses camarades d'Oxford. Il lui fallait faire durer
les choses deux fois plus longtemps que les autres ;
il fumait le tabac le meilleur marché, de la qualité
qu'emploient les vieux marins sur les quais. Il travaillait dur, sept heures par jour ; son sujet était

en ce moment l'influence de quelque chose sur quelqu'un. Ils marchaient toujours et Mrs. Ramsay ne saisissait pas entièrement le sens de ses paroles ; les mots ne lui parvenaient qu'isolés, çà et là... un mémoire... une chaire de fellow... une chaire de lecteur... une maîtrise de conférences. Elle ne pouvait pas suivre ce vilain jargon universitaire dont il se servait avec tant d'aisance, mais elle se disait qu'elle comprenait à présent comment l'idée d'aller au cirque avait pu le bouleverser ainsi, pauvre petit homme, et pourquoi il s'était mis aussitôt à sortir toutes ces histoires sur son père, sa mère, ses frères et ses sœurs. Elle veillerait à ce qu'on ne se moquât plus de lui ; elle en parlerait à Prue. Ce qu'il aurait aimé, supposait-elle, c'eût été de raconter qu'il était allé voir jouer Ibsen en compagnie des Ramsay. C'était un affreux pédant — certes oui, et un insupportable raseur. Car, bien qu'ils fussent arrivés au village et se trouvassent dans la rue principale dont le pavé en galets faisait grincer les charrettes, il continuait à parler d'œuvres et d'enseignement populaires, des travailleurs, de l'aide à notre classe et de conférences, si bien qu'elle finit par se rendre compte qu'il avait entièrement recouvré sa confiance en lui, s'était remis de l'émotion que lui avait causée le cirque et se trouvait sur le point (de nouveau elle se sentait vivement attirée vers lui) de lui dire... Mais à ce moment les maisons disparurent des deux côtés de la rue, ils débouchèrent sur le quai, la baie tout entière se déploya devant eux et elle ne put s'empêcher de s'écrier : « Oh ! que c'est beau ! » Car la grande assiettée d'eau bleue était posée devant elle ; le Phare austère et blanc de vieillesse se dressait au milieu, très loin ; et à droite aussi loin que portait la vue, diminuant, disparaissant peu à peu, en plis doucement allongés, s'étendaient les dunes vertes chargées d'herbes folles et donnant l'impression de s'enfuir vers un pays lunaire, inhabité des hommes.

C'était là la vue qu'aimait son mari, dit-elle en s'arrêtant, tandis que ses yeux prenaient une couleur plus grise.

Elle demeura un instant immobile. Mais à présent, ajouta-t-elle, les artistes étaient arrivés. A quelques pas, en effet, un d'entre eux se trouvait là, en panama et souliers jaunes, l'air doux, sérieux, absorbé en dépit du fait qu'il était observé par dix petits garçons, son visage rouge et rond exprimant une profonde satisfaction. Il regardait avec attention puis, après avoir bien regardé, plongeait son pinceau, en trempait l'extrémité dans un doux monticule de vert ou de rose. Depuis la venue de Mr. Paunceforte, il y avait trois ans, tous les tableaux ressemblaient à cela, disait-elle ; ils étaient verts et gris avec des barques couleur citron et des femmes roses sur la plage.

Mais les amis de sa grand-mère, remarqua-t-elle tandis qu'ils jetaient en passant un regard discret, prenaient des peines infinies, mélangeaient eux-mêmes leurs couleurs, les broyaient ensuite et, enfin, posaient sur elles des lignes humides pour les empêcher de se dessécher.

Mr. Tansley supposa donc qu'elle voulait lui faire voir que ce que faisait ce peintre manquait d'étoffe. Etait-ce bien là ce qu'il fallait dire ? Ses couleurs n'étaient pas solides ? Etait-ce bien là ce qu'il fallait dire ? Sous l'influence de l'extraordinaire émotion qui, commençant dans le jardin lorsqu'il avait voulu prendre le sac de Mrs. Ramsay, n'avait cessé de grandir pendant la promenade et avait augmenté en ville lorsqu'il avait voulu tout lui expliquer de lui-même, il en arrivait à avoir de lui-même et de tout ce qu'il avait jamais connu une vision un peu déformée. C'était une impression d'une extraordinaire étrangeté.

Il l'attendait debout dans le salon de la petite

maison sentant le renfermé où elle l'avait amené et où elle était montée voir une femme un moment. Il entendait au-dessus de lui résonner son pas agile et sa voix, d'abord joviale, puis baissant le ton ; regardait les dessus de table, les coffres à thé, les globes ; devint très impatient ; songea avec un vif plaisir à la promenade du retour et résolut de porter son sac ; puis l'entendit sortir, fermer une porte, dire qu'il faut tenir les fenêtres ouvertes et les portes fermées, recommander de venir chez elle pour tout ce dont on pourrait avoir besoin (elle parlait certainement à un enfant), puis elle entra brusquement, resta un instant sans rien dire (comme si, là-haut, elle eût joué un rôle et se permît maintenant d'être un peu elle-même), resta un instant sans bouger devant un portrait de la reine Victoria portant le cordon bleu de la Jarretière et, tout d'un coup, il comprit que c'était de cela, oui de cela qu'il s'agissait : c'était la plus belle personne qu'il eût jamais vue.

Des étoiles dans les yeux, des voiles aux cheveux, parée de cyclamens et de violettes des bois... quel rêve absurde ! Elle avait au moins cinquante ans ; elle avait huit enfants. Elle traversait des champs de fleurs, pressant contre son sein des boutons de fleurs brisés et des agneaux tombés ; des étoiles dans les yeux et les cheveux au vent. Il prit son sac.

« Adieu, Elsie », dit-elle, et ils remontèrent la rue, elle tenant son ombrelle très droite et marchant comme si elle se fût attendue à rencontrer quelqu'un au premier tournant, et lui éprouvant pour la première fois de sa vie une extraordinaire fierté. Un homme qui travaillait dans une canalisation arrêta sa pioche et la regarda ; il laissa retomber son bras et la regarda ; Charles Tansley éprouva une extraordinaire fierté ; il eut la sensation du vent, des cyclamens et des violettes, car pour la première fois de sa vie il marchait en compagnie d'une femme qui était belle. Et il s'était emparé de son sac.

2

« Pas moyen d'aller au Phare, James », dit-il, debout devant la fenêtre et avec embarras, tout en s'efforçant, par déférence pour Mrs. Ramsay, d'adoucir le ton de sa voix et de lui donner quelque apparence tout au moins de bonne humeur.

« Que ce petit homme est donc assommant ! se dit Mrs. Ramsay. Pourquoi répète-t-il toujours cela ? »

3

« Peut-être en vous réveillant trouverez-vous que le soleil brille et que les oiseaux chantent », dit-elle avec compassion, en caressant les cheveux de son petit garçon, car elle s'apercevait qu'il avait été attristé par la remarque caustique de son mari sur le mauvais temps qu'il ferait. Cette excursion au Phare, elle le voyait bien, lui tenait passionnément au cœur et voici que ce petit homme désagréable venait de retourner le poignard dans la plaie comme si la remarque caustique qu'il ne ferait pas beau demain ne suffisait pas.

« Peut-être fera-t-il beau demain », dit-elle en caressant les cheveux de son petit garçon.

Tout ce qu'elle pouvait faire à présent se bornait à admirer l'appareil frigorifique et tourner les pages du catalogue dans l'espoir de tomber sur quelque râteau ou faucheuse dont les dents et les poignées demanderaient pour être découpées une très grande habileté et un très grand soin. Tous ces jeunes gens singeaient son mari, se dit-elle. Il avait annoncé qu'il pleuvrait ; ils déclaraient que ce serait une véritable tornade.

Mais voici que, comme elle tournait la page, sa recherche d'une image de râteau ou de faucheuse fut brusquement interrompue. Le rude murmure irrégulièrement interrompu par les pipes sortant des bouches et y rentrant dont la continuité l'avait assurée que les hommes causaient béatement — bien qu'elle ne pût distinguer ce qu'ils disaient (car elle était assise à l'intérieur de la fenêtre) ; ce bruit qui durait depuis une demi-heure et avait, avec son caractère apaisant, pris sa place dans la gamme de sons qui s'accumulaient sur elle, ceux par exemple des balles venant frapper les battes de cricket, du brusque appel « Ça y est-il ? Ça y est-il ? » des enfants en train de jouer, il avait cessé, de telle sorte que la chute monotone des vagues sur la plage dont, la plupart du temps, le roulement cadencé faisait à ses pensées un accompagnement reposant et semblait lui répéter, pour la consoler, lorsqu'elle se trouvait assise au milieu de ses enfants, les paroles d'une vieille berceuse murmurées par la nature : « Je veille sur vous — je suis votre appui », mais qui, d'autres fois, soudainement, inopinément, et cela surtout quand son esprit se dégageait un peu de la tâche présente, battait au contraire d'impitoyable façon la mesure de la vie, à la façon d'un tambourinement de fantômes, faisait songer à la destruction de l'île par la mer, à son engouffrement, et l'avertissait, elle dont les jours s'absorbaient dans la rapide succession de ses tâches, que tout dans notre existence a le caractère éphémère d'un arc-en-ciel, cette rumeur jusque-là obscurcie, cachée par les autres bruits, remplit tout d'un coup ses oreilles de son grondement caverneux et la fit lever les yeux dans un mouvement de terreur.

Les hommes avaient cessé de parler ; là se trouvait l'explication de ce qui venait de se produire. Passant en un instant de la tension nerveuse à laquelle elle venait d'être si brusquement soumise à un état d'esprit situé à l'autre extrémité de son être et qui, comme pour la dédommager de son inutile dépense d'émotion, était fait de froideur, d'amusement et même d'un soupçon de malice, elle conclut que le pauvre Charles Tansley avait dû être débarqué. Peu lui importait. Si son mari avait besoin de sacrifices (et il en avait en effet besoin) elle lui offrait bien volontiers ce Charles Tansley qui avait rebuffé son petit garçon.

L'instant d'après, levant la tête, elle écouta comme si elle eût attendu un son coutumier, un son mécanique et régulier ; puis, entendant quelque chose de rythmé, mi-parlé et mi-psalmodié, qui venait du jardin, tenait le milieu entre un croassement et une mélopée, et cela tandis que son mari arpentait la terrasse, elle se sentit apaisée une fois de plus, s'assura de nouveau que tout allait bien et, comme elle regardait le livre posé sur ses genoux, découvrit l'image d'un couteau à six lames que James ne pouvait découper qu'en faisant très attention.

Soudain un cri violent, semblable à celui d'un somnambule à demi réveillé, dans lequel on distinguait quelque chose comme

sous les balles, sous les obus, rafale ardente [1],

---

1. Ce vers, ainsi que quelques autres qui suivent, est tiré d'un poème de Tennyson, *La Charge de la Brigade de cavalerie légère*, qui, en Angleterre, jouit d'une popularité analogue à, chez nous, celle du *Waterloo* de Victor Hugo. Cette charge eut lieu à Balaklava, en Crimée, le 25 novembre 1854. (N. d. T.)

résonna dans son oreille avec une extrême intensité et la fit se tourner tout inquiète pour voir si personne n'avait entendu son mari. Il n'y avait que Lily Briscoe, elle fut heureuse de le constater ; cela n'avait pas beaucoup d'importance. Mais la vue de la jeune fille en train de peindre debout sur le bord de la pelouse lui rappela qu'elle était supposée tenir sa tête autant que possible dans la même position pour figurer dans son tableau. La tableau de Lily ! Mrs. Ramsay sourit. Avec ses petits yeux de Chinoise et son visage tout plissé elle ne se marierait jamais ; il était impossible de prendre sa peinture très au sérieux ; mais c'était là une petite créature indépendante et Mrs. Ramsay l'aimait à cause de cela. Aussi, se rappelant sa promesse, elle inclina la tête.

4

Il faillit en effet renverser son chevalet lorsqu'il arriva sur elle en agitant les mains et en criant de toutes ses forces : « Tous, cavaliers hardis et sûrs », mais, Dieu merci, il tourna bride et s'enfuit au galop pour s'en aller mourir glorieusement, supposa-t-elle, sur les hauteurs de Balaklava. Jamais elle n'avait vu quelqu'un d'aussi ridicule ni, en même temps, d'aussi alarmant. Mais tant qu'il se contentait d'agiter les bras et de crier comme à présent, elle ne risquait rien ; il ne s'arrêterait pas pour regarder son tableau. Et c'est là ce que Lily Briscoe n'aurait pas pu supporter. Tout en regardant la masse, la ligne, la couleur, Mrs. Ramsay assise à la fenêtre avec James, elle ne cessait de braquer une antenne autour d'elle dans la crainte que quelqu'un ne surgît et ne la fît brusquement s'apercevoir qu'on regardait son tableau. Or, en ce moment où, tous ses sens avivés, elle regardait avec tant d'intensité que la couleur du mur et, au-delà, du jacmanna[1], se gravait dans ses yeux en traits de feu, elle se rendit compte que quelqu'un sortait de la maison et s'avançait vers elle ; mais elle devina, au bruit des pas, que ce devait être William Bankes ; aussi, bien que son pinceau en frémît, elle ne posa pas sur le gazon sa toile retournée, comme elle l'aurait fait dans le cas de Mr. Tansley, de Paul Rayley, de Minta Doyle ou, d'ailleurs, de n'importe qui, et la laissa à sa place. William Bankes se tenait à côté d'elle.

Ils logeaient tous deux dans le village et, au cours de leurs entrées et sorties, de leurs rencontres et de leurs séparations à des heures tardives sur les paillassons, devant les portes, ils avaient échangé de menus propos sur la soupe, les enfants et divers autres sujets qui avaient fait d'eux des alliés ; aussi lorsque maintenant il se trouva à côté d'elle et prit son air de critique (il aurait pu être son père ; c'était un botaniste, un veuf, très scrupuleux et très propre, qui sentait le savon), elle ne bougea pas. Lui non plus ne bougeait pas. Elle portait d'excellents souliers, remarqua-t-il. Ils permettaient aux orteils de se placer naturellement. Comme il habitait la même maison qu'elle, il avait lui aussi remarqué à quel point elle était réglée dans ses habitudes, levée et partie avant le déjeuner pour, croyait-il, s'en aller peindre toute seule ; pauvre apparemment et sans le teint ni le charme de Miss Doyle, c'était évident, mais son jugement la rendait, à ses yeux, supérieure à cette dernière. Ainsi lorsque Ramsay se précipita sur eux avec des cris et de grands gestes, il fut bien sûr que Miss Briscoe comprit de quoi il s'agissait.

1. Plante grimpante. (N. d. T.)

Erreur ! Erreur fatale[1] !

Mr. Ramsay les regarda fixement avec un air furieux. Il les regarda sans paraître les voir. Cela les rendit vaguement mal à l'aise. Ensemble ils avaient vu quelque chose qu'on n'avait pas eu l'intention de leur montrer. Ils s'étaient introduits dans un domaine privé. Ce fut donc probablement, pensa Lily, pour trouver un prétexte à s'éloigner, à se mettre hors de la portée de Mr. Ramsay que Mr. Bankes parla presque aussitôt du froid de l'air et de l'opportunité d'une promenade. Oui, elle l'accompagnerait. Mais ce ne fut pas sans difficulté qu'elle s'arracha à la contemplation de son tableau.

Le jacmanna était d'un violet brillant ; le mur déployait sa blancheur. Elle n'eût pas estimé loyal de se dérober à l'éclat de ce violet ni à cette immense blancheur puisqu'elle les voyait ainsi, bien qu'il fût à la mode, depuis la visite de Mr. Paunceforte, de tout voir sous un aspect pâle, élégant et à demi transparent. Et puis, sous la couleur il y avait la forme. Elle voyait tout avec une irrésistible netteté lorsqu'elle regardait : c'est lorsqu'elle prit son pinceau que tout changea. Dans cet instant de fuite, inséré entre sa peinture et sa toile, elle subit un assaut de ces démons qui faisaient souvent monter les larmes à ses yeux et rendaient ce passage de la conception à l'exécution aussi terrible que peut l'être pour un enfant celui d'un couloir ténébreux. C'était une sensation de ce genre qu'elle éprouvait souvent elle-même lorsqu'elle livrait une lutte terriblement inégale pour conserver son courage, pour affirmer : « Mais c'est ça que je vois ; c'est ça que je vois »,

---

1. La brigade en question fut anéantie au cours d'une charge héroïque mais absurde, entreprise, dit-on, par suite d'une erreur dans la transmission d'un ordre. (N. d. T.)

et presser de la sorte contre sa poitrine un misérable débris de sa vision que mille forces s'efforçaient de lui arracher. Ce fut à ce moment aussi, lorsqu'elle se mit à peindre, que d'autres pensées arrivant ainsi sur elle en coup de vent froid, s'imposèrent à elle ; sa propre insuffisance, son insignifiance, le fait qu'elle était obligée de tenir le ménage de son père dans une rue qui donnait sur Brompton Road. Et elle eut bien du mal à réprimer son envie de se jeter (Dieu merci, elle y avait toujours réussi jusqu'à présent) aux pieds de Mrs. Ramsay et de lui dire — mais que pouvait-on lui dire ? « Je vous aime » ? — non, cela n'était pas vrai — « J'aime tout cela », en embrassant du geste la haie, la maison, les enfants ? C'était absurde, c'était impossible. On ne peut pas dire ce qu'on veut. Pour le moment elle rangea donc ses pinceaux avec soin dans sa boîte, l'un à côté de l'autre, et dit à William Bankes :

« Il fait frais tout d'un coup. On dirait que le soleil donne moins de chaleur. » En parlant elle regardait autour d'elle, car il faisait encore assez jour, l'herbe qui conservait une couleur verte d'une teinte profonde et douce, la maison dont la draperie de verdure s'étoilait de fleurs violettes de la passion et les corneilles laissant tomber leurs cris froids du haut de l'azur. Mais quelque chose remua dans l'air, fit scintiller une aile d'argent.

C'était septembre, en somme, le milieu de septembre, et il était plus de six heures du soir. Ils descendirent donc le jardin dans la direction habituelle, dépassèrent la pelouse du tennis, le gazon géant, arrivèrent à la brèche pratiquée dans la grosse haie et gardée par des plants de tritoma de la couleur de ces braseros où brûle un charbon bien clair et entre lesquels les eaux bleues de la baie paraissaient plus bleues que jamais.

Ils allaient là régulièrement tous les soirs, mus

comme par un besoin. On aurait dit que cette eau détachait, faisait voguer des pensées qui, sur la terre ferme, auraient été stagnantes et même qu'elle donnait à leurs corps une sorte de détente physique. D'abord la pulsation de la couleur inondait le golfe de bleu ; le cœur se dilatait avec elle et le corps tout entier avait l'impression de nager, pour être, l'instant d'après, arrêtés et glacés par la noirceur épineuse des vagues contrariées. Puis, derrière le grand rocher noir, on voyait jaillir presque tous les soirs à intervalles irréguliers — de sorte qu'il fallait guetter et c'était une joie quand cela venait — une fontaine d'eau blanche. Et tout en l'attendant on regardait sur le pâle demi-cercle de la grève la succession des vagues déposer leur douce pellicule nacrée.

Tous deux restaient là, souriants. Tous deux éprouvaient un commun sentiment d'hilarité que provoquait en eux ce mouvement des vagues ; puis la course rapide et tranchante d'un bateau qui, après avoir taillé une tranche courbe de la baie, s'arrêta, frémit, laissa tomber ses voiles ; alors, poussés par un besoin instinctif de compléter le tableau après cette preste évolution, tous deux regardèrent les dunes lointaines et, au lieu d'un sentiment d'allégresse, sentirent une tristesse les envahir — en partie parce qu'il s'agissait de quelque chose de terminé et en partie parce que, pensait Lily, les perspectives lointaines semblent dépasser de millions d'années celle de ceux qui les contemplent et communier déjà avec un ciel dont le regard tombe sur une terre entièrement abandonnée au repos.

En regardant les dunes lointaines William Bankes pensa à Ramsay, pensa à une route du Westmoreland, pensa à Ramsay arpentant tout seul une route à grands pas, drapé dans cet isolement qui semblait son vêtement naturel. Mais cette vision fut soudainement interrompue, se rappela William Bankes (et ce qui suit se rapportait certainement à quelque incident réel), par une poule qui battait des ailes pour protéger sa couvée de poussins, sur quoi Ramsay, s'arrêtant, la montra de sa canne et dit « Joli-joli », ce qui jetait un jour singulier sur son cœur, avait estimé Bankes, montrait la simplicité de sa nature, sa faculté de sympathiser avec d'humbles êtres. Et cependant il lui semblait que leur amitié avait pris fin, là, sur ce bout de route. Après cela Ramsay s'était marié. Après cela, tantôt pour une raison et tantôt pour une autre, la pulpe s'était retirée de leur amitié. À qui la faute ? Il n'aurait pu le dire. Il savait seulement qu'au bout de quelque temps la sensation de la nouveauté avait été remplacée par celle de la répétition. En se retrouvant ils ne faisaient que se répéter. Mais au cours de ce colloque muet avec les dunes il maintint que son affection pour Ramsay n'avait nullement diminué ; elle se trouvait là, cette amitié, étendue au travers de la baie et au milieu des dunes, ayant gardé toute sa vivacité et toute sa réalité, semblable au corps d'un jeune homme enseveli un siècle dans la tourbe, et dont les lèvres rouges ont conservé leur fraîcheur.

Il craignait dans l'intérêt de cette amitié et peut-être aussi pour se disculper à ses propres yeux de l'imputation de s'être laissé dessécher et ratatiner — car Ramsay vivait au milieu d'une nuée d'enfants tandis que Bankes était veuf et n'en avait aucun —, il craignait que Lily Briscoe ne dénigrât Ramsay (un grand homme à sa façon) et il désirait pourtant qu'elle comprît la nature de leurs relations. Commencée il y avait de longues années, leur amitié s'était pulvérisée sur une route du Westmoreland, à l'endroit où la poule avait couvert ses poussins de ses ailes, après quoi Ramsay s'était marié et, les directions de leurs carrières ayant divergé, il y avait eu, sans que ce fût certainement la faute d'aucun d'eux, une tendance à la répétition lorsqu'ils se rencontraient.

Oui. C'était bien cela. Il termina. Il se détourna de la vue de la mer. Et comme il se tournait pour revenir par un autre chemin, remonter l'allée, Mr. Bankes devint sensible à l'existence de certaines choses qui ne l'auraient pas frappé si ces dunes ne lui avaient pas montré le corps de son amitié enseveli dans la tourbe, le rouge de ses lèvres encore frais — par exemple la petite Cam, la plus jeune des filles de Ramsay. Elle cueillait des fleurs des champs sur le talus. Elle était sauvage et farouche. Elle refusa de « donner une fleur au monsieur », comme l'y invitait sa bonne. Non ! non ! non ! Elle ne voulait pas ! Elle serrait les poings. Elle tapait du pied. Et Mr. Bankes se sentit vieux et triste et il lui semblait qu'elle lui faisait sentir qu'il avait eu des torts dans l'histoire de cette amitié. Oui, il avait dû se dessécher et se ratatiner.

Les Ramsay n'étaient pas riches et on pouvait se demander comment ils arrivaient à se sortir d'affaire. Huit enfants ! Nourrir huit enfants avec de la philosophie ! Voici qu'il en arrivait un autre, Jasper cette fois ; il s'avançait nonchalamment pour, disait-il, s'en aller tirer un oiseau et, en passant, il secoua la main de Lily à la façon d'un bras de pompe, ce qui fit dire à Mr. Bankes, avec amertume, qu'elle était, ELLE, en grande faveur. Maintenant se posait la question de l'instruction de ces enfants (il est vrai que Mrs. Ramsay avait peut-être quelque chose à elle), sans parler de l'usure quotidienne des souliers et des bas dont avaient nécessairement besoin ces « grands garçons », tous bien poussés, anguleux et terribles. Quant à les distinguer les uns des autres et à savoir leur ordre de succession, cela le dépassait. Il leur donnait dans le privé des noms de rois et de reines d'Angleterre : Cam la Mauvaise, James l'Implacable, Andrew le

Juste, Prue la Belle — car Prue aurait de la beauté, pensait-il, comment pourrait-elle faire autrement ? — et Andrew de l'intelligence. Tout en remontant l'allée et tandis que Lily Briscoe disait oui ou non et approuvait ses remarques (car elle aimait tous ces gens, elle aimait le monde où nous sommes), il examinait le cas de Ramsay, le plaignait, l'enviait comme s'il l'avait vu se dépouiller de toutes ces gloires d'isolement et d'austérité qui couronnaient sa jeunesse pour se condamner définitivement à glousser et battre des ailes autour de sa petite famille. Elle lui donnait bien quelque chose en échange — William Bankes le reconnaissait ; il lui eût été agréable que Cam mît une fleur à sa boutonnière ou grimpât sur ses épaules, comme elle grimpait sur celles de son père, pour regarder un tableau du Vésuve en éruption ; mais elle avait aussi — les vieux amis de Ramsay ne pouvaient pas ne pas le sentir — détruit quelque chose. Qu'en penserait maintenant un étranger ? Qu'en pensait cette Lily Briscoe ? Pouvait-on ne pas remarquer qu'il s'enlisait dans ses habitudes ? Qu'il commettait peut-être des excentricités, avait des faiblesses ? Il était étonnant qu'un homme d'une pareille valeur intellectuelle pût s'abaisser comme il le faisait — non, une telle expression était trop dure —, pût attacher tant de prix à la louange d'autrui.

« Mais songez à son œuvre ! » dit Lily.

Chaque fois qu'elle « songeait à son œuvre » elle ne manquait pas de voir distinctement devant elle une grande table de cuisine. C'était la faute d'Andrew. Elle lui avait demandé de quoi traitaient les livres de son père. « Le sujet et l'objet et la nature de la réalité », avait-il répondu. Et lorsqu'elle s'était écriée « Grand Dieu ! » — car elle n'avait aucune idée de ce que cela pouvait signifier — il avait ajouté : « Eh bien, imaginez une table de cuisine, lorsque vous n'y êtes pas. »

Aussi, lorsqu'elle songeait à l'œuvre de Mr. Ramsay, voyait-elle toujours une table de cuisine bien récurée, laquelle se trouvait présentement logée dans la fourche d'un poirier, car ils avaient atteint le verger. Et elle s'efforça péniblement de concentrer son attention non point sur l'écorce de l'arbre aux saillies argentées, ni sur les feuilles en forme de poissons, mais sur un fantôme de table de cuisine, une de ces tables en sapin bien récurées qui ont des grains et des nœuds, dont la vertu essentielle semble avoir été mise au jour par des années de probité musculaire, et qui se trouvait plantée là, ses quatre pieds en l'air. Il est bien évident que, lorsque l'on passe ses jours à voir ainsi l'essence des choses sous un aspect angulaire, à réduire de délicieuses soirées avec leurs nuages couleur d'ailes de flamant à une table de bois blanc à quatre pieds (et c'est la marque des plus fins, des plus nobles esprits d'agir ainsi), on ne peut pas être jugé suivant les lois qui s'appliquent à tout le monde.

Mr. Bankes aima sa façon de l'inviter à « songer à son œuvre ». Il y avait songé en maintes et maintes circonstances. Que de fois il avait dit : « Ramsay est un de ces hommes qui font le meilleur de leur œuvre avant quarante ans ! » Il avait apporté une contribution définitive à la philosophie sous la forme d'un petit livre lorsqu'il n'avait que vingt-cinq ans ; ce qui avait suivi avait été plus ou moins un développement, une répétition de ce premier ouvrage. Mais le nombre des hommes qui apportent une contribution définitive à quoi que ce soit est très petit, dit-il, s'arrêtant près du poirier, avec son aspect bien brossé, son air d'exactitude scrupuleuse, de soin infini dans son appréciation des choses. Brusquement, comme libérée par le mouvement de sa main, la masse accumulée des impressions que Lily avait de lui bascula, et tout ce qu'elle éprouvait à son égard s'écroula en une lourde avalanche. Cela représenta une sensation. Puis s'éleva, telle une fumée, l'essence de la personnalité de Mr. Bankes. Et cela représenta une autre sensation. Elle se sentit transpercée, clouée par l'intensité de sa perception ; quelle sévérité, quelle belle intégrité dans cette nature ! « Je vous respecte (elle s'adressait à lui en silence) dans tous les atomes dont vous êtes fait ; vous n'êtes pas vain ; vous êtes entièrement dépourvu de considérations personnelles ; vous êtes plus fin et plus noble que Mr. Ramsay ; vous êtes le plus fin et le plus noble de tous les êtres humains que je connaisse ; vous n'avez ni femme ni enfant (sans aucun sentiment sexuel elle avait envie de chérir cette solitude), vous vivez pour la science (involontairement elle voyait des sections de pommes de terre se présenter à elle) ; vous louer serait vous insulter, héros au cœur pur et généreux ! » Mais, en même temps, elle se rappela qu'il s'était fait accompagner d'un valet de chambre pendant tout ce voyage ; qu'il ne voulait pas de chiens sur les sièges et dissertait prosaïquement pendant des heures (jusqu'à ce que Mr. Ramsay sortît en faisant claquer la porte) sur la présence du sel dans les légumes et l'abomination de la cuisine anglaise.

Comment tout cela pouvait-il donc se faire ? Comment jugeait-on les autres, comment pensait-on à eux ? Comment ajoutait-on tel trait à tel autre et concluait-on que c'était en définitive de la sympathie ou de l'antipathie que l'on éprouvait ? Elle se tenait immobile, à côté du poirier, et des impressions relatives à ces deux hommes se pressaient en elle. Suivre sa pensée était aussi difficile que suivre une voix qui parle trop vite pour permettre de prendre ses paroles au crayon et c'était bien en effet sa propre voix qui disait, sans qu'on lui soufflât rien, des choses indéniables, immortelles, contradictoires, si bien que même les fissures et les bosses de l'écorce du poirier étaient irrévocablement fixées là, pour l'éternité. « Vous avez de la grandeur, continuait-elle, mais Mr. Ramsay n'en a aucune. Il est mesquin, égoïste, vain, incapable de sortir de lui-même ; c'est un tyran ; il use Mrs. Ramsay jusqu'à la corde ; mais il a ce que vous (elle s'adressait à Mr. Bankes) n'avez pas ; un mépris ardent du monde ; il ne se préoccupe jamais des petites choses ; il aime les chiens et les enfants. Il en a huit. Vous n'en avez pas. Ne savez-vous pas qu'il est descendu l'autre soir avec deux vestons sur le dos et qu'il s'est laissé mettre un bol sur la tête par sa femme ? » Toutes ces pensées montaient et descendaient, en dansant comme un vol de moucherons, chacune bien distincte, toutes pourtant contenues dans un filet élastique, invisible et merveilleux — elles montaient et descendaient en dansant dans l'esprit de Lily, au milieu et autour des branches du poirier où demeurait pendue en effigie la table de cuisine soigneusement récurée, symbole de son profond respect pour l'esprit de Mr. Ramsay. Puis, à force de tournoyer de plus en plus vite, ce filet se rompit de lui-même ; elle se sentit soulagée ; une détonation retentit tout près d'elle et, fuyant les fragments de la charge, saisie d'une frayeur qui la rendait effusive et tumultueuse, apparut une compagnie d'étourneaux.

« Jasper ! » dit Mr. Bankes. Ils se tournèrent dans la direction que prenaient les étourneaux, par-delà la terrasse. En suivant le vol dispersé et rapide des oiseaux dans le ciel ils passèrent par la brèche de la grande haie et tombèrent droit sur Mr. Ramsay qui hurla tragiquement dans leur direction : « Erreur, erreur fatale ! »

Ses yeux rendus vitreux par l'émotion, chargés d'une intensité tragique et pleine de défi, rencontrèrent les leurs et, sur le point de les reconnaître, balancèrent une seconde ; mais il leva la main jusqu'à mi-chemin de son visage comme pour repousser, pour abolir, torturé qu'il était par une honte maussade, le regard normal qu'ils dirigeaient sur lui. On eût dit qu'il les suppliait de retenir un instant ce qu'il savait être inévitable, qu'il voulait leur rendre sensible le ressentiment enfantin qu'il éprouvait d'avoir été interrompu, sans se laisser pourtant mettre entièrement en déroute même à l'instant où il était découvert, mais au contraire en se cramponnant à quelque fragment de cette délicieuse émotion, de cette impure rhapsodie dont il rougissait mais dont il se délectait. Il se tourna brusquement, fit claquer à leur nez la porte de son privé ; et Lily Briscoe et Mr. Bankes, détournant vers le ciel leur regard gêné, observèrent que le vol d'étourneaux dispersés par le coup de fusil de Jasper s'était perché sur le sommet des ormeaux.

5

« Et même s'il ne fait pas beau demain », dit Mrs. Ramsay, levant les yeux pour jeter un coup d'œil sur William Bankes et Lily Briscoe au moment où ils passaient, « ce sera pour une autre fois. Et maintenant », ajouta-t-elle, en songeant que le charme de Lily résidait dans ses yeux de Chinoise qui se bridaient dans sa petite figure blanche et plissée mais que seul un homme avisé s'en apercevrait, « et maintenant levez-vous que je mesure votre jambe » ; car on pouvait encore aller au Phare et elle voulait voir si la jambe du bas n'avait pas besoin d'un pouce ou deux de plus.

Souriante, car une idée admirable venait comme

un éclair de traverser son esprit en cet instant même — William et Lily devraient se marier —, elle prit le bas de couleur de bruyère portant à son sommet un entrecroisement d'aiguilles d'acier et le mesura sur la jambe de James.

« Mon chéri, tenez-vous tranquille », dit-elle, car James, jaloux du petit garçon du gardien du Phare et n'aimant pas cette idée de lui servir de mannequin, faisait exprès de remuer ; s'il bougeait ainsi comment pourrait-elle voir si c'était trop long ou trop court ? demanda-t-elle.

Elle leva les yeux — quel démon le possédait, lui, son plus petit, son amour chéri ? — et elle aperçut la pièce, elle aperçut les chaises et jugea qu'elles étaient dans un état affreux. Leurs entrailles, comme le disait Andrew l'autre jour, se trouvaient répandues sur tout le plancher ; mais à quoi bon, se demanda-t-elle, acheter de belles chaises pour les laisser se perdre ici pendant l'hiver alors que la maison, abandonnée à l'unique surveillance d'une vieille femme, ruisselait littéralement d'humidité ? Peu importait ; le loyer s'élevait exactement à deux pence et demi ; les enfants aimaient cette maison ; cela faisait du bien à son mari de se trouver à mille lieues ou, pour être précis, trois cents milles de sa bibliothèque, de ses cours et de ses disciples ; et il y avait de la place pour les visiteurs. Les matelas, les lits de sangle, les fantômes décrépits de chaises et de tables dont la carrière londonienne était terminée, faisaient suffisamment l'affaire ici ; et avec une ou deux photographies et des livres... Les livres, trouvait-elle, poussaient tout seuls. Elle n'avait jamais le temps de les lire. Même, hélas ! les livres qui lui avaient été offerts et dédicacés de la main du poète : « A celle dont les désirs doivent être obéis... », « A l'Hélène de nos jours, la plus heureuse des deux... », c'était triste à dire, mais elle ne les avait jamais lus. Et l'ouvrage de Croom sur l'esprit et celui de Brates sur les coutumes des sauvages de la Polynésie (« Mon chéri, dit-elle, tenez-vous tranquille ») — on ne pouvait envoyer aucun de ces livres au Phare. Elle pensait bien qu'il arriverait un moment où la maison serait en si mauvais état qu'il faudrait prendre un parti. Si ses habitants pouvaient apprendre à s'essuyer les pieds et à ne pas apporter la plage à leurs semelles, ce serait déjà un résultat. Les crabes, elle était bien obligée de les autoriser lorsque Andrew avait vraiment envie de les disséquer, et lorsque Jasper s'imaginait pouvoir faire de la soupe avec des algues, il n'y avait pas moyen de l'en empêcher. Il y avait encore les objets chers à Rose : les coquillages, les roseaux, les pierres ; car ils étaient doués, ses enfants, mais chacun d'une façon très différente des autres. Et il en résultait, conclut-elle avec un soupir, tout en embrassant du regard la pièce entière du plancher au plafond pendant qu'elle tenait le bas contre la jambe de James, que chaque été tout se dégradait davantage. La natte se décolorait ; le papier du mur se décollait. Il était devenu impossible de dire que son dessin représentait des roses. Il est bien évident que lorsqu'on laisse toutes les portes d'une maison perpétuellement ouvertes et qu'il est impossible de trouver dans toute l'Ecosse un serrurier capable de réparer un verrou, rien n'empêchera les affaires de se perdre. A quoi bon jeter un châle de cachemire vert sur le cadre d'un tableau ? Au bout de quinze jours il sera de la couleur d'une soupe aux pois. C'étaient surtout les portes qui l'ennuyaient ; on les laissait toutes ouvertes. Elle écouta. Celle du salon était ouverte ; celle du hall était ouverte ; d'après ce qu'elle entendait, celles des chambres étaient ouvertes et la fenêtre du palier était certainement ouverte car c'était elle-même qui y avait pourvu. Les fenêtres doivent être ouvertes et les portes doivent être fermées — c'est bien simple et pourtant personne ne pouvait se le rappeler. Lorsqu'elle entrait le soir dans les chambres des bonnes elle les trouvait closes comme des fours, sauf celle de Marie la Suissesse qui eût préféré se passer de bain que d'air frais, car chez elle, avait-elle dit, « les montagnes sont si belles ». Son père était mourant là-bas, Mrs. Ramsay le savait. Il allait laissait ses enfants orphelins. Mrs. Ramsay était en train de gronder et de faire des démonstrations (sur la façon de faire un lit, d'ouvrir une fenêtre, en fermant et écartant les mains à la façon d'une Française), mais lorsqu'elle entendit parler la jeune fille elle sentit que tout en elle se repliait paisiblement comme après un vol dans la lumière du soleil se replient paisiblement les ailes d'un oiseau et comme des reflets brillants de l'acier passe au violet tendre le bleu de son plumage. Elle était restée sans rien dire car il n'y avait rien à dire. Il avait un cancer à la gorge. A ce souvenir elle restait là, immobile, et la jeune fille lui disait : « Chez nous les montagnes sont si belles », et songeant qu'il n'y avait aucun espoir, aucun espoir d'aucune sorte, elle eut une poussée d'irritation et dit à James, brusquement : « Tenez-vous tranquille. Ne me fatiguez pas », si bien qu'il comprit instantanément que sa sévérité était réelle, tint sa jambe bien droite et la laissa mesurer.

Le bas était trop court d'au moins un demi-pouce en tenant compte du fait que le petit garçon de Sorley n'avait pas dû grandir autant que James.

« C'est trop court, dit-elle, beaucoup trop court. »

Vit-on jamais à personne l'air aussi triste ? Dans le passage conduisant de la lumière du jour aux sombres profondeurs de son âme, peut-être, à mi-chemin de cette obscurité, une larme amère et noire se forma-t-elle ; peut-être tomba-t-elle. L'eau se balançant de-ci de-là la reçut, retrouva son repos. Vit-on jamais à quelqu'un l'air aussi triste ?

Mais, disaient les gens, ne s'agissait-il pour elle que de paraître ? Qu'y avait-il derrière sa beauté, ce magnifique extérieur ? S'était-il fait sauter la cervelle, demandait-on, était-il mort dans la semaine précédant son mariage, cet autre et premier amoureux dont on avait entendu parler ? Ou n'y avait-il rien ? rien qu'une incomparable beauté derrière laquelle elle passait sa vie et qu'il lui était impossible de troubler ? Car, bien que dans une heure d'intimité où se présentaient à elle des histoires de grande passion, d'amour déçu, d'ambition traversée il lui eût été facile de dire elle aussi ce qu'elle avait connu, senti ou supporté, elle ne parlait jamais d'elle-même. Elle se taisait toujours. Elle savait donc — elle savait sans avoir appris. Sa simplicité allait à ce fond des choses que falsifient les gens habiles. La sincérité de son esprit la faisait se diriger aussi droitement qu'un fil à plomb, se poser sur son objet avec l'exactitude d'un oiseau, lui donnait naturellement cette impétueuse saisie de la vérité par l'âme qui ravit, soulage, soutient — peut-être à tort.

« La nature n'a pas beaucoup d'argile comme celle dont elle vous a modelée », dit un jour Mr. Bankes en entendant sa voix au téléphone et avec une grande émotion bien qu'elle ne fît que lui donner une information concernant un train. Il la voyait au bout du fil avec son air grec, ses yeux bleus, son nez droit. Qu'il lui paraissait donc incongru de téléphoner à une femme pareille ! Pour composer ce visage il avait, semblait-il, fallu que les Grâces réunies se prissent par la main sur des champs d'asphodèles. Oui, il attraperait le train de dix heures trente à la gare d'Euston.

« Mais elle n'a pas plus conscience de sa beauté qu'une enfant », dit Mr. Bankes, raccrochant le récepteur et traversant la pièce pour aller voir où en était la construction d'un hôtel qu'on était en train de bâtir sur le derrière de sa maison. Et il songea à Mrs. Ramsay en regardant les ouvriers s'agiter parmi ces murs inachevés. Car, songeait-il, elle avait toujours un élément incongru à introduire dans l'harmonie de son visage. Elle se campait sur la tête un feutre de chasseur ; elle courait en caoutchoucs à travers la pelouse pour empêcher un enfant de se faire mal. Aussi, lorsqu'on ne songeait qu'à sa beauté, il fallait se rappeler cette touche de vie, de frémissement (il voyait les ouvriers porter leurs briques en montant le long d'une petite planche) et l'introduire dans son portrait ; ou, si l'on ne considérait que la femme en elle, il fallait lui attribuer un caractère original qui se manifestait par des caprices ; ou encore supposer en elle un désir latent de se dépouiller de cette royauté de la forme comme si sa beauté, et tout ce que les hommes disaient de sa beauté, l'avait excédée et qu'elle voulût n'être que comme les autres, insignifiante. Il n'en savait rien. Il n'en savait rien. Il fallait se remettre au travail.

6

Mais qu'était-il arrivé ?
Erreur, erreur fatale !
Tirée brusquement de sa rêverie, elle donna un sens à des mots qu'elle avait un long temps conservés dans son esprit sans leur en attribuer. « Erreur, erreur fatale ! » Fixant son regard de myope sur son mari qui maintenant se dirigeait vers elle, elle le dévisagea jusqu'à ce que sa proximité lui eût révélé (ce ronron s'anéantissait lui-même dans sa tête) que

quelque chose était arrivé, qu'une erreur fatale avait été commise. Mais pour rien au monde elle n'eût pu s'aviser de quoi il s'agissait.

Il frissonnait ; il frémissait. Toute sa vanité, toute la satisfaction qu'il éprouvait à chevaucher dans toute sa splendeur, implacable comme un coup de tonnerre, traversant avec la férocité d'un oiseau de proie la vallée de la Mort à la tête de ses hommes, avaient été mises en pièces, détruites. La mitraille s'abat mais rien ne nous arrête, tous cavaliers hardis et sûrs, lancés dans la vallée où la mort se tient prête — nous tombons sur Lily Briscoe et William Bankes. Il frissonnait ; il frémissait.

A aucun prix elle n'eût voulu lui parler, car, à de certains signes familiers, sa façon de détourner les yeux, un curieux repliement de toute sa personne qui lui donnait l'air de s'envelopper dans lui-même et de chercher une retraite dont il avait besoin pour retrouver son équilibre, elle comprenait qu'il était outragé et torturé. Elle caressa la tête de James ; elle transféra à son fils les sentiments qu'elle éprouvait pour son mari et, tout en le regardant colorer au crayon jaune la chemise de soirée d'un gentleman du catalogue des « Army and Navy Stores », elle songea au délice qu'elle éprouverait s'il devenait un grand artiste ; et pourquoi pas ? Il avait un front magnifique. Puis, levant les yeux, au moment où son mari passait encore une fois devant elle, elle constata avec soulagement qu'un voile avait été jeté sur le désastre ; la discipline domestique triomphait ; l'habitude psalmodiait sa complainte apaisante, si bien que, lorsque, son tour venu, il s'arrêta délibérément à la fenêtre et se pencha drôlement, en papa taquin, pour chatouiller le mollet nu de James avec une baguette, elle lui reprocha d'avoir renvoyé « ce pauvre jeune homme », Charles Tansley. Tansley, répondit-il, avait dû rentrer pour faire son mémoire.

« James aussi aura à faire son mémoire un de ces jours », ajouta-t-il ironiquement en agitant sa baguette.

Comme il haïssait son père, James écarta l'instrument dont celui-ci se servait pour taquiner sa jambe nue à sa façon à lui qui était faite de sévérité et d'humour.

Elle s'efforçait de terminer l'assommant tricotage de ces bas pour les envoyer demain au petit garçon de Sorley, dit Mrs. Ramsay.

Il n'y avait pas le moindre espoir de pouvoir aller demain au Phare, déclara sèchement Mr. Ramsay devenu irascible.

Comment pouvait-il le savoir ? demanda-t-elle. Le vent changeait souvent.

Le caractère extraordinairement irrationnel de cette remarque, l'absurdité de l'esprit féminin donnèrent à Mr. Ramsay un accès de rage. Il s'était jeté dans la vallée où la Mort se tient prête ; il avait été mis en pièces et en miettes ; et voici que maintenant elle heurtait de front la réalité, donnait à ses enfants des espoirs manifestement absurdes, disait en somme des mensonges. Il tapa du pied sur la marche de pierre. « Allez vous faire fiche ! » dit-il. Mais qu'avait-elle avancé ? Simplement qu'il pourrait faire beau demain. Et cela pouvait en effet arriver.

Pas un baromètre en baisse et un vent en plein ouest.

Poursuivre la vérité avec un manque de considération aussi surprenant pour les sentiments d'autrui, déchirer les voiles légers de la civilisation avec tant de malice et de brutalité représentait pour Mrs. Ramsay un si affreux attentat contre le respect humain que, sans répliquer, et prenant l'attitude d'une personne étourdie et aveuglée, elle inclina la tête, comme pour laisser l'avalanche de grêlons tranchants, la trombe d'eau sale l'assaillir sans qu'elle y opposât de résistance. Il n'y avait rien à dire.

Il restait près d'elle en silence. A la fin et très humblement il dit que, si elle voulait, il irait demander aux gardes côtiers ce qu'ils en pensaient.

Il n'y avait personne qu'elle révérât autant que lui.

Elle était tout disposée à le croire sur parole, dit-elle. Seulement dans ce cas il n'y avait pas besoin de faire de sandwiches, voilà tout. Elle était femme et, en conséquence, on venait naturellement la trouver toute la journée, tantôt pour une chose et tantôt pour une autre ; l'un avait besoin de ceci et l'autre de cela ; les enfants grandissaient ; elle avait souvent l'impression de n'être qu'une éponge imbibée d'émotions humaines. Puis il disait : « Bon Dieu ! » Il disait : « Il pleuvra sûrement. » Il disait : « Il ne pleuvra pas. » Et voici qu'une perspective divine de sécurité s'ouvrait instantanément devant elle. Il n'y avait personne qu'elle révérât davantage. Elle sentait qu'elle ne méritait pas de nouer les cordons de ses souliers.

Mr. Ramsay, déjà honteux de la pétulance, de la gesticulation avec lesquelles il avait chargé à la tête de ses troupes, piqua une fois de plus, non sans quelque timidité, les jambes nues de son fils, puis, comme s'il avait obtenu la permission de sa femme pour ce faire, et avec un mouvement qui, chose étrange, rappela à celle-ci le grand morse du Jardin zoologique lorsqu'il bat lourdement en retraite après avoir avalé ses poissons et barbote avec tant d'énergie que l'eau de son bassin bascule d'un côté à l'autre, il plongea dans l'air du soir qui, déjà moins nourri, empruntait leur substance aux feuilles et aux haies, mais, comme en échange, rendait aux roses et aux œillets un éclat dont ils avaient été privés pendant le jour.

« Erreur, erreur fatale ! » répéta-t-il en s'éloignant et en arpentant la terrasse à grands pas.

Mais quel changement extraordinaire dans le ton de sa voix ! Ce ton ressemblait à celui du coucou qui « en juin ne chante pas bien ». On eût dit qu'il s'efforçait de trouver, puis essayait quelque phrase qui exprimât son nouvel état d'esprit et que, n'ayant que celle-ci à sa portée, il s'en servait, toute fêlée qu'elle pût être. Mais ça rendait un son ridicule cette « Erreur, erreur fatale ! » ainsi prononcée, presque comme une question, et d'une voix mélodieuse où n'entrait aucune conviction. Mrs. Ramsay ne put s'empêcher de sourire et bientôt, comme on pouvait s'y attendre, à force de se promener de long en large, sa déclamation se transforma en murmure et finit par s'arrêter tout à fait.

Il se trouvait à l'abri et rendu à lui-même. Il s'arrêta pour allumer sa pipe, jeta un coup d'œil sur sa femme et son fils à la fenêtre et, de même qu'un voyageur dans un train express lève les yeux de la page qu'il est en train de lire et voit dans une ferme, un arbre, un groupe de chaumières, l'illustration, la confirmation du texte imprimé auquel il revient satisfait et fortifié ; de même, sans qu'il eût distingué ni son fils ni sa femme, leur vue cependant le satisfit, le fortifia et donna une consécration à son effort pour arriver à une compréhension parfaitement claire du problème où s'absorbaient en ce moment les énergies de son magnifique esprit.

C'était un magnifique esprit. Car si la pensée ressemble au clavier d'un piano, divisé en un certain nombre de notes ou à un alphabet composé de vingt-six lettres rangées bien en ordre, il est certain que son magnifique esprit n'éprouvait aucune espèce de difficulté à parcourir ces lettres une à une, ferme et précis, jusqu'à ce qu'il fût arrivé, par exemple, à la lettre R. Il arriva à R. Très peu de gens dans toute l'Angleterre vont jamais jusque-là. Lorsqu'il y fut arrivé, il s'arrêta un instant à côté de l'urne de pierre qui contenait les géraniums et vit, mais cette fois très, très loin, sa femme et son fils à la fenêtre, semblables à des enfants en train de ramasser des coquillages avec une innocence divine et qui, uniquement préoccupés des petites découvertes qu'ils font à leurs pieds, demeurent sans défense contre un péril fatal que lui pouvait apercevoir. Ils avaient besoin de sa protection, il la leur donnait. Mais après R ? Qu'est-ce qui suit ? Après R il y a un certain nombre de lettres dont la dernière est à peine visible à des yeux mortels mais brille d'un rouge éclat dans le lointain. Z n'est atteint qu'une seule fois par génération. Si néanmoins il pouvait parvenir jusqu'à T ce serait déjà un résultat. En tout cas il se trouvait à R. Il y plantait les talons. R il en était sûr. R il pouvait le démontrer. Si donc R est R-T — ici il fit tomber la cendre de sa pipe avec deux ou trois coups qui résonnèrent sur la corne de bélier dont était faite l'anse de l'urne et poursuivit son raisonnement. « Alors T... » Il fit appel à toutes ses forces. Il se raidit.

Des qualités qui auraient sauvé un équipage abandonné sur une mer brûlante avec six biscuits et une bouteille d'eau — endurance, justice, prévoyance, dévouement, habileté, vinrent à son aide. R est donc — qu'est-ce que T ?

Un volet, semblable à la paupière de cuir d'un lézard, s'abattit sur l'intensité de son regard intérieur et obscurcit la lettre T. Dans cet éclair de ténèbres il entendit les gens dire — car il avait manqué sa destinée — que T dépassait ses forces. Il n'atteindrait jamais T. En avant vers T une fois de plus. T...

Une fois de plus le déclic ferma l'œil du lézard. Les veines firent saillie sur son front. Le géranium dans son urne se détacha avec une netteté saisissante et il put apercevoir, bien en évidence au milieu de ses feuilles, sans la chercher, cette vieille distinction entre les deux classes d'hommes ; d'une part ceux qui avancent régulièrement grâce à leur force surhumaine et qui, persévérant dans leur marche laborieuse, répètent tout l'alphabet dans l'ordre, les vingt-six lettres bien complètes, du commencement à la fin ; et, d'autre part, ceux qui ont le don, l'inspiration, qui, dans un éclair miraculeux, absorbent toutes les lettres à la fois, à la façon dont procède le génie. Il n'avait pas de génie ; il n'y avait aucune prétention ; mais il avait, ou aurait pu avoir, la faculté de répéter exactement et dans l'ordre, toutes les lettres de l'alphabet, de A jusqu'à Z. En attendant il se cramponnait à R. Et maintenant, en avant vers T !

Des sentiments point indignes d'un chef qui, depuis que la neige a commencé à tomber et que le sommet de la montagne est couvert de brume, sait qu'il lui faut s'étendre et mourir avant l'arrivée du matin, pénétrèrent en lui, pâlirent la couleur de ses yeux et lui donnèrent, rien que dans les deux minutes que dura son tour sur la terrasse, l'aspect décoloré et flétri d'un vieillard. Mais il ne voulait pas mourir couché ; il trouverait quelque arête de rocher et y mourrait debout, les yeux fixés sur la tempête et s'efforçant jusqu'à la fin de percer l'obscurité. Jamais il n'atteindrait Z.

Il restait absolument immobile, à côté de l'urne que débordait le géranium. Combien d'hommes dans un millier de millions, se demandait-il, finissent par atteindre Z ? Certes le chef d'une colonne infernale peut se poser cette question et répondre sans trahir ceux qui le suivent : « Un, peut-être. » Un dans une génération. Doit-il donc être blâmé s'il n'est pas celui-là, pourvu qu'il ait sincèrement peiné, donné tout ce qu'il pouvait, jusqu'à ce qu'il n'ait plus rien à donner ? Et sa renommée, elle dure combien de temps ? Il est permis même à un héros de se demander en mourant comment après sa mort on parlera de lui. Cette renommée durera peut-être deux mille ans. Et qu'est-ce que deux mille ans ? se demanda ironiquement Mr. Ramsay les yeux fixés sur la haie Oui, qu'est-ce que c'est lorsqu'on contemple la longue étendue des âges du sommet d'une montagne ? La simple pierre que l'on frappe de son soulier durera plus longtemps que Shakespeare. Sa propre petite lumière brillerait, sans grand éclat, pendant un ou deux ans puis serait absorbée dans une autre plus grande qui aurait le même sort. (Il regarda dans l'obscurité, dans l'enchevêtrement des rameaux.) Comment donc blâmer le chef de cette colonne infernale qui, après tout, a grimpé assez haut pour voir la perspective stérile des années et la mort des étoiles si, avant que la mort ne raidisse ses membres et leur enlève le mouvement, il lève avec quelque solennité ses doigts engourdis jusqu'à son front et se redresse ? Car ainsi l'expédition de secours qui s'est mise à sa recherche le retrouvera mort à son poste en beau soldat. Mr. Ramsay se redressa et se tint très droit à côté de l'urne.

Qui le blâmera si, pendant qu'il se tient ainsi un moment, sa pensée s'arrête sur la renommée, les expéditions de secours, les pyramides de pierre élevées sur ses ossements par des disciples reconnaissants ? Enfin qui blâmera le chef de l'expédition malheureuse si, après s'être aventuré le plus loin possible, avoir dépensé sa force jusqu'au dernier atome et s'être endormi sans trop se soucier de savoir s'il se réveillera, il s'aperçoit maintenant par une sensation de piqûre à ses orteils qu'il est vivant et n'a pas dans l'ensemble d'objection à vivre mais a, au contraire, besoin de sympathie, de whisky et de quelqu'un à qui raconter aussitôt l'histoire de ses souffrances ? Qui le blâmera ? Qui ne se réjouira secrètement lorsque le héros enlève son armure et, faisant halte devant la fenêtre, regarde longuement sa femme et son fils ? Ceux-ci, d'abord très éloignés, se rapprochent peu à peu et de plus en plus, jusqu'à que lèvres, livre et tête se trouvent placés devant lui avec une grande netteté tout en restant délicieusement étranges en raison de l'intensité de son isolation, de l'aspect désolé des âges et de la disparition des étoiles. Qui le blâmera si, mettant à la fin sa pipe dans sa poche et inclinant devant sa femme sa tête magnifique, il rend hommage à la beauté de ce monde ?

7

Mais son fils le haïssait. Il le haïssait parce qu'il venait à eux, parce qu'il s'arrêtait et les regardait ; il le haïssait parce qu'il les interrompait ; il le haïssait à cause de l'exaltation et de la sublimité de ses gestes, de la magnificence de sa tête, de ses exigences et de son égoïsme. Mais par-dessus tout il haïssait les modulations et les roulades par lesquelles s'exprimait son émotion dont les vibrations les entouraient et troublaient la parfaite simplicité, le sens commun qui caractérisaient ses relations avec sa mère. Il espérait le faire continuer son chemin en regardant fixement sa page ; il espérait, en montrant un mot du doigt, rappeler l'attention de sa mère qui, il le savait et s'en irritait, vacillait dès que son père s'arrêtait. Mais non. Rien ne pouvait faire avancer Mr. Ramsay. Il restait là, à réclamer de la sympathie.

Mrs. Ramsay, qui était assise dans une pose abandonnée, un bras passé autour de son fils, se ressaisit et, à demi tournée, parut se soulever avec effort en envoyant aussitôt dans l'air une pluie verticale, une colonne vaporisée d'énergie. Elle prenait en même temps une expression de vie et d'animation grâce à laquelle on avait l'impression que toutes ses énergies se fondaient en une seule force brûlante, illuminante (si tranquillement qu'elle restât assise, son tricot de nouveau à la main). Et dans cette délicieuse fécondité, cette fontaine, cette vaporisation de vie, la fatale stérilité du mâle se plongea comme un bec de cuivre froid et nu. Il avait besoin de sympathie. Il avait manqué sa destinée, disait-il. Mrs. Ramsay faisait étinceler ses aiguilles. Mr. Ramsay répétait, sans cesser un instant de la regarder, qu'il avait manqué sa destinée. D'un coup de vent elle lui renvoya ses paroles. « Charles Tansley... », dit-elle. Mais il fallait lui donner plus que cela. C'était de sympathie qu'il avait besoin ; il lui fallait d'abord être assuré de son génie, puis être ramené, réchauffé et consolé, dans le cercle de la vie, retrouver l'usage de ses sens, voir sa stérilité fertilisée et toutes les pièces de la maison pleines de vie : le salon ; derrière le salon, la cuisine ; au-dessus de la cuisine, les chambres, et au-delà, les pièces où jouaient les enfants ; il fallait les meubler, il fallait les remplir de vie.

Charles Tansley le considérait comme le plus grand métaphysicien de son temps, dit-elle. Mais il lui fallait plus que cela. Il lui fallait de la sympathie. Il fallait qu'il fût assuré que lui aussi vivait au cœur de la vie ; qu'on avait besoin de lui ; et pas ici seulement mais dans le monde tout entier. Tout en faisant luire ses aiguilles, Mrs. Ramsay, très droite, pleine de confiance en elle-même, créait le salon et la cuisine, les animait d'une chaude lumière ; enjoignait à son mari d'y prendre ses aises, d'entrer et de sortir, de se donner du bon temps. Elle riait, elle tricotait. Debout entre ses genoux et très raide, James sentait toute la force de sa mère monter comme une flamme pour être absorbée et éteinte par ce bec de cuivre, ce froid cimeterre du mâle qui ne cessait de frapper impitoyablement, avide de sympathie.

Il avait manqué sa vie, répétait-il. Vraiment ? Mais regardez donc, comprenez donc ! Elle faisait luire ses aiguilles, jetait un coup d'œil autour d'elle, par la fenêtre, dans la pièce, sur James lui-même, et elle l'assurait, sans lui laisser l'ombre d'un doute, par son rire, sa façon de se tenir, sa compétence (de même qu'une bonne traversant une chambre obscure avec une lumière rassure un enfant agité), qu'il était dans le réel ; que la maison était pleine et le jardin parcouru par le vent. S'il mettait en elle une foi implicite, rien ne lui ferait du mal ; si profondément qu'il s'enterrât ou si haut qu'il montât, il ne demeurerait jamais une seconde sans elle. Se vantant ainsi de savoir entourer, protéger, il lui restait à peine une écorce sous laquelle elle pût prendre conseil d'elle-même et s'identifier, tant elle s'était dépensée et prodiguée ; et James, toujours raide entre ses jambes, eut l'impression qu'elle s'épanouissait, arbre chargé de fruits, de fleurs roses, de feuilles et de rameaux ondoyants au milieu desquels le bec de cuivre, le stérile cimeterre de son père, cet égoïste, se plongeait et frappait, avide de sympathie.

A la fin, tout plein des paroles ,de sa femme, se désistant à la façon d'un enfant repu, il la regarda avec une humble gratitude et finit par déclarer, tout ragaillardi et remonté, qu'il s'en allait faire un tour, voir les enfants jouer au cricket. Il partit.

Aussitôt après Mrs. Ramsay parut se replier entièrement. C'était comme si chaque pétale d'elle-même venait en se fermant prendre sa place au milieu des autres ; comme si sa structure tout entière s'abandonnait, épuisée, et, dans son abandon délicieux à cet épuisement, elle n'avait plus que la force de promener un doigt sur la page du conte des Frères

Grimm, tout en sentant l'ivresse de la création heureuse frémir en elle comme un pouls à la façon d'un ressort complètement détendu qui cesse doucement de vibrer.

On eût dit qu'à mesure que son mari s'éloignait, chaque battement de ce pouls l'enfermait avec elle et donnait à l'un et à l'autre cet apaisement que deux notes simultanées, l'une haute et l'autre basse, paraissent se donner réciproquement en se combinant. Cependant, tandis que cette résonance s'affaiblissait, Mrs. Ramsay, se tournant de nouveau vers son conte de fées, sentit non seulement un épuisement physique (c'était ce qu'elle éprouvait toujours plus tard, pas au moment même), mais encore qu'à cette sensation s'en mêlait une autre quelque peu désagréable et qui avait une autre origine. Ce n'était point qu'en lisant tout haut l'histoire de la Femme du Pêcheur elle se rendît bien exactement compte d'où venait cette sensation ; et elle se retint d'exprimer en paroles son déplaisir lorsqu'elle s'aperçut, en s'arrêtant au détour de la page et tout en entendant le bruit sourd et menaçant d'une chute de vague, qu'il venait de ceci : elle n'aimait pas, même une seconde, se sentir plus fine et plus noble que son mari ; de plus elle ne pouvait supporter, lorsqu'elle lui parlait, de n'être pas entièrement sûre de la vérité de ce qu'elle disait. Que les universités et les gens eussent besoin de lui et que les conférences et les livres fussent de la plus grande importance, elle n'en doutait pas un instant ; mais c'était la relation dans laquelle ils se trouvaient vis-à-vis l'un de l'autre et sa façon de venir à elle, comme cela, ouvertement, au vu et au su de tout le monde, qui la désorientaient ; car on disait alors qu'il avait besoin d'elle. On devait bien savoir pourtant que c'était lui qui était infiniment le plus important des deux et que, comparée avec lui, ce qu'elle donnait au monde était négligeable. Et puis il y avait encore ceci qu'elle n'était pas capable de lui dire la vérité, qu'elle était par exemple effrayée de l'état du toit de la serre et de ce que représentait sa réparation — cinquante livres peut-être ; puis, en ce qui concernait ses œuvres, qu'elle craignait qu'il devinât, ce dont elle-même se doutait un peu, que son dernier ouvrage n'était pas tout à fait le meilleur (elle tenait cela de William Bankes) ; et puis il y avait de petits événements quotidiens à cacher, les enfants s'en apercevaient et cela représentait pour eux un fardeau — tout cela diminuait la joie intégrale et pure de ces deux notes résonnant ensemble et le son mourait dans son oreille avec une lamentable fausseté.

Il y avait une ombre sur sa page : elle leva les yeux. C'était Augustus Carmichaël qui passait en traînaillant à ce moment précis où il était pénible de s'entendre rappeler que les relations humaines ne sont pas satisfaisantes, que les plus parfaites ont un défaut et ne supportent pas l'examen auquel elle les soumettait dans son amour pour son mari et avec son besoin de vérité ; à ce moment où il lui était pénible de se sentir convaincue d'indignité et empêchée de remplir ses fonctions propres par... par ces mensonges, ces exagérations — ce fut donc à ce moment où de vils tourments l'assaillaient ainsi dans le sillage de son exaltation que Mr. Carmichaël passa en traînaillant dans ses pantoufles jaunes et qu'un démon en elle lui imposa de crier à ce moment :

« Vous rentrez, Mr. Carmichaël ? »

8

Il ne dit rien. Il prenait de l'opium. Les enfants

disaient que c'était cela qui avait teint sa barbe en jaune. Peut-être bien. Ce qui lui paraissait évident, c'est que ce pauvre homme était malheureux, cherchait tous les ans un asile chez eux et que pourtant chaque année elle éprouvait la même impression : il ne se fiait pas à elle. Elle disait : « Je vais en ville. Voulez-vous que je vous achète des timbres, du papier, du tabac ? » et elle sentait en lui un recul. Il n'avait pas confiance en elle. C'était la faute de sa femme. Mrs. Ramsay se rappelait l'abominable attitude de cette femme à l'égard de son mari et comment elle s'était sentie devenir d'airain à son égard lorsque, dans cette affreuse petite chambre de St Johns' Wood, elle avait vu l'odieuse créature chasser son mari de la maison. Il était mal tenu ; il laissait tomber des choses sur ses vêtements ; il était assommant comme peut l'être un vieil homme qui n'a rien à faire en ce monde ; et elle l'avait mis à la porte. Elle dit, à son odieuse manière : « Et maintenant Mrs. Ramsay et moi nous avons besoin de causer un peu ensemble » et Mrs. Ramsay avait aperçu, comme si elles avaient passé devant ses yeux, les innombrables misères de la vie de Mr. Carmichaël. Avait-il assez d'argent pour s'acheter du tabac ? Etait-il obligé d'en demander à sa femme lorsqu'il en voulait ? Une demi-couronne ? Dix-huit pence ? Oh ! il lui était insupportable de songer aux petites indignités qu'elle lui faisait souffrir. Et maintenant (elle ne pouvait deviner pourquoi, sinon que cela devait, en quelque manière, venir de sa femme) il s'écartait d'elle. Il ne lui racontait jamais rien. Mais qu'aurait-elle pu faire de plus ? On lui réservait une chambre ensoleillée. Les enfants étaient bons pour lui. Elle ne lui laissait jamais voir qu'elle ne désirait pas sa présence. Même elle s'ingéniait pour lui donner des témoignages d'amitié. Voulez-vous des timbres ? Voulez-vous du tabac ? Voici un livre qui vous plaira peut-être, et ainsi de suite. Et, après tout (ici elle se redressa, car elle éprouvait, chose qui lui arrivait bien rarement, le sentiment de sa propre beauté) — après tout elle ne rencontrait généralement pas grande difficulté à se faire aimer ; voyez par exemple George Manning ; Mr. Wallace ; tout célèbres qu'ils fussent, ils venaient la trouver le soir, tranquillement, pour causer tout seuls avec elle au coin du feu. Elle portait avec elle, elle ne pouvait s'empêcher de le savoir, le flambeau de sa beauté ; elle le portait droit dans toutes les pièces où elle entrait ; et, après tout, quelque soin qu'elle prît pour la voiler et quelque effort qu'elle fît pour se soustraire à la monotonie d'attitude qu'elle lui imposait, cette beauté était apparente. Elle avait été admirée. Elle avait été aimée. Elle était entrée dans des pièces où se trouvaient des gens en deuil. Des larmes avaient coulé en sa présence. Des femmes, et des hommes aussi, oubliant la multiplicité des choses, s'étaient accordé en sa compagnie le soulagement de la simplicité. Cela la blessait que Mr. Carmichaël s'écartât d'elle. Cela lui faisait mal. Et puis son attitude n'était pas nette, bien tranchée. C'était cela qui l'affectait, venant ainsi juste après le mécontentement que venait de lui faire éprouver son mari, lorsqu'elle voyait Mr. Carmichaël passer devant elle, en traînaillant, répondant à sa question par un signe de tête, un livre sous le bras, en pantoufles jaunes, de sentir qu'il la tenait en suspicion et que tout ce désir qu'elle avait de donner, de venir en aide, n'était que vanité. Etait-ce pour la satisfaction de son amour-propre qu'elle désirait si instinctivement venir en aide, donner, de façon que l'on dise d'elle : « Oh ! Mrs. Ramsay ! Chère Mrs. Ramsay... Mrs. Ramsay, naturellement ! » et que l'on ait besoin d'elle et qu'on l'envoie chercher et qu'on l'admire ? N'était-ce pas en secret cela qu'elle cherchait et, par conséquent, lorsque Mr. Carmichaël s'écartait d'elle comme il le faisait en ce moment, et se dirigeait vers quelque coin pour y faire sans fin des acrostiches, elle ne se sentait pas seulement rebuffée dans son instinct, elle sentait encore qu'on lui ouvrait les yeux sur la mesquinerie d'une certaine partie de sa nature et des relations humaines tout entières. Les meilleures de celles-ci sont impures, méprisables, fondées sur l'égoïsme. Maintenant qu'elle négligeait sa toilette, que l'usure de la vie l'avait flétrie et qu'il était peu probable que sa vue donnât du plaisir aux gens (ses joues étaient creuses, ses cheveux blancs), elle ferait mieux de concentrer son attention sur l'histoire du Pêcheur et de sa Femme et pacifier ainsi ce paquet de nerfs (aucun de ses enfants n'avait autant de sensibilité) qu'était son fils James.

« L'homme se sentit le cœur gros, lut-elle tout haut, et il ne voulait pas s'en aller. Il se dit : « Ce « n'est pas bien », et partit cependant. Et lorsqu'il parvint à la mer l'eau était entièrement violette, bleu sombre, grise et épaisse ; elle n'était plus aussi verte et jaune qu'avant, mais elle était toujours calme. Et s'étant arrêté là, il dit... »

Mrs. Ramsay eût volontiers souhaité que son mari n'eût pas choisi ce moment pour s'arrêter. Pourquoi n'était-il pas allé, comme il l'avait annoncé, regarder ses enfants jouer au cricket ? Mais il ne parlait pas ; il regardait ; il hochait la tête ; il approuvait ; il reprit sa marche. Tout en voyant devant lui cette haie qui avait tant de fois donné son sens complet à une pause dans la conversation, signifié quelque conclusion ; tout en voyant sa femme et ses enfants et, une fois de plus, les urnes avec les géraniums rouges et retombants qui avaient si souvent décoré sa pensée en marche et, semblait-il, portaient dans leurs feuilles de ces bouts de papier sur lesquels on griffonne des notes sur ce qu'on lit ; tout en voyant out cela il se laissa doucement glisser dans une méditation que lui suggérait un article du *Times* concernant le nombre d'Américains qui visitent annuellement la maison de Shakespeare. Si Shakespeare n'avait jamais existé, se demandait-il, le monde serait-il très différent de ce qu'il est aujourd'hui ? Le progrès de la civilisation dépend-il des grands hommes ? La moyenne des hommes est-elle plus heureuse aujourd'hui qu'au temps des Pharaons ? Et, se demandait-il encore, le sort de la moyenne des hommes forme-t-il l'unique critère de la civilisation ? Peut-être pas. Il est possible que l'existence d'une classe d'esclaves soit nécessaire pour le plus grand bien de l'humanité. L'homme préposé à l'ascenseur du Métropolitain représente une nécessité éternelle. Cette pensée lui fut désagréable. Il secoua la tête. Il trouverait bien, pour se dérober, un moyen de rejeter la suprématie des arts. Il soutiendrait que le monde existe pour l'homme moyen, que l'art n'est qu'un décor placé au sommet de la vie et n'exprime pas celle-ci. Shakespeare non plus ne lui est pas nécessaire. Comme il ne savait pas exactement pour quelle raison il avait envie de dire du mal de Shakespeare et de venir en aide à l'homme qui se tient éternellement à la porte de l'ascenseur, il arracha brusquement une feuille de la haie. Il faudrait, se dit-il, tirer quelque chose de tout cela pour le resservir le mois prochain aux jeunes gens de Cardiff. Ici, sur cette terrasse (il jeta la feuille qu'il avait si brusquement arrachée) il se contentait de fourrager et de grappiller à la façon d'un cavalier qui se penche pour cueillir une gerbe de roses, ou bourre ses poches de noisettes, pendant qu'il trottine à l'aise dans les sentiers et par les champs d'un pays qu'il connaît depuis l'enfance. Tout lui était familier : ce tournant, cette barrière, ce raccourci à travers champs. C'était des heures qu'il passait ainsi, avec sa pipe, le soir, à errer en pensée sur toute l'étendue et dans les moindres coins de vieux sentiers, de vieilles promenades auxquelles adhérait partout l'histoire. Ici une campagne, là la vie d'un homme d'État, des poèmes, des anecdotes, des personnages historiques aussi, un penseur, un soldat ; tout y était vif et clair ; mais à la fin le sentier, le champ, la promenade, le noisetier fécond et la haie en fleur le conduisaient encore plus loin, jusqu'à ce tournant du chemin où il descendait toujours, attachait son cheval à un arbre et continuait sa route à pied. Il arriva jusqu'à l'extrémité de la pelouse et regarda la baie qui s'étendait au-dessous.

C'était son destin, sa particularité, bon gré mal gré, de déboucher ainsi sur un éperon de terrain que la mer est en train de ronger lentement et de rester là, debout, tout seul, comme un oiseau de mer désolé. C'était une faculté, un don qui lui étaient personnels que de se dépouiller soudainement de toutes superfluités, de se replier, de se diminuer de façon à paraître plus dépouillé et à se sentir plus mince, même physiquement, sans pourtant rien perdre de l'intensité de son esprit, et de rester ainsi debout sur sa petite arête face aux ténèbres de l'ignorance humaine, à ce fait que nous ne savons rien et que la mer ronge le sol sur lequel nous nous tenons — c'était son destin, sa faculté. Mais ayant rejeté loin de lui, en mettant pied à terre, tous les gestes et tous les oripeaux, tous les trophées de noisettes et de roses, et s'étant replié au point d'oublier non seulement sa renommée mais jusqu'à son propre nom, il conservait même dans cette désolation une vigilance qui n'épargnait aucun fantôme et ne s'accordait le luxe d'aucune vision ; et c'était sous cet aspect qu'il inspirait à William Bankes (d'une façon intermittente) et à Charles Tansley (avec un élan obséquieux) et à sa femme en ce moment, alors qu'en levant les yeux elle l'apercevait debout à l'extrémité de la pelouse, une révérence, une pitié, une gratitude profondes ; de même un pieu enfoncé dans un chenal sur lequel perchent les mouettes et contre lequel battent les vagues inspire aux joyeux promeneurs en bateau un sentiment de gratitude pour s'être chargé d'indiquer, à lui seul, la présence du chenal dans l'immensité des eaux.

« Mais le père de huit enfants n'a pas le choix... » Marmonnant à mi-voix, il s'arrêta brusquement à ce point, se tourna, soupira, leva les yeux, chercha à apercevoir la figure de sa femme en train de lire des histoires à son petit garçon ; remplit sa pipe. Il se détournait du spectacle de l'ignorance humaine, de la destinée humaine, et de la mer rongeant le terrain sur lequel nous nous tenons, spectacle qui l'aurait peut-être amené à quelque développement intéressant s'il avait eu la force de le contempler fixement ; et il trouva une consolation dans de petites choses, de si peu d'importance à côté de l'auguste thème offert à ses méditations qu'il se sentit disposé à passer légèrement sur cette consolation, à en faire fi, comme si le fait d'être surpris en train d'être heureux dans un monde de misère fût pour un honnête homme le plus méprisable des crimes. C'était vrai ; il était en grande partie heureux ; il avait sa femme ; il avait ses enfants ; il avait promis de raconter « quelques petites histoires » dans six semaines aux jeunes gens de Cardiff sur Locke, Hume, Berkeley et les causes de la Révolution française. Mais cela, et le plaisir qu'il prenait à cela, à formuler sa pensée, à l'ardeur de la jeunesse, à la beauté de sa femme, aux tributs d'admiration qui lui arrivaient de Swansea, de Cardiff, d'Exeter, de Southampton, de Kidderminster, d'Oxford, de Cambridge — il lui fallait tout déprécier, tout dissimuler sous cette expression « quelques petites histoires » parce qu'en réalité il n'avait pas fait la chose qu'il aurait dû faire. L'expression était un déguisement ; elle était le refuge d'un homme qui a peur d'avouer ses véritables sentiments, qui ne peut pas dire : voici ce que j'aime — voici ce que je suis ; et plutôt pitoyable, plutôt antipathique à William Bankes et à Lily Briscoe qui se demandaient quel besoin il avait de dissimuler ainsi ; pourquoi il avait constamment besoin de louanges ; pourquoi un homme si brave en pensée était si timide dans la vie ; et par quel étrange phénomène il pouvait être à la fois si vénérable et si ridicule.

L'enseignement et la prédication dépassent les forces humaines, soupçonnait Lily. (Elle était en train de serrer ses affaires.) Ceux qui s'élèvent finissent toujours par dégringoler. Mrs. Ramsay lui donnait trop facilement ce qu'il demandait. Et puis il doit être bouleversé, disait Lily, par le changement qu'il éprouve lorsque, au sortir de ses livres il nous trouve tous en train de jouer et de dire des bêtises. Songez au changement que cela doit faire d'avec les choses auxquelles il pense, disait-elle.

Il se dirigeait vers eux. Voici qu'il s'arrêtait court et se mettait à regarder la mer en silence. Maintenant il s'était tourné, il s'éloignait.

9

Oui, disait Mr. Bankes, en le regardant s'en aller. C'est mille fois dommage. (Lily avait dit quelque chose sur la frayeur qu'il lui donnait avec sa façon de passer si brusquement d'une humeur à l'autre.) Oui, disait Mr. Bankes, c'est mille fois dommage que

Ramsay ne puisse pas avoir un peu plus les façons de tout le monde. (Car il aimait Lily Briscoe ; il pouvait parler avec elle de Ramsay sans aucunement se gêner.) C'est pour cette raison, disait-il, que les jeunes gens ne lisent par Carlyle. Un vieux ronchonneur qui se mettait en colère quand sa bouillie d'avoine était froide, qu'allait-il se mêler de nous faire la leçon ? C'était là, croyait Mr. Bankes, ce que disent les jeunes gens d'aujourd'hui. C'était mille fois dommage quand on croyait, comme lui, que Carlyle était un des grands maîtres de l'humanité. Lily dut avouer à sa honte qu'elle n'avait pas lu Carlyle depuis ses années de pension. Mais d'après elle on n'en aimait Mr. Ramsay que mieux parce qu'il s'imaginait que lorsque son petit doigt lui faisait mal c'était la fin du monde. Ce n'était pas cela qui la choquait. Car qui pouvait-il abuser ? Il vous demandait très ouvertement de le flatter, de l'admirer et ses petites ruses ne trompaient personne. Ce qu'elle n'aimait pas c'était son étroitesse, son aveuglement, dit-elle, en le suivant des yeux.

« Un tantinet hypocrite ? » suggéra Mr. Bankes, regardant lui aussi le dos de Mr. Ramsay, car n'était-il pas en train de songer à son amitié et au refus de Cam de lui donner une fleur, et à tous ces garçons et ces filles, et à sa propre maison, si confortable, mais, depuis la mort de sa femme, un peu trop calme ? Bien sûr, il avait son travail... Néanmoins il éprouvait un certain désir d'entendre Lily convenir que Ramsay était, comme il le disait, « un tantinet hypocrite ».

Lily continuait à ranger ses pinceaux, à lever et baisser la tête. Lorsqu'elle la levait elle l'apercevait, lui Mr. Ramsay, s'avançant vers eux, balançant les épaules, l'air insouciant, oublieux, distant. Un tantinet hypocrite ? répéta-t-elle. Oh ! non, le plus sincère des hommes, le plus sûr (le voilà qui arrivait), le meilleur ; mais lorsqu'elle baissait la tête elle se disait : il est absorbé en lui-même, il est tyrannique ; il est injuste ; et elle tenait les yeux baissés exprès, car c'était pour elle la seule façon de conserver son sang-froid au milieu des Ramsay. Dès qu'elle levait les yeux et les apercevait elle était envahie par ce qu'elle appelait « l'état d'amour ». Ils appartenaient aussitôt à cet univers irréel qui vous pénètre et vous transporte et qui est le monde vu à travers les yeux de l'amour. Le ciel s'attachait à eux ; les oiseaux chantaient à travers eux. Et, chose plus passionnante encore, elle sentait en outre, en voyant Mr. Ramsay s'avancer puis battre en retraite, et Mrs. Ramsay s'asseoir avec James à la fenêtre, et le nuage se mouvoir et l'arbre s'incliner, que la vie, à force d'être faite de ces petits incidents distincts que l'on vit un à un, finit par faire un tout qui s'incurve comme une vague, vous emporte et, retombant, vous jette violemment sur la grève.

Mr. Bankes attendait sa réponse. Et elle était sur le point de dire quelque chose pour critiquer Mrs. Ramsay, qu'elle aussi était alarmante à sa manière, avec ses façons autoritaires, ou quelque chose d'approchant.

Mais l'extase de Mr. Bankes rendit de telles paroles vaines à l'avance. Extase n'est pas trop dire si l'on considère son âge, qui dépassait la soixantaine, la propreté de sa mise, l'impersonnalité de ses manières et la blancheur scientifique dont il semblait être vêtu. Pour lui, contempler Mrs. Ramsay comme Lily le voyait faire, représentait bien un transport équivalent, Lily le sentait, à l'amour d'une douzaine de jeunes gens (et peut-être Mrs. Ramsay n'avait-elle jamais excité l'amour d'une douzaine de jeunes gens). Tout en affectant de s'occuper de sa toile elle songeait que c'était là de l'amour, filtré et distillé ; un amour qui jamais ne s'efforçait d'atteindre son objet ;

mais qui, semblable à celui que les mathématiciens ont pour leurs symboles ou les poètes pour leurs expressions, était destiné à se répandre sur le monde et à devenir part du gain de l'humanité. Et c'est bien en effet ce qui se produirait. Le monde en aurait eu largement sa part si Mr. Bankes avait dit pourquoi cette femme lui plaisait tant ; pourquoi le fait de la voir lire un conte de fées à son petit garçon avait sur lui exactement le même effet que la solution d'un problème scientifique, au point qu'il restait en contemplation et éprouvait, comme il l'éprouvait quand il avait absolument démontré quelque chose sur le système digestif des plantes, que la barbarie était vaincue et le règne du chaos supprimé.

Un pareil transport — quel autre nom employer pour dénommer cela ? — faisait oublier entièrement à Lily Briscoe ce qu'elle avait été sur le point de dire. Cela n'avait aucune importance ; il s'agissait de quelque chose concernant Mrs. Ramsay. Cela pâlissait à côté de ce « transport », de cette contemplation silencieuse qui lui faisaient éprouver une immense gratitude ; car rien davantage ne l'apaisait, ne la libérait de la perplexité de la vie et n'en allégeait pour elle les fardeaux, que ce pouvoir sublime, ce don divin. Et, pendant qu'il durait, on n'avait pas plus envie de le troubler que de briser la traînée de soleil qui s'étend sur la largeur du plancher.

Le fait qu'il y eût des gens capables d'aimer ainsi, que Mr. Bankes éprouvât de tels sentiments pour Mrs. Ramsay (elle le regarda, absorbé dans sa pensée) vous encourageait, vous élevait. Elle essuya l'un après l'autre chacun de ses pinceaux sur un chiffon, telle une servante, à dessein. Elle s'abritait derrière la révérence qui s'attache à toutes les femmes ; elle se sentait louée. Il pouvait bien regarder sa peinture ; elle-même glisserait un coup d'œil.

Elle en aurait pleuré. C'était mauvais, c'était mauvais, c'était infiniment mauvais ! Bien sûr elle aurait pu faire cela différemment, alléger et estomper la couleur ; idéaliser les formes ; c'est comme cela que Paunceforte aurait vu son tableau. Mais elle ne le voyait pas ainsi. Elle voyait la couleur brûler sur une armature d'acier ; la lumière d'une aile de papillon posée sur les arches d'une cathédrale. De tout cela il ne restait que quelques touches jetées au hasard sur la toile. Et on ne verrait jamais son œuvre ; elle ne serait même jamais accrochée au mur, et voici que déjà Mr. Tansley murmurait à son oreille : « Les femmes sont incapables de peindre ; les femmes sont incapables d'écrire... »

Elle se rappelait maintenant ce qu'elle allait dire sur Mrs. Ramsay. Elle ne savait pas comment elle l'aurait exprimé ; mais c'eût été une critique. Elle avait été froissée l'autre soir par une manifestation chez elle de l'esprit d'autorité. Tout en faisant suivre à son regard la direction de celui que Mr. Bankes dirigeait vers Mrs. Ramsay, elle se disait qu'aucune femme ne peut en adorer une autre à la façon dont lui l'adorait ; toutes deux ne pouvaient que s'abriter sous l'ombre que Mr. Bankes étendait sur elles. Au rayon que dégageaient les yeux de ce dernier et que suivait son regard elle ajoutait son propre rayon qui en restait distinct, et elle se disait que Mrs. Ramsay était sans contredit le plus délicieux des êtres (ainsi penchée sur son livre), et peut-être le meilleur ; mais aussi qu'elle était différente de la forme parfaite que l'on apercevait là. Mais pourquoi différente et comment différente ? se demandait-elle en grattant sur sa palette tous ces monticules de bleu et de vert qui lui apparaissaient maintenant comme de simples mottes d'une substance inerte, et cependant elle se jurait qu'elle leur insufflerait une âme, les obligerait à vivre, à se répandre, à se plier demain à sa volonté. Comment était-elle différente ? Quel esprit y avait-il en elle, quel élément essentiel, en vertu duquel, si l'on trouvait un gant au coin d'un canapé, on reconnaissait à coup sûr qu'il était à elle rien qu'à la façon dont les doigts se trouvaient déformés. Elle était oiseau pour la vitesse et flèche pour la sûreté de sa course. Elle était volontaire ; elle aimait commander (sans doute, Lily s'en faisait souvenir, je songe à ses relations avec les femmes, moi qui suis beaucoup plus jeune qu'elle ; et qui, en outre, suis une personne insignifiante du quartier de Brompton Road). Elle ouvrait les fenêtres des chambres à coucher. Elle fermait les portes (ainsi Lily s'efforçait de recréer en elle la musique même de Mrs. Ramsay). Elle arrivait tard le soir, frappait légèrement à la porte de votre chambre, s'enveloppait d'une vieille fourrure (car c'était toujours de cette façon qu'elle encadrait sa beauté — avec quelque chose de saisi à la hâte et qui lui allait parfaitement), elle s'amusait à reproduire la scène dont le souvenir lui traversait l'esprit : Charles Tansley perdant son parapluie ; Mr. Carmichaël soufflant et reniflant ; Mr. Bankes disant « Les sels végétaux sont perdus ». A tout cela elle donnait adroitement forme et même un tour malicieux ; puis, se dirigeant vers la fenêtre sous prétexte qu'il fallait qu'elle partît — il faisait jour, elle voyait le soleil se lever —, elle se tournait à demi, l'air plus intime mais toujours rieur, et insistait sur l'obligation qu'il y avait pour tous, même pour Minta et elle, de se marier, car, quelques lauriers qui lui échussent (mais Mrs. Ramsay se fichait complètement de sa peinture), quelque conquête qu'elle fît (Mrs. Ramsay en avait probablement eu sa part), ici elle s'assombrissait, s'attristait et revenait s'asseoir, il était impossible, n'importe où au monde, de n'être pas d'accord sur ce point : une femme qui ne s'est pas mariée (elle prenait légèrement et un instant la main de Lily dans la sienne), une femme qui ne s'est pas mariée a manqué ce qu'il y a de meilleur dans la vie. La maison semblait pleine d'enfants endormis et de Mrs. Ramsay prêtant l'oreille ; de lumières voilées et de respirations paisibles.

Oh ! mais, répondait Lily, il y avait son père ; son foyer ; il y avait même, cela cependant elle n'osait pas en parler, sa peinture. Toutes ces raisons paraissaient cependant bien peu de chose, bien virginales, opposées aux arguments de Mrs. Ramsay. Pourtant, à mesure que la nuit s'écoulait, que de blanches lumières partageaient les rideaux et que, même, de temps en temps, un oiseau criait dans le jardin, elle reprenait désespérément courage ; réclamait d'être exemptée de la loi universelle ; plaidait sa propre cause ; elle aimait la solitude ; elle aimait se sentir elle-même ; elle n'était pas faite pour cela. Il lui fallait alors supporter le sérieux regard d'yeux dont la profondeur était incomparable et affronter la calme certitude avec laquelle Mrs. Ramsay (elle était à présent redevenue enfant) affirmait que sa chère Lily, sa petite Brisk, n'était qu'une sotte. Puis, elle se le rappelait, elle avait posé sa tête sur les genoux de Mrs. Ramsay et s'était mise à rire, à rire, à rire, à rire, presque au point d'en avoir une crise de nerfs, à la pensée que Mrs. Ramsay présidait avec un calme imperturbable à la conduite de destinées qu'elle était absolument incapable de comprendre. Elle restait assise là, simple et sérieuse. Lily avait maintenant retrouvé le sentiment qu'elle avait d'elle — c'était le doigt déformé du gant. Mais dans quel sanctuaire avait-on pénétré ? Elle avait fini par lever les yeux et elle avait devant elle Mrs. Ramsay entièrement inconsciente de ce qui avait pu faire rire Lily et conservant toujours son air de régenter mais dépourvue à présent de tout autoritarisme, ayant même au lieu de cela quelque chose de clair comme l'espace que les nuages finissent par laisser voir, le petit coin de ciel qui dort à côté de la lune.

Etait-ce sagesse ? Etait-ce savoir ? Etait-ce une fois de plus la trompeuse puissance de la beauté qui capture toutes les perceptions dans ses mailles d'or quand elles ne sont encore qu'à mi-chemin de la vérité ? ou enfermait-elle en elle-même un secret qui, Lily le croyait, était indispensable à connaître si l'on voulait que la vie poursuivît son cours ? Tout le monde ne peut pas vivre d'une façon aussi décousue, aussi improvisée qu'elle. Mais si l'on sait, peut-on dire ce que l'on sait ? Elle était assise sur le plancher, les bras croisés autour des genoux de Mrs. Ramsay, et elle se serrait le plus possible contre elle. Elle souriait à la pensée que Mrs. Ramsay ne saurait jamais pourquoi elle se serrait ainsi. Et elle imaginait que dans les galeries de l'esprit et du cœur de cette femme dont elle éprouvait ainsi le contact physique, se dressaient, semblables aux trésors des sépultures royales, des tablettes portant des inscriptions sacrées qui enseigneraient tout à qui pourrait les déchiffrer. Mais elles ne seraient jamais ouvertement offertes, elles ne seraient jamais rendues publiques. Quel art y avait-il donc là, accessible seulement à l'amour ou à la ruse, grâce auquel on pouvait s'insinuer dans ces galeries secrètes ? Quel procédé pour obtenir, grâce à une inextricable fusion, de ne plus faire qu'un avec l'objet adoré, à la façon des eaux qui se confondent dans un vase ? Le corps peut-il y réussir ? Ou l'esprit, opérant ses mélanges subtils dans les défilés compliqués du cerveau ? Ou le cœur ? Est-ce que l'affection, au sens où on l'entend communément, pouvait faire un seul être d'elle et de Mrs. Ramsay ? Car ce n'était pas la connaissance mais l'unité qu'elle désirait, non point des inscriptions sur des tablettes, rien qui pût être écrit dans un langage connu des hommes, mais l'intimité elle-même qui, à elle seule, est la connaissance, comme elle l'avait senti lorsqu'elle reposait sa tête sur les genoux de Mrs. Ramsay.

Rien ne se produisait. Rien ! rien ! pendant qu'elle reposait ainsi sa tête. Et pourtant elle savait que le savoir et la sagesse étaient amassés dans le cœur de Mrs. Ramsay. Comment, s'était-elle demandé, peut-on savoir quoi que ce soit sur les gens, quand on songe à la façon dont ils se barricadent ? C'est uniquement à la façon d'une abeille, attirée par une douceur ou une alacrité de l'air inaccessible au toucher ou au goût, qu'on fréquente le dôme de la ruche. On parcourt seul l'étendue des airs au-dessus des pays qui forment le monde, puis on se met à fréquenter les ruches pleines de murmures et d'agitations ; ces ruches que sont les hommes. Mrs. Ramsay se leva. Lily se leva. Mrs. Ramsay s'en alla. Pendant plusieurs jours il y eut en elle — comme après un rêve on retrouve subtilement changée la personne à qui on a rêvé — un bruit de murmures, plus vivant que ce qu'elle disait, et, comme elle s'asseyait dans le fauteuil d'osier de la fenêtre du salon, elle prenait, aux yeux de Lily, une forme auguste : la forme d'un dôme.

Ce rayon du regard de Lily, parallèle à celui de Mr. Bankes, alla tout droit à Mrs. Ramsay, assise là et en train de lire avec James contre son genou. Mais à présent, tandis qu'elle continuait à regarder, Mr. Bankes avait fini. Il avait mis ses lunettes. Il s'était reculé. Il avait levé la main. Il avait légèrement rétréci ses yeux bleu clair, lorsque Lily, tirée de sa torpeur, vit ce qu'il était en train de faire et tressaillit comme un chien qui aperçoit une main levée pour le frapper. Elle aurait volontiers et prestement enlevé son tableau du chevalet mais elle se dit : Il le faut. Elle fit appel à tout son courage pour supporter la terrible épreuve de voir quelqu'un examiner sa peinture. Il le faut, se disait-elle, il le faut. Et s'il fallait que quelqu'un examinât sa peinture, Mr. Bankes était moins alarmant qu'un autre. Mais quelle torture que de laisser voir à d'autres yeux que les siens l'actif de ses trente-trois années d'existence, le résidu de chaque jour de sa vie, mélangé à quelque chose de plus secret que ce qu'elle avait jamais pu dire ou montrer au cours de toutes ces années ! En même temps elle éprouvait une formidable émotion.

On n'aurait pu y mettre plus de sang-froid ni de calme. Mr. Bankes, sortant un canif de sa poche, tapota la toile avec le manche en os. Qu'est-ce qu'elle voulait représenter par ce triangle violet, « voyez, là ? » demanda-t-il.

C'était Mrs. Ramsay en train de faire la lecture à James, répondit-elle. Elle connaissait son objection — que personne ne pouvait prendre cela pour une forme humaine. Mais elle n'avait pas cherché à faire de la ressemblance, dit-elle. Alors pour quelle raison les avait-elle mis là ? demanda-t-il. Pourquoi, parbleu ? — Pour rien, sauf parce que si dans ce coin, là, il y avait une lumière, ici, elle avait senti le besoin de mettre de l'ombre. Toute simple, évidente, banale que fût cette explication, Mr. Bankes la trouva intéressante. La mère et l'enfant — ces objets d'universelle vénération, et dans le cas présent la mère était fameuse pour sa beauté — pouvaient être ainsi réduits, réfléchit-il, à une ombre de couleur violette, et cela sans irrévérence.

Mais ce n'était pas un portrait d'eux, ajouta-t-elle. Du moins pas dans le sens où il l'entendait. Il y avait d'autres moyens aussi d'indiquer la révérence que l'on éprouvait pour eux. Par exemple en mettant une ombre ici et une lumière là. Son tribut prenait cette forme si, comme elle le supposait vaguement, il fallait qu'un tableau fût un tribut. Une mère et son enfant pouvaient être réduits à la condition d'une ombre sans irrévérence. Une lumière ici appelait une ombre là. Il pesa ses paroles. Il était intéressé. Il prit ce qu'elle disait dans un esprit scientifique, avec une bonne foi complète. A dire vrai, tous ses préjugés contredisaient ce qu'il venait d'entendre, expliqua-t-il. Le plus grand tableau de son salon, que des peintres avaient loué et estimé plus cher qu'il ne l'avait payé, représentait des cerisiers en fleur sur les bords du Kennett. Il avait passé sa lune de miel sur les bords du Kennett, dit-il. Il fallait que Lily vînt voir ce tableau. Mais maintenant... — et il se tourna en levant ses lorgnons pour examiner scientifiquement la toile de Lily. Comme il s'agissait de relations de masses, de lumières et d'ombres qu'à parler franchement il n'avait jamais étudiées jusqu'à présent, il désirait qu'elle lui donnât des explications — qu'est-ce donc qu'elle voulait faire ? Et il indiqua la scène qui se trouvait devant eux. Elle regarda. Elle ne pouvait pas lui montrer ce qu'elle voulait faire, ne pouvait même pas le voir elle-même sans un pinceau entre les doigts. Elle reprit son attitude de peintre au regard vague et aux gestes distraits, subordonnant toutes ses impressions de femme à quelque chose de beaucoup plus général ; tombant une fois de plus au pouvoir de cette vision qu'elle n'avait distinguée clairement qu'une fois et devait maintenant chercher à tâtons au milieu des haies, des maisons, des mères et des enfants, de tout ce qui composait son tableau. C'est un problème, se rappelait-elle, que de savoir comment relier cette masse à droite avec cette autre à gauche. Elle pouvait y arriver en faisant passer la ligne de cette branche à travers, ainsi, ou en remplissant le vide du premier plan par un objet, comme ceci (James peut-être). Mais le danger était qu'en faisant ainsi elle détruisait l'unité de l'ensemble. Elle s'arrêta ; elle ne voulait pas l'ennuyer ; elle enleva prestement la toile du chevalet.

Mais cette toile avait été vue ; elle lui avait été dérobée. Cet homme avait partagé avec elle une possession profondément intime. Et, tout en remerciant Mr. Ramsay et Mrs. Ramsay et l'heure et le moment, tout en portant à l'actif du monde un pouvoir qu'elle ne soupçonnait pas, celui de descendre cette longue galerie non plus seule mais bras dessus, bras dessous avec quelqu'un — il n'y avait pas de sentiment plus étrange ni plus enivrant — elle fit claquer le crochet de fermeture de sa boîte à couleurs avec plus d'énergie qu'il n'était nécessaire et ce crochet parut contenir dans son demi-cercle et pour toujours la boîte à peinture, la pelouse, Mr. Bankes et cette terrible polissonne de Cam, qui passait à côté d'elle au galop.

10

Car elle passa à un centimètre du chevalet ; elle ne se serait jamais arrêtée pour Mr. Bankes et Lily Briscoe, bien que Mr. Bankes, qui aurait aimé avoir une fille à lui, lui tendît la main ; ni pour son père, qu'elle frôla de la même manière ; ni pour sa mère qui appela : « Cam, j'ai besoin de vous un instant ! » au moment où elle fila devant elle. Elle s'en allait comme un oiseau, une balle, une flèche, mue par quel désir, envoyée par qui, vers quoi, qui eût pu le dire ? Quoi donc, quoi donc ? se demandait Mrs. Ramsay, la suivant des yeux. C'était peut-être une vision, la vision d'un coquillage, d'une brouette, d'un royaume de fées de l'autre côté de la haie ;

ce pouvait être aussi une personnification de la splendeur de la vitesse ; personne ne pouvait le dire. Mais lorsque Mrs. Ramsay eut appelé « Cam ! » une seconde fois, le projectile s'abattit au milieu de sa carrière et Cam revint vers sa mère d'un pas traînant et en arrachant une feuille en route.

A quoi rêvait-elle, se demanda Mrs. Ramsay, en la voyant devant elle s'absorber si bien dans quelque pensée de son cru qu'elle dut répéter deux fois la commission dont elle voulait la charger : demander à Mildred si Andrew, Miss Doyle et Mr. Rayley étaient de retour. Ces paroles semblèrent tomber dans un puits dont l'eau, pour limpide qu'elle fût, n'en avait pas moins un extraordinaire pouvoir de déformation, au point qu'on les voyait, au fur et à mesure de leur descente, se contourner de façon à tracer Dieu sait quels dessins ! sur le plancher de cet esprit enfantin. Comment allait-elle faire sa commission à la cuisinière ? se demandait sa mère. Ce ne fut en effet qu'après avoir fait montre de patience et avoir appris qu'il y avait dans la cuisine une vieille femme aux joues très rouges qui prenait de la soupe dans un bol que Mrs. Ramsay réussit à déclencher chez sa fille cet instinct de perroquet qui lui avait permis de saisir la réponse de Mildred et lui permettait maintenant de la reproduire, si on lui en laissait le temps, dans un incolore récitatif. Tout en se tenant alternativement sur l'un et l'autre pied, Cam répéta les paroles qu'elle avait entendues : « Non, ils ne sont pas revenus et j'ai dit à Ellen de desservir le thé. »

Ainsi Minta Doyle et Paul Rayley n'étaient pas encore de retour. Cela, pensa Mrs. Ramsay, ne peut avoir qu'une signification. Il faut qu'elle l'accepte ou qu'elle le refuse. Cette sortie après le lunch pour faire une promenade, même en tenant compte du fait qu'Andrew les accompagnait, pouvait-elle signifier autre chose que sa décision, et bien justifiée, estimait Mrs. Ramsay (elle aimait beaucoup, beaucoup Minta), d'accepter ce brave garçon ? Il n'est peut-être pas brillant, se disait-elle encore tout en s'apercevant que James tirait sa robe pour lui faire continuer la lecture à haute voix du conte du Pêcheur et de sa Femme, mais elle préférait infiniment, au fond du cœur, les hommes simples à ces gens très forts qui font des thèses, comme par exemple Charles Tansley.

Mais elle lut : « Le lendemain matin la femme s'éveilla la première ; le jour venait de se lever et, de son lit, elle vit le beau pays qui s'étendait devant elle. Son mari était encore en train de s'étirer... »

Comment cependant Minta pourrait-elle dire à présent qu'elle ne voulait plus de lui ? Cela lui serait impossible si elle acceptait de passer des après-midi entiers à courir dans la campagne seule avec lui — car Andrew s'en irait pêcher ses crabes — mais peut-être Nancy était-elle avec eux. Elle essaya de se rappeler la vision qu'elle avait eue d'eux, debout à la porte du hall après le lunch. Ils restaient là à interroger le ciel sur le temps qu'il allait faire et elle avait dit, croyant par là, d'une part, masquer leur timidité et, d'autre part, les encourager à s'en aller (car sa sympathie allait à Paul) :

« Il n'y a pas le moindre nuage à dix milles à la ronde », sur quoi elle avait perçu un ricanement du petit Charles Tansley qui les avait suivis. C'était exprès qu'elle s'était exprimée ainsi. Nancy était-elle là ou non ? Elle ne pouvait en être certaine lorsqu'elle promenait son regard de l'un à l'autre en esprit.

Elle reprit sa lecture : « Ah ! ma femme, dit l'homme, pourquoi serions-nous rois ? Je ne veux pas être roi. — Eh bien, répondit la femme, si vous ne voulez pas être roi, je veux l'être, moi. Allez trouver le carrelet, car je veux être roi. »

« Cam, entrez ou sortez ! » dit-elle, sachant que celle-ci n'était attirée que par ce nom de « carrelet » et que, dans un instant, elle se mettrait à s'agiter et à se battre avec James comme à l'habitude. Cam s'enfuit. Mrs. Ramsay poursuivit sa lecture avec soulagement, car elle et James partageaient les mêmes goûts et se trouvaient parfaitement bien ensemble.

« Et lorsqu'il arriva à la mer elle était toute gris sombre ; l'eau se soulevait des profondeurs et sentait le pourri. Alors il alla au bord et dit :

> Accours, sors des flots, carrelet,
> Mon Ilsabil s'insubordonne,
> Rit de l'ordre que je lui donne
> Et me contraint à t'appeler.

« Voyons, qu'est-ce qu'elle veut donc ? » interrogea le carrelet. Et où sont-ils à présent ? se demanda Mrs. Ramsay qui lisait et réfléchissait à la fois sans aucune gêne ; car l'histoire du Pêcheur et de sa Femme ressemblait à la basse qui accompagne doucement un air et de temps en temps fait à l'improviste irruption dans la mélodie. Et quand la mettrait-on au courant ? Si rien ne s'était produit il faudrait qu'elle parlât sérieusement à Minta. Car ils ne pouvaient pas courir ensemble tout le pays, même en compagnie de Nancy (elle essaya de nouveau, sans y réussir, de les voir de dos et de les compter pendant qu'ils descendaient l'allée). Elle était responsable envers les parents de Minta — le Hibou et le Tisonnier. Ces surnoms, qu'elle leur avait donnés, traversèrent son esprit pendant qu'elle continuait à lire. Le Hibou et le Tisonnier — oui, ils seraient bien contrariés d'apprendre — et ils apprendraient certainement — que Minta, pendant son séjour chez les Ramsay, avait été vue, et cætera, et cætera. « Il portait une perruque à la Chambre des Communes et elle lui fut d'un grand secours en haut de l'escalier », répéta-t-elle, extrayant ces personnages du fond de son esprit à l'aide d'une phrase qu'elle avait fabriquée pour amuser son mari en revenant de quelque partie de plaisir. Mon Dieu, mon Dieu, se dit-elle, comment ont-ils pu produire une fille aussi inattendue, cette Minta qui est si garçon et qui a un trou à son bas ? Comment l'existence de Minta était-elle possible dans ce terrible milieu où la bonne passait son temps à enlever dans une pelle à poussière le sable répandu par le perroquet et où la conversation roulait presque exclusivement sur les exploits — intéressants peut-être mais somme toute limités en importance — de cet oiseau ? Naturellement on l'avait invitée au lunch, au thé, au dîner et enfin à faire un séjour chez eux à Finlay, ce qui avait amené une certaine tension avec le Hibou, mère de Minta, de nouvelles visites, de nouvelles conversations, et d'autre sable. Elle estimait, en toute sincérité, qu'elle avait dit assez de mensonges sur le compte des perroquets pour tout le reste de sa vie (c'est ce qu'elle avait déclaré à son mari en revenant avec lui de leur soirée). Cependant Minta était venue... Oui, elle était venue, pensa Mrs. Ramsay soupçonnant une épine quelque part, dans l'enchevêtrement de cette pensée ; et, en la démêlant, elle trouva que l'épine consistait en ceci : une femme l'avait jadis accusée de « lui dérober l'affection de sa fille » ; et quelque chose que Mrs. Doyle lui avait dit l'avait fait se souvenir de cette accusation. Vouloir dominer, vouloir se mêler des affaires des autres, faire faire aux gens ce qu'elle voulait — voilà ce qu'on lui reprochait et, d'après elle, avec la plus grande injustice. Comment pouvait-elle s'empêcher d'être « comme cela » à la voir ? Personne ne pouvait l'accuser de se donner du mal pour produire de l'effet. Elle avait souvent honte de la façon dont elle était fagotée. Elle n'était pas non plus dominatrice ni tyrannique. Il y avait plus de vérité dans ce qu'on disait de sa manie de parler hôpitaux, conduites sanitaires et laiteries. Sur ce chapitre elle se laissait emporter par la passion et, si elle en avait eu l'occasion, elle eût aimé prendre les gens par la peau du cou pour les obliger à voir les choses comme elles sont. Il n'y avait pas d'hôpital sur toute l'étendue de l'île. C'était une honte. Le lait qu'on met à votre porte à Londres est littéralement noir de saletés. Ça ne devrait pas être permis. Une laiterie modèle et un hôpital ici. Elle eût aimé réaliser ces deux choses-là. Mais comment ? Avec tous ces enfants ? Lorsqu'ils seraient plus grands, alors peut-être aurait-elle le temps ; lorsqu'ils seraient tous en pension.

Oh ! d'ailleurs elle n'avait aucune envie que James fût plus vieux d'un jour, ni Cam non plus. Ces deux-là elle aurait voulu les garder toujours comme ils étaient, affreux petits démons, anges délicieux ; ne jamais les voir devenir des monstres à grandes jambes. Rien ne pouvait compenser une perte pareille. Lorsqu'elle lut, à cet instant même : « Et l'on vit apparaître un grand nombre de soldats avec des grosses caisses et des trompettes », et qu'elle vit le regard de son fils s'assombrir, elle se demanda pourquoi il fallait que ses chers petits grandissent pour perdre tout cela. James était le mieux doué, le plus sensible de ses enfants. Mais tous, pensait-elle, étaient pleins de promesses. Prue était vraiment un ange dans ses rapports avec les autres et maintenant il lui arrivait, le soir surtout, d'être d'une saisissante beauté. Quant à Andrew, son mari lui-même admettait qu'il était extraordinairement doué pour les mathématiques. Nancy et Roger étaient à présent de vrais sauvages qui vagabondaient toute la journée dans la campagne. Rose, elle, avait une trop grande bouche mais elle était merveilleusement adroite de ses mains. Quand on organisait des charades c'est elle qui faisait les costumes ; elle se chargeait de tout ; ce qu'elle préférait c'était arranger les tables, les fleurs, tout ce qu'on voulait. Mrs. Ramsay n'aimait pas que Jasper fît la chasse aux petits oiseaux ; mais ce n'était qu'un moment à passer ; les enfants traversent tous des crises semblables. Pourquoi, demandait-elle, appuyant son menton sur la tête de James, poussaient-ils si vite ? Pourquoi fallait-il qu'ils allassent en pension ? Elle aurait toujours voulu avoir un bébé. Elle n'était jamais si heureuse que quand elle en portait un dans ses bras. Alors on pouvait bien dire si on en avait envie qu'elle était tyrannique, dominatrice, autoritaire ; peu lui importait. Touchant de ses lèvres les cheveux de James elle se dit : il ne sera jamais aussi heureux que maintenant, mais elle s'arrêta, car elle se rappela que son mari s'irritait lorsqu'elle parlait ainsi. Et pourtant c'était vrai. Ils étaient tous plus heureux maintenant qu'ils ne le seraient jamais. Un service à thé de dix pence donnait à Cam du bonheur pour plusieurs jours. Leur mère les entendait courir et jacasser au-dessus de sa tête dès qu'ils étaient réveillés. Ils arrivaient par le corridor en se bousculant. Puis la porte s'ouvrait brusquement et ils entraient, frais comme des roses, avec de grands yeux étonnés d'enfants bien réveillés, comme si cette arrivée dans la salle à manger après le déjeuner, qu'ils faisaient cependant tous les jours de leur vie, eût été pour eux un véritable événement ; puis, remplie de choses et d'autres, la journée passait ; elle montait leur dire bonsoir et les trouvait fourrés dans leurs petits lits comme des oiseaux parmi des cerises et des framboises et construisant encore des histoires à propos de petits riens — de quelque chose d'entendu, de ramassé dans le jardin. Ils avaient tous leurs petits trésors...

Puis elle descendait et disait à son mari : « Pourquoi faut-il qu'ils grandissent, qu'ils perdent tout cela ? Jamais ils ne seront aussi heureux. » Et il se fâchait. « A quoi bon se faire une idée aussi triste de la vie ? demandait-il. Ce n'est pas raisonnable. » Car, chose étrange mais qu'elle croyait véritable, avec ses humeurs noires et ses désespoirs, il était dans l'ensemble plus heureux, plus optimiste qu'elle. Moins exposé aux tracas de la vie, eût-il peut-être mieux valu dire. Il pouvait toujours se rabattre sur son travail. Ce n'était point qu'elle fût elle-même « pessimiste », comme il l'en accusait. Mais sa pensée s'appliquait à la vie et une petite bande de temps se présentait à sa vue, ses cinquante années. La voici qui s'étendait devant elle — la vie. La vie : elle pensait mais n'allait point jusqu'au bout de sa pensée. Elle regardait la vie, car elle avait un sentiment bien net de son existence ; c'était quelque chose de réel, quelque chose de privé qu'elle ne partageait ni avec ses enfants ni avec son mari. Il s'établissait entre elles deux une sorte de transaction, en vertu de laquelle elle se trouvait d'un côté et la vie de l'autre ; elle s'efforçait toujours d'être la plus forte, comme s'y efforçait aussi son adversaire. Parfois une trêve intervenait entre elles (lorsqu'elle était assise toute seule) ; il y avait, elle se le rappelait, de grandes scènes de réconciliation ; mais la plupart du temps il fallait reconnaître que ce qu'elle appelait la vie, elle le sentait, chose étrange, comme un être terrible, hostile, toujours prêt à se jeter sur elle à la première occasion. Il y avait les problèmes éternels : la souffrance, la mort, la pauvreté. Il y avait toujours, même ici, une femme en train de mourir du cancer. Et cependant elle avait dit à tous ces enfants : « Il faudra en passer par là. » Elle avait sans relâche répété cela à huit personnes (et la facture de réparation de la serre se monterait à cinquante livres).

C'est pour cette raison, parce qu'elle savait ce qui les attendait — l'amour, l'ambition, la misère solitaire dans d'affreux endroits — qu'elle était souvent portée à se demander : Pourquoi faut-il qu'ils grandissent, qu'ils perdent ce qu'ils possèdent maintenant ? Puis elle se disait en brandissant son glaive face à la vie : « C'est absurde. Ils seront parfaitement heureux. » Et voici, se disait-elle encore, en trouvant de nouveau un goût passablement sinistre à la vie, qu'elle était en train de faire épouser Paul Rayley à Minta ; parce que, quoi qu'elle pût elle-même éprouver à l'égard de sa propre transaction — et elle avait eu des épreuves par lesquelles tout le monde n'était pas obligé de passer (elle ne se les désignait pas nommément à elle-même) ; elle était poussée, trop vite, elle le savait bien, presque comme si elle eût trouvé là, elle aussi, un moyen d'évasion, à déclarer qu'il fallait que les gens se mariassent, qu'ils eussent des enfants.

Se trompait-elle en cela ? se demandait-elle. Et elle repassait dans ses souvenirs sa conduite depuis une ou deux semaines et se demandait si elle avait réellement fait pression sur Minta, qui n'avait que vingt-quatre ans, pour l'obliger à se décider. Elle était mal à l'aise. N'en avait-elle pas ri ? N'oubliait-elle pas de nouveau avec quelle force elle pouvait influencer les gens ? Le mariage exigeait, oh ! toutes sortes de qualités (la facture de réparation de la serre se monterait à cinquante livres) ; il y en avait une — elle n'avait pas besoin de la nommer — qui était essentielle ; c'était ce qu'elle possédait en commun avec son mari. La possédaient-ils eux aussi ?

« Alors il mit son pantalon et se mit à courir comme un fou, lut-elle. Mais au-dehors une grande tempête faisait rage et il ventait si fort qu'il pouvait à peine se tenir sur ses pieds ; les maisons et les arbres se renversaient, les montagnes tremblaient, les rochers s'écroulaient dans la mer, le ciel était noir comme de l'encre. Il y avait du tonnerre et des éclairs et la mer arrivait avec des vagues noires hautes comme des tours d'église ou des montagnes toutes couronnées de blanche écume. »

Elle tourna la page ; il ne restait plus que quelques lignes. Aussi irait-elle jusqu'au bout de l'histoire, bien que l'heure du lit fût déjà passée. Il se faisait tard. La lumière du jardin le lui indiquait ; l'aspect blanchissant des fleurs et quelque chose de gris qu'on percevait dans les feuilles s'unirent pour éveiller en elle un sentiment d'inquiétude. De quoi s'agissait-il ? Elle ne put le trouver tout de suite. Puis elle se rappela : Paul, Minta et Andrew n'étaient pas rentrés. Elle évoqua de nouveau dans son esprit le petit groupe qui se tenait sur la terrasse devant la porte du hall et regardait le ciel. Andrew avait son filet et son panier. Cela voulait dire qu'il allait attraper des crabes et le reste. Cela voulait dire qu'il monterait sur quelque rocher ; qu'il serait cerné par la marée. Ou encore, en revenant à la file indienne sur l'un de ces petits sentiers qui dominent la falaise, un d'entre eux pouvait glisser, rouler, se fracasser. Il commençait à faire très sombre.

Mais elle ne permit pas à sa voix la moindre altération pendant la fin de l'histoire et, en fermant le livre, elle ajouta, les yeux fixés sur ceux de James et prononçant la dernière phrase comme s'il se fût agi de quelque chose qu'elle inventait elle-même : « Et ils vivent encore là au jour d'aujourd'hui. »

« Et c'est fini ! » dit-elle. Puis elle vit dans les yeux de son fils, au moment où s'éteignait l'intérêt suscité par l'histoire, quelque chose d'autre qui en prenait la place : une sorte d'étonnement pâle, semblable à la réflexion d'une lumière, qui donnait à son regard comme un émerveillement immobile. Elle se tourna et voici qu'en effet, de l'autre côté de la baie, elle

aperçut la lumière du Phare qui envoyait régulièrement par-dessus les vagues, d'abord deux éclairs
rapides, puis un long faisceau fixe. On l'avait allumé.

Dans un instant il allait lui demander : « Est-ce
que nous allons au Phare ? » Et il lui faudrait
répondre : « Non, pas demain ; votre père dit que
non. » Heureusement Mildred vint chercher les
enfants et ils furent distraits par le remue-ménage
qui suivit. Mais James continuait à regarder par-
dessus son épaule pendant que Mildred le portait
et sa mère était certaine qu'il se disait : Nous n'irons
pas au Phare demain ; et elle songeait qu'il s'en sou-
viendrait toute sa vie.

11

« Non, se dit-elle, en rassemblant quelques-unes
des images qu'il avait découpées — un frigorifique,
une faucheuse, un monsieur en habit —, les enfants
n'oublient jamais. C'est pour cela qu'il faut faire
tellement attention à ce qu'on dit ou à ce qu'on fait
et c'est un grand soulagement quand ils vont se
coucher. » Car maintenant elle n'avait plus besoin
de songer à personne. Elle pouvait être elle-même,
à elle-même. Et c'était de cela que maintenant elle
éprouvait souvent le besoin : penser, non pas même
penser, se taire, être seule. Tout l'être, toute l'action
avec ce qu'il y a en eux d'expansif, de scintillant,
de vocal s'évaporent et l'on se réduit, avec un sentiment de solennité, à n'être plus que soi, un noyau
d'ombre en forme de coin, quelque chose d'invisible
aux autres. Tout en continuant à tricoter, bien droite
sur sa chaise, c'était ainsi qu'elle se sentait être et
ce moi qui avait laissé tomber ses attaches se trou-

vait affranchi et propre aux plus étranges aventures. Lorsque la vie baisse ainsi un moment il semble que le champ de l'expérience s'élargisse à l'infini. Et tout le monde possède toujours ce sentiment de ressources illimitées, croyait-elle ; eux tous, tant qu'ils étaient, elle, Lily, Augustus Carmichaël devaient sentir que ce qui de nous apparaît aux autres, ce par quoi ils nous connaissent, ne représente qu'une puérile réalité. Sous cette apparence tout est sombre, tout s'étend, tout a d'insondables profondeurs. Mais de temps en temps nous montons à la surface et c'est cela qu'on aperçoit de nous. Son horizon paraissait à Mrs. Ramsay illimité. Il embrassait tous les endroits qu'elle n'avait pas vus ; les plaines de l'Inde ; elle se sentait écarter l'épais rideau de cuir d'une église romaine. Ce noyau d'obscurité pouvait aller n'importe où car personne ne le voyait. « On ne peut pas l'arrêter, se dit-elle avec transport. C'est là que se trouvent la liberté, la paix et surtout le bien le plus précieux, le pouvoir de se ramasser, de se reposer sur une plate-forme de stabilité. » Ce n'est pas en tant qu'êtres individuels que, d'après son expérience (ici elle exécuta quelque chose de très difficile avec ses aiguilles), nous atteignons jamais au repos, mais en tant que coins d'ombre. En perdant notre personnalité nous perdons le tourment, la hâte, l'agitation ; et toujours une exclamation de triomphe montait à ses lèvres, jaillie d'un sentiment de victoire sur la vie, lorsque se produisait en elle ce rassemblement dans cette paix, ce repos, cette éternité ; puis, s'arrêtant à cet endroit de ses réflexions, elle regarda au-dehors pour y trouver le rayon de lumière du Phare, le long rayon calme, le dernier des trois, son rayon à elle ; car, regardant les choses de cette humeur et à cette heure du jour, on ne pouvait pas ne pas s'attacher à une plus particulièrement ; et cette chose, ce long rayon calme, était son rayon.

Souvent, assise, elle se surprenait en train de regarder, de regarder sans cesse son ouvrage à la main, au point de devenir la chose même qu'elle regardait, cette lumière par exemple. Et la lumière soulevait avec elle tantôt l'une, tantôt l'autre de certaines petites phrases qui reposaient au fond de son esprit, telles que : « Les enfants n'oublient pas, les enfants n'oublient pas », qu'elle répétait en y ajoutant bientôt d'autres choses. « Cela finira, cela finira, dit-elle. Cela viendra, cela viendra. » Puis soudainement elle ajouta : « Nous sommes entre les mains du Seigneur. »

Mais elle se sentit aussitôt mécontente d'elle-même pour avoir dit cela. Qui avait prononcé ces paroles ? Pas elle ; elle avait été amenée par quelque subterfuge à dire une chose qu'elle ne pensait pas. Elle leva les yeux de son ouvrage, rencontra le troisième rayon, et elle eut l'impression que c'était comme si ses yeux se fussent rencontrés eux-mêmes, que ce rayon fouillait dans son esprit et dans son cœur comme elle seule pouvait le faire et qu'il la purifiait de ce mensonge, de tout mensonge qu'il l'annihilait comme s'il n'eût jamais existé. Elle se louait elle-même en louant la lumière, sans vanité, car elle était sévère, elle était pénétrante, elle était belle comme cette lumière. « Chose étrange, pensait-elle, que, lorsqu'on est seul, on se sente ainsi attiré vers les choses, les objets inanimés, les arbres, les ruisseaux, les fleurs ; il semble qu'ils vous expriment ; qu'ils deviennent vous-même ; qu'ils vous connaissent, et, en un certain sens, sont vous-même ; on éprouve ainsi pour eux (elle regardait cette longue lumière calme) une irrationnelle tendresse semblable à celle que l'on éprouverait pour soi-même. Du sol de l'esprit (elle regardait, regardait toujours ses aiguilles levées), de ce lac qu'est l'être montent en volutes une vapeur, une fiancée allant à la rencontre de l'aimé. »

Quoi donc l'avait incitée à dire : « Nous sommes entre les mains du Seigneur » ? Elle se le demandait. L'insincérité qui se glisse dans les vérités l'irritait, lui était désagréable. Elle se remit à tricoter. Comment un Seigneur quelconque a-t-il pu créer ce monde ? se demandait-elle. Son esprit s'était toujours rendu compte de ce fait qu'il n'y a ni raison, ni ordre, ni justice : qu'il n'y a que de la souffrance, de la mort, de la pauvreté. Il n'y a si basse perfidie que le monde ne puisse la commettre ; elle le savait. Aucun bonheur ne dure ; elle le savait. Elle tricotait avec une calme fermeté, les lèvres légèrement pincées et, sans qu'elle s'en rendît compte, les lignes de son visage, sous l'influence de cette tendance à la sévérité passée chez elle à l'état d'habitude, se groupaient avec tant de rigidité que lorsque son mari passa, et bien qu'il rît silencieusement à la pensée que le philosophe Hume, devenu extrêmement gros, s'était embourbé dans un marécage, il ne put pas ne pas remarquer, en passant, cette sévérité logée au cœur même de sa beauté. Il en fut attristé ; il fut aussi, et douloureusement, impressionné par la sensation de son éloignement ; il comprit, comme il passait devant elle, qu'il ne pouvait pas la protéger, et lorsqu'il arriva à la haie, il était triste. Il ne pouvait rien faire pour lui venir en aide. Il ne pouvait que se tenir près d'elle et l'observer. Et même, à dire vrai, le plus terrible c'est qu'il aggravait son cas. Il était irritable, il était susceptible. Il s'était mis en colère à propos du Phare. Il regarda à l'intérieur de la haie, plongea les yeux dans son enchevêtrement, dans son obscurité.

C'est toujours à contrecœur, trouvait Mrs. Ramsay, que l'on se dégage de la solitude, en s'emparant d'une petite chose sur quoi l'on met la main, un bruit entendu, un objet aperçu. Elle écoutait, mais tout était très tranquille ; le cricket était fini ; les enfants étaient dans leur bain ; on ne percevait que le murmure de la mer. Elle s'arrêta de tricoter ; le long bas de couleur rouge brun se balança un instant dans ses mains immobiles. Elle revoyait la lumière. Non sans mettre dans l'interrogation de son regard une certaine ironie, car pour peu qu'on s'éveille on trouve un changement dans ses relations avec les choses, elle considéra cette lumière calme qui, implacable et sans remords, était à la fois tellement et si peu elle et la tenait à sa dévotion (quand elle s'éveillait la nuit elle la voyait se courber contre le lit, caresser le plancher). Mais malgré tout elle songeait, fascinée, hypnotisée par ce spectacle, avec la sensation que ces doigts d'argent caressaient dans son cerveau quelque vase scellé dont l'éclatement l'inonderait de délice, qu'elle avait connu le bonheur, un bonheur exquis, un bonheur intense ; cependant, à mesure que le jour faiblissait, l'argent de ces doigts se faisait un peu plus brillant sur les vagues brutales, le bleu disparaissait de la mer ; celle-ci déroulait des vagues de la couleur du citron le plus pur dont la courbe grossissante se brisait sur la plage. L'extase éclatait dans les yeux de Mrs. Ramsay et des flots de pur délice se précipitaient sur le plancher de son esprit. « En voilà assez, en voilà assez ! » se dit-elle.

Il se tourna et la vit. Ah ! elle était délicieuse, plus délicieuse en ce moment que jamais, trouva-t-il. Mais il était incapable de lui parler. Il était incapable de l'interrompre. Il avait un besoin urgent de lui parler à présent que James était parti et qu'elle se trouvait enfin seule. Mais il décida de n'en rien faire, non ; il ne l'interromprait pas. Elle le dominait maintenant dans sa beauté, dans sa mélancolie. Il la laisserait tranquille et il passa devant elle sans un mot, bien qu'il lui fût pénible qu'elle parût si lointaine, qu'il lui fût impossible de l'atteindre, de faire quoi que ce fût pour lui venir en aide. Et il serait de nouveau passé devant elle sans un mot si elle ne lui avait pas donné, à ce moment même, et de son propre mouvement, ce qu'elle savait qu'il ne demanderait jamais. Elle l'appela, prit le châle vert sur le cadre du tableau et alla à lui. Car elle savait qu'il avait envie de la protéger.

12

Elle drapa le châle vert sur ses épaules. Elle prit le bras de son mari. Il est si beau, dit-elle, se mettant aussitôt à parler de Kennedy, le jardinier ; c'était un homme tellement bien qu'elle n'avait pas le courage de le renvoyer. Il y avait une échelle contre la serre et, çà et là, le mastic adhérait en petits monticules, car on commençait à réparer le toit. Sans doute, mais tout en se promenant avec son mari, elle sentait que cette source particulière d'ennuis avait trouvé sa place. Elle était sur le point de dire : « Ça va coûter cinquante livres », mais au moment d'aborder la question d'argent le cœur lui manqua et elle préféra parler de Jasper et de sa chasse aux oiseaux. Mr. Ramsay répondit aussitôt, et ses paroles la calmèrent instantanément, qu'il n'y avait rien là que de très naturel chez un garçon de cet âge et qu'il était certain que Jasper trouverait avant longtemps de meilleures façons de s'amuser. Quel homme sensé et juste que son mari ! Aussi dit-elle : « Oui, tous les enfants passent par des étapes », puis elle se mit à examiner les dahlias du grand parterre et à se demander ce que seraient les fleurs de l'année prochaine. Enfin elle lui demanda s'il connaissait le surnom que les enfants donnaient à Charles Tansley. Ils l'appelaient l'athée, le petit athée. « Il n'appartient pas à l'espèce la plus raffinée », dit-il. « Loin de là, répondit-elle. Il n'y a pas de mal, n'est-ce pas, à le laisser à ses occupations ? » ajouta-t-elle tout en se demandant s'il était utile d'envoyer des oignons. Les plantait-on seulement ? « Oh ! il a son mémoire à faire », répondit Mr. Ramsay. Cela, elle le savait bien, reprit-elle. Il n'avait que ce mémoire à la bouche. Il s'agissait de l'influence de quelqu'un sur quelque chose. « C'est que c'est là tout son actif », dit Mr. Ramsay. « Fasse le Ciel qu'il ne tombe pas amoureux de Prue ! » s'écria Mrs. Ramsay. Son mari déclara qu'il la déshériterait si elle l'épousait. Il ne regardait pas les fleurs que sa femme était en train d'examiner, mais un point qui se trouvait environ un pied au-dessus. Il n'y a rien à lui reprocher, ajouta-t-il, et il était sur le point de dire qu'il était le seul jeune homme qui, dans toute l'Angleterre, admirait ses..., mais il s'arrêta à temps. Il ne voulait plus assommer sa femme avec ses livres. « Ces fleurs n'ont pas l'air mal », dit-il, lorsque, abaissant son regard, il remarqua ici quelque chose de rouge et là quelque chose de marron. « Oui », observa-t-elle, mais c'est que celles-ci elle les avait plantées de ses propres mains. La question était de savoir ce qui se passait lorsqu'elle envoyait les oignons. Kennedy les plantait-il ? « C'est l'histoire éternelle de son incurable paresse », ajouta-t-elle en poursuivant sa marche. Lorsqu'elle restait toute la journée à le surveiller, une bêche à la main, il faisait parfois un peu de besogne. Ils s'en allaient ainsi vers les plants de tritoma. « Vous apprenez à vos filles à exagérer », dit Mr. Ramsay sur un ton de reproche. « Ma tante Camilla était bien pire que moi », observa Mrs. Ramsay. « Personne n'a jamais fait passer votre tante Camilla pour un modèle de vertu, que je sache », riposta-t-il. « C'était la plus belle femme que j'aie jamais vue », déclara-t-elle. « C'est d'une autre personne qu'il faut dire cela », protesta-t-il. « Prue va être bien plus belle que sa mère », dit-elle. Ils s'arrêtèrent. Il aurait souhaité avoir assez d'influence sur Andrew pour le faire travailler un peu plus. Autrement il allait perdre toutes ses chances d'obtenir une bourse. « Oh ! les bourses ! » dit-elle. Mr. Ramsay la trouva absurde de s'exprimer ainsi sur un sujet aussi sérieux que celui des bourses. Il serait très fier si Andrew en obtenait une, dit-il. Elle serait tout aussi fière de lui s'il n'en obtenait pas, répondit-elle. Ils n'étaient jamais d'accord sur ce sujet, mais cela n'avait pas d'importance. Elle aimait qu'il crût aux bourses et il aimait qu'elle fût fière d'Andrew quoi qu'il advînt. Elle se rappela soudainement ces petits sentiers qui couraient sur le bord de la falaise.

« Est-ce qu'il n'est pas tard ? » demanda-t-elle. Ils n'étaient pas encore rentrés. Il ouvrit négligemment sa montre en pressant un ressort. Il était à peine sept heures passées. Il garda sa montre ouverte un instant pendant qu'il décidait de dire à sa femme ce qu'il avait éprouvé sur la terrasse. Et d'abord il n'était pas raisonnable de s'inquiéter ainsi. Andrew était assez grand pour ne pas faire de sottises. Puis il voulut lui dire que tandis qu'il arpentait la terrasse, un instant auparavant — à ce point il se sentit gêné, comme s'il fût en train d'envahir cette solitude, cette retraite, cet éloignement où elle se tenait... Mais elle le pressa de continuer. Qu'avait-il voulu lui dire, demanda-t-elle, croyant qu'il s'agissait de la promenade au Phare et du regret qu'il éprouvait d'avoir dit : « Allez vous faire fiche ! » Mais ce n'était pas cela. Il n'aimait pas qu'elle parût si triste, dit-il. « Ce n'était que des rêvasseries », protesta-t-elle, en rougissant un peu. Tous deux se sentaient gênés, comme s'ils n'eussent pas su s'il fallait continuer leur promenade ou rentrer. Elle avait lu des contes de fées à James, dit-elle. Non, ils ne pouvaient pas partager cette émotion-là ; ils ne pouvaient pas dire cela.

Ils avaient atteint la brèche qui s'ouvrait entre les deux touffes de tritoma et le Phare apparaissait de nouveau, mais elle ne voulut pas se permettre de le regarder. Si elle avait cru que son mari la regardait, se dit-elle, elle ne se serait pas permis de s'asseoir là, abandonnée à ses pensées. Elle n'aimait rien de ce qui lui rappelait qu'elle avait été vue assise et en train de songer. Elle regarda donc par-dessus son épaule dans la direction de la ville. Les lumières se ridaient et couraient comme des gouttes d'argent liquide faisant front contre le vent. Et c'est à cela qu'avaient abouti toute la pauvreté, toute la souffrance, pensa Mrs. Ramsay. Les lumières de la ville, du port et des bateaux ressemblaient à un filet fantôme qui flottait là pour marquer l'emplacement de quelque chose de sombre. Eh bien, s'il ne pouvait pas partager les pensées de sa femme, se dit Mr. Ramsay, il allait se plonger dans les siennes. Il voulait poursuivre sa méditation, se raconter à lui-même l'histoire de Hume tombé dans un marécage ; il avait besoin de rire. Mais d'abord il était absurde de s'inquiéter d'Andrew. Lorsqu'il avait l'âge d'Andrew il se promenait dans le pays toute la journée, avec rien qu'un biscuit dans la poche, et personne ne s'inquiétait de lui ni ne s'imaginait qu'il était tombé d'une falaise. Il dit tout haut qu'il avait l'intention de s'en aller se promener toute une journée si le temps se maintenait. Il avait soupé de Bankes et de Carmichaël. Il avait envie d'un peu de solitude. Oui, dit-elle. Il fut contrarié qu'elle ne protestât pas. Elle savait qu'il n'exécuterait jamais son projet. Il était trop vieux maintenant pour marcher toute une journée avec un biscuit dans sa poche. Elle se tourmentait au sujet de ses garçons mais pas au sien. Des années auparavant, avant son mariage, pensait-il, et il regardait la baie de l'endroit où ils s'étaient arrêtés entre les touffes de tritoma, il avait marché toute une journée. Il avait fait un repas de pain et de fromage dans un cabaret. Il avait travaillé dix heures d'affilée ; une vieille femme venait seule se montrer de temps en temps pour entretenir son feu. C'était le pays qu'il préférait, par là-bas ; ces dunes qui s'en allaient se perdre dans l'obscurité. On pouvait marcher toute une journée sans rencontrer une âme. C'est à peine s'il se trouvait une maison, et encore moins un village, sur des milles et des milles de distance. On était bien seul pour se livrer à ses méditations. Il y avait des petites plages de sable où personne n'était venu depuis que le monde est monde. Les phoques levaient la tête et vous regardaient. Il lui semblait parfois que dans une maisonnette, là-bas, tout seul... il s'interrompit, en soupirant : il n'en avait pas le droit, lui le père de huit enfants, il s'en était souvenu à temps. Et c'eût été ignoble à lui que de souhaiter qu'il fût changé quoi que ce soit à son existence. Andrew vaudrait mieux que lui. Prue serait une beauté, disait sa mère. Ils endigueraient un peu le flot du temps. Il n'avait pas mal travaillé, en somme, avec ses huit enfants. Leur présence démontrait que leur père ne condamnait pas entièrement ce pauvre petit univers, car par une soirée comme celle-ci il se disait, en regardant la terre se perdre dans l'immensité, que la petitesse de cette île, à demi engouffrée dans la mer, prenait un caractère attendrissant.

« Pauvre petit pays ! » murmura-t-il avec un soupir.

Elle l'entendit. Il disait des choses très tristes, mais elle avait remarqué que dès qu'il les avait dites il avait toujours l'air plus joyeux qu'à l'habitude. Toutes ces phrases ne représentaient pour lui qu'un jeu, pensait-elle, car si elle avait dit la moitié de ce que lui disait, elle se serait déjà tiré un coup de pistolet.

Cette manie de faire des phrases l'ennuyait et elle lui dit, de la façon la plus ordinaire du monde, qu'il faisait une soirée délicieuse. Et pourquoi gémissait-il, lui demanda-t-elle, sur un ton mi-rieur mi-plaintif, car elle devinait à quoi il pensait : il aurait écrit de meilleurs livres s'il ne s'était pas marié.

Il ne se plaignait pas, dit-il. Elle savait qu'il ne se plaignait pas. Elle savait qu'il n'avait absolument aucun sujet de plainte. Il saisit la main de sa femme, la porta à ses lèvres et la baisa avec une intensité qui fit monter les larmes aux yeux de celle-ci. Il laissa vivement retomber sa main.

Ils se détournèrent de la vue de la baie et se remirent à monter, en se donnant le bras, l'allée où poussaient les plantes lancéolées et de couleur vert argenté. Elle songeait qu'on aurait presque pu prendre le bras de son mari pour celui d'un jeune homme tant on le sentait mince et résistant ; elle songeait aussi, avec délice, à quel point, tout en ayant dépassé la soixantaine, il restait vigoureux, indépendant, optimiste, et combien il était étrange que sa conviction de l'existence de tant d'horreurs, loin de le déprimer, parût au contraire le ragaillardir. Oui, réfléchissait-elle, c'est bien étrange. La vérité c'est qu'elle avait parfois l'impression que son mari n'était pas fait comme les autres hommes ; qu'il était né aveugle, sourd et muet pour les choses de la vie ordinaire, mais possédait un regard d'aigle dès qu'il s'agissait de choses extraordinaires. Sa faculté de compréhension l'étonnait souvent. Mais remarquait-il les fleurs ? Non. Remarquait-il la vue sur la mer ? Non. Remarquait-il même la beauté de sa fille, ou s'il y avait du pudding ou du roastbeef sur son assiette ? Il se mettait à table avec sa famille à la façon d'un rêveur. Et son habitude de se parler ou de se réciter des vers grandissait, elle le craignait. Il en résultait parfois des situations embarrassantes.

O la meilleure et la plus belle, allons-nous-en ! La pauvre Miss Giddings, quand il lui cria cela, faillit tomber de son haut. Mais, bien que prenant instantanément son parti contre toutes les sottes Miss Giddings que contient le monde, Mrs. Ramsay fit comprendre à son mari, par une légère pression sur son bras, qu'il montait la pente trop vite pour elle, qu'il lui fallait s'arrêter un instant pour voir si ce qu'elle apercevait n'était pas de nouveaux trous de taupes sur un talus, et elle se dit, tout en se baissant pour regarder, qu'un grand esprit comme le sien doit être en tout différent du nôtre. Les grands hommes qu'elle avait connus, pensa-t-elle, en décidant qu'un lapin était certainement entré là, lui ressemblaient, et il suffisait aux jeunes gens (bien que l'atmosphère des salles de conférences lui fît l'effet d'être lourde et déprimante au-delà de toute endurance) de l'entendre ou même simplement de le voir pour en tirer profit. Mais comment contenir les lapins sans les tuer ? se demanda-t-elle. Ce pouvait être un lapin ; ce pouvait aussi être une taupe. Il y avait en tout cas un animal qui saccageait ses Primevères du Soir. Puis, levant les yeux, elle aperçut au-dessus des arbres minces les premières vibrations de l'étoile qui se trouvait alors au plein de sa vie frémissante et elle voulut la faire regarder à son mari, car ce spectacle lui donnait un plaisir aigu. Mais elle se contint. Il ne regardait jamais rien. S'il le faisait il se contenterait de dire : « Pauvre petit monde ! » avec un de ses soupirs...

Présentement il dit « Très joli ! » pour faire plaisir et il fit semblant d'admirer les fleurs. Mais elle savait très bien qu'il n'en était rien et qu'il ne se rendait même pas compte que ces fleurs fussent là. Ce n'était que pour lui faire plaisir... Ah ! mais n'était-ce pas Lily Briscoe qui se promenait avec William Bankes ? Elle concentra sa vision de myope sur le dos d'un couple qui battait en retraite. Oui, c'était bien cela. Cela ne voulait-il pas dire qu'ils avaient l'intention de se marier ? Mais si, certainement ! Quelle idée admirable ! Il fallait qu'ils se marient !

13

Il était allé à Amsterdam, disait Mr. Bankes en traversant la pelouse avec Lily Briscoe. Il avait vu les Rembrandt. Il était allé à Madrid. Malheureusement c'était le Vendredi saint et le Prado était fermé. Il était allé à Rome. Est-ce que Miss Briscoe n'était jamais allée à Rome ? Il fallait y aller... Ce serait pour elle une magnifique expérience — la Chapelle Sixtine ; Michel-Ange ; et Paloue avec ses Giotto. Sa femme était restée malade pendant des années, c'est pour cela qu'ils avaient si peu voyagé.

Elle était allée à Bruxelles, elle était allée à Paris ; mais seulement en passant, pour voir une tante qui était malade. Elle était allée à Dresde ; il y avait des masses de tableaux qu'elle n'avait pas vus ; cependant, réfléchissait-elle, peut-être valait-il mieux ne pas voir de tableaux : il ne font que vous rendre à jamais mécontent de votre propre travail. Mr. Bankes estimait qu'on pouvait aller trop loin dans ce sens. Nous ne pouvons pas tous être des Titien ni des Darwin, disait-il ; mais en même temps il doutait que les Titien et les Darwin fussent possibles sans l'existence d'humbles personnes comme nous-mêmes. Lily aurait voulu lui faire un compliment : « Vous n'êtes pas une humble personne, Mr. Bankes », c'est cela qu'elle aurait voulu lui dire. Mais il n'aimait pas les compliments (différent en cela de la plupart des hommes, jugeait-elle) et, un peu honteuse de son impulsion, elle ne dit rien pendant qu'il observait que peut-être ce qu'il disait ne s'appliquait pas à la peinture. « En tout cas, dit Lily se dégageant de sa petite insincérité, je continuerai toujours à peindre parce que cela m'intéresse. — Oui, dit Mr. Bankes, j'en suis bien sûr », et, comme ils atteignaient l'extrémité de la pelouse et qu'il lui demandait si elle éprouvait des difficultés à trouver des sujets de tableaux à Londres, ils se tournèrent et aperçurent les Ramsay. « Voilà donc ce qu'est le mariage, pensa Lily, un homme et une femme en train de regarder une fillette jeter une balle. C'est ce que Mrs. Ramsay essayait de me dire l'autre soir », continua-t-elle. Car elle portait un châle vert et les deux époux, debout et l'un contre l'autre, regardaient Prue et Jasper en train de se lancer des balles. Et, soudain, cette valeur de signification, de symbole, de représentation qui descend parfois sur les gens et cela sans raison apparente, au moment où, par exemple, ils sortent du métro ou sonnent à une porte, se posa sur les Ramsay et fit d'eux, dans ce crépuscule où ils se tenaient debout, des figures symboliques du mariage, le mari et la femme idéaux. Puis, au bout d'un instant, le contour symbolique par lequel ces êtres réels se trouvaient dépassés se dissipa et lorsque Lily et Mr. Bankes les rencontrèrent, Mr. et Mrs. Ramsay n'étaient plus que des parents regardant leurs enfants en train de se lancer des balles. Pendant quelque temps, néanmoins, et bien que Mrs. Ramsay les accueillît avec son sourire habituel (oh ! elle croit que nous allons nous marier, pensa Lily) et dit : « J'ai triomphé ce soir », voulant indiquer par là que pour une fois Mr. Bankes avait accepté de dîner avec eux et de ne pas se sauver à son logement où son domes-

tique s'entendai. .ort bien à la cuisson des légumes ;
pendant quelque temps donc et tandis que la balle
s'envolait, qu'ils la suivaient des yeux, la perdaient,
apercevaient l'étoile unique et les branches drapées,
il y eut en eux un sentiment de choses dispersées
par un souffle, d'espace, d'irresponsabilité. Dans le
jour déclinant ils paraissaient tous nettement décou-
pés, éthérés, séparés par de grandes distances. Puis,
se reculant d'un bond qui franchissait ce vaste espace
(car on eût dit que toute solidité avait disparu),
Prue se jeta au milieu d'eux, saisit brillamment la
balle dans sa main gauche levée et sa mère lui dit :
« Est-ce qu'ils ne sont pas encore revenus ? » ce qui
rompit l'enchantement. Mr. Ramsay se sentit maintenant libre de rire bruyamment de la mésaventure
de Hume enlisé dans un marécage et secouru par
une vieille femme à condition qu'il récitât le « Notre
Père » ; puis, continuant à rire tout seul, il se dirigea
vers son cabinet de travail. Mrs. Ramsay, ramenant
Prue dans l'alliance familiale dont les balles qu'elle
échangeait avec son frère l'avaient fait évader, lui
demanda : « Est-ce que Nancy est allée avec eux ? »

14

Certainement Nancy était allée avec eux puisque
Minta Doyle le lui avait demandé de son regard muet
et en tendant la main, au moment où elle s'était
enfuie, après le lunch, dans sa mansarde, pour
échapper aux horreurs de la vie de famille. Elle avait
alors supposé qu'il fallait les accompagner. Elle n'en
avait pas envie. Elle n'avait aucune envie de parti-
ciper à cette promenade. Car tout le long de la route

qui conduisait à la falaise Minta ne cessa de la tenir par la main. Puis elle la laissa aller. Puis elle reprit cette main. Que voulait-elle donc ? Nancy se le demandait. Il y a évidemment quelque chose que veulent les gens ; car lorsque Minta lui prenait la main et la mettait dans la sienne, Nancy, à son corps défendant, voyait le monde entier s'étendre sous elle, comme si elle eût aperçu Constantinople à travers la brume, et, dans ce cas, si peu envie qu'on ait de regarder, on ne peut pas s'empêcher de demander : « Est-ce là Sainte-Sophie ? Est-ce là la Corne d'Or ? » Ainsi Nancy se demandait lorsque Minta lui prenait la main : « Qu'est-ce que c'est qu'elle veut ? Est-ce cela ? » Et qu'était-ce que cela ? Çà et là (et tandis que Nancy regardait sous elle le panorama de la vie) émergeaient de la brume une pointe, un dôme, des objets proéminents et sans nom. Mais lorsque Minta laissait tomber la main de Nancy, comme elle le faisait lorsqu'ils se mettaient tous à descendre une pente en courant, tout cela, le dôme, la pointe, tout ce qui saillait au-dessus de la brume, s'y enfonçait de nouveau et disparaissait.

Minta, remarqua Andrew, était assez bonne marcheuse. Elle portait des vêtements plus raisonnables que la plupart des femmes. Elle portait des jupes très courtes et des culottes noires. Elle sautait droit dans les ruisseaux et y pataugeait. Il aimait sa témérité mais il se rendait compte qu'elle ne lui servait guère — un de ces jours elle se tuerait avec ces absurdités. Elle semblait n'avoir peur de rien — sauf des taureaux. Dès qu'elle voyait un taureau dans un champ elle levait les bras en l'air et s'enfuyait en hurlant, ce qui était naturellement la meilleure façon de rendre l'animal furieux. Mais il fallait reconnaître qu'elle ne faisait aucune difficulté pour avouer sa poltronnerie. Elle disait qu'elle savait bien qu'elle était affreusement lâche devant les taureaux. Elle pensait qu'elle avait dû être attaquée par l'un d'entre eux dans sa voiture d'enfant. Elle ne paraissait pas attacher d'importance à ce qu'elle disait ou faisait. Voici qu'elle s'assit brusquement sur le bord de la falaise et se mit à chanter quelque chose où revenait : « Au diable vos yeux, au diable vos yeux ! »

Il fallut qu'ils se joignissent à elle et entonnassent le chœur à sa suite :

« Au diable vos yeux, au diable vos yeux ! »

Mais il ne fallait à aucun prix laisser la marée couvrir les bons terrains de pêche avant qu'ils arrivassent sur la plage.

« A aucun prix », approuva Paul, se relevant d'un bond, et, tandis qu'ils se laissaient glisser en bas de la falaise, il citait ce qu'il y avait dans son guide concernant « ces îles justement célèbres pour leur aspect verdoyant qui en fait de véritables jardins, ainsi que pour l'étendue et la variété de leurs curiosités maritimes ». Mais ce n'était pas très amusant, se disait Andrew en cherchant son chemin pour descendre, tous ces cris, ces malédictions adressées à des yeux, ces tapes sur le dos, cette façon de l'appeler « mon vieux » et toutes ces histoires ; non, ça n'était pas très amusant. C'est ce qu'il y a d'ennuyeux dans ces promenades qu'on fait avec les femmes. Une fois sur la plage ils se séparèrent ; lui se dirigea vers le Nez du Pape après avoir quitté ses souliers et y avoir roulé ses chaussettes et laissa le couple s'occuper de ses petites affaires. Nancy entra dans l'eau, s'en alla à ses rochers à elle, fouilla ses flaques à elle et laissa le couple s'occuper de ses petites affaires. Elle s'accroupit et toucha les anémones de mer douces comme du caoutchouc collées aux flancs du rocher comme des petits morceaux de gelée. Puis elle se mit à rêver et transforma la flaque en mer, les poissonnets qui s'y trouvaient en requins et en baleines ; elle jeta sur ce monde minuscule l'ombre de vastes nuages en tenant sa main devant le soleil et apporta ainsi les ténèbres et la désolation à des millions d'ignorantes et innocentes créatures comme l'eût fait Dieu lui-même ; puis retirant brusquement sa main elle permit au soleil de s'épandre de nouveau. Hors de son océan, sur le sable pâle que la marée avait rayé de hachures, s'avançait à grands pas de tranche-montagne un monstre fantastique à franges et gantelets (elle élargissait encore la flaque) qui disparut dans les vastes fissures pratiquées au flanc de la montagne. Puis, laissant son regard monter d'un glissement imperceptible au-dessus de la flaque et se poser sur cette ligne incertaine de ciel et d'eau, sur les troncs d'arbres tremblants que la fumée des vapeurs faisait à l'horizon, elle devint comme hypnotisée sous l'influence de cette force dont l'irruption était terrible et la retraite inévitable. Le double sentiment de cette immensité et de cette petitesse (la flaque avait de nouveau diminué) qui s'y épanouissaient lui fit éprouver la sensation d'être pieds et poings liés, d'être incapable de se mouvoir tant était immense l'émotion qui réduisait au néant et pour toujours son propre corps, sa propre vie et les vies de tous les êtres qui sont au monde. Ainsi, accroupie devant la flaque et l'oreille tendue au bruit des vagues, elle s'absorbait dans ses pensées.

Et Andrew cria que la mer montait ; aussi Nancy bondit-elle avec des éclaboussures dans l'eau peu profonde pour regagner le bord. Une fois sur la plage son impétueux besoin de mouvement l'emporta derrière un rocher et là, grand Dieu ! elle trouva Paul et Minta enlacés, probablement en train de s'embrasser. Elle fut outragée, indignée. Elle et Andrew remirent leurs bas et leurs souliers sans souffler mot de ce qu'ils avaient vu, dans un silence de mort. Ils se témoignèrent même réciproquement quelque sécheresse. Elle aurait bien pu l'appeler lorsqu'elle avait aperçu ce homard, cet animal enfin, grommela Andrew. En tout cas ce n'est pas notre faute, songeaient-ils tous les deux. Ils n'avaient nullement désiré que cette chose détestable se produisît. Et cependant Andrew s'irritait de ce que Nancy fût une femme et Nancy s'irritait de même de ce qu'Andrew fût un garçon. Et ils attachèrent leurs souliers avec grand soin en serrant très fort les coques.

Ce ne fut que lorsqu'ils eurent grimpé tout à fait en haut de la falaise que Minta s'écria qu'elle avait perdu la broche de sa grand-mère — la broche de sa grand-mère, le seul ornement qu'elle possédât — c'était un saule pleureur (ils se rappelaient sûrement l'avoir vu) monté en perles. Ils l'avaient sûrement vue, dit-elle, les larmes coulant sur ses joues ; c'était la broche avec laquelle sa grand-mère avait attaché son bonnet jusqu'au dernier jour de sa vie. Et maintenant elle l'avait perdue. Elle aurait préféré perdre n'importe quoi plutôt que cette broche ! Elle voulait revenir sur ses pas pour la chercher. Ils y allèrent tous. Ils fouillèrent, regardèrent, examinèrent. Ils marchaient la tête très basse et disaient des choses brèves sur un ton maussade. Paul Rayley se mit à chercher comme un fou tout autour du rocher où il s'était assis avec Minta. Tant d'histoires pour une broche perdue n'avait vraiment rien de drôle, se disait Andrew, tandis que Paul lui recommandait « de bien chercher entre ce point et celui-ci ». La marée arrivait très vite. La mer aurait recouvert dans une minute l'endroit où ils s'étaient assis. Il n'y avait plus une ombre de chance de retrouver cette broche. « Nous allons être cernés ! » hurla Minta, soudainement terrifiée. Comme s'il y avait le moindre danger ! C'était absolument l'histoire des taureaux — elle ne pouvait pas maîtriser ses émotions, se dit Andrew. Les femmes en sont incapables. Le malheureux Paul dut la calmer. Les hommes (Andrew et

Paul prirent aussitôt une allure virile et différente de celle qui leur était habituelle) tinrent rapidement conseil et décidèrent de planter la canne de Rayley à l'endroit où ils s'étaient assis et de revenir le lendemain à marée basse. Il n'y avait rien de plus à faire pour l'instant. Si la broche était là elle y serait encore le lendemain matin, assurèrent-ils à Minta, mais celle-ci ne cessa de sangloter pendant tout le temps que dura la remontée de la falaise. C'était la broche de sa grand-mère ; elle aurait préféré perdre n'importe quoi plutôt que cela, et néanmoins Nancy avait l'impression que, si sincère que fût peut-être son chagrin, ce n'était pas seulement pour cela qu'elle pleurait. Elle pleurait pour autre chose. Nous pourrions tous nous asseoir et nous mettre à pleurer, se disait-elle. Mais elle ne savait pas pourquoi.

Tous deux, Paul et Minta, avaient pris la tête de l'expédition et lui la consolait en lui disant qu'il était célèbre pour son habileté à trouver les choses. Une fois, étant petit garçon, il avait trouvé une montre d'or. Il se lèverait à la pointe du jour et il était sûr de trouver la broche. Il lui semblait qu'il ferait presque noir à cette heure, qu'il serait tout seul sur la plage et qu'il courrait quelque danger. Il se mit cependant à lui raconter qu'il trouverait certainement sa broche et elle répondit qu'elle ne voulait pas entendre parler de ce lever à l'aube : cette broche était perdue : elle le savait bien ; elle avait eu le pressentiment de ce qui arriverait lorsqu'elle l'avait mise cet après-midi. Et il décida en secret qu'il ne lui dirait rien mais qu'il se glisserait hors de la maison à l'aurore quand tout le monde serait encore endormi et s'il ne pouvait pas retrouver la broche il irait en acheter une autre à Edinburgh, tout à fait semblable mais plus belle. Il saurait faire voir ce dont il était capable. Et lorsqu'ils débouchèrent sur la colline et aperçurent les lumières du village à leurs pieds, ces lumières qui naissaient brusquement l'une après l'autre ressemblaient à des choses qui allaient lui arriver : son mariage, ses enfants, sa maison ; de nouveau il se dit, lorsqu'ils parvinrent à la grand-route qui était ombragée de hauts buissons, qu'ils se retireraient tous les deux dans la solitude, et qu'ils se promèneraient toujours, lui la conduisant et elle se pressant contre lui (ainsi qu'elle le faisait en ce moment). Comme ils prenaient par les chemins de traverse il songea à la terrible épreuve par laquelle il était passé ; il fallait qu'il en parlât à quelqu'un, à Mrs. Ramsay, naturellement, car il était affolé à la pensée de ce qu'il avait osé faire. Ç'avait été de beaucoup le moment le plus dur de sa vie lorsqu'il avait demandé à Minta de devenir sa femme. Il irait droit à Mrs. Ramsay parce qu'il avait comme l'impression qu'elle était la personne qui l'avait fait agir. Elle lui avait fait croire qu'il pouvait faire n'importe quoi. Personne d'autre qu'elle ne le prenait au sérieux. Mais elle lui faisait croire qu'il pouvait faire tout ce qu'il voulait. Il avait senti aujourd'hui que son regard se posait sur lui tout le temps, le suivait partout où il allait (bien qu'elle ne parlât pas, et que c'était comme si elle lui eût dit : « Oui, vous en êtes capable. Je crois en vous. J'attends cela de vous. ») Elle lui avait fait sentir tout cela et dès qu'ils seraient revenus (il cherchait les lumières de la maison, par-dessus la baie) il irait à elle et lui dirait : « Ça y est, Mrs. Ramsay, grâce à vous. » Et lorsqu'il tourna dans le sentier qui conduisait à la maison il put distinguer des lumières qui passaient et repassaient aux fenêtres d'en haut. Ils devaient donc être terriblement en retard. On se préparait pour le dîner. La maison était tout éclairée. La vision de ces lumières succédant à l'obscurité remplissait ses yeux et il se dit, à la façon d'un enfant, en montant l'allée : « Des lumières, des lumières, des lumières ! » et répéta tout étourdi : « Des lumières, des lumières, des lumières ! » en entrant dans la maison et ouvrant de grands yeux dans son visage tout raidi. « Mais, bon Dieu, se dit-il, portant la main à sa cravate, il ne faut pas que je me rende ridicule. »

15

« Oui, dit Prue, à sa façon méditative et pour répondre à une question de sa mère, je crois que Nancy est allée avec eux. »

16

Eh bien, Nancy était donc allée avec eux, du moins Mrs. Ramsay le supposait tout en se demandant — au moment où elle posa une brosse, prit un peigne et dit : « Entrez ! » parce qu'on avait frappé à la porte (Jasper et Rose entrèrent) — si le fait que Nancy se trouvait avec eux rendait plus ou moins vraisemblable un accident ; Mrs. Ramsay sentait qu'elle penchait plutôt vers la seconde alternative et cela sans aucune raison, sinon qu'un holocauste sur cette échelle n'était plus probable. Ils ne pouvaient pas être tous noyés. Et, de nouveau, elle se sentit seule en présence de sa vieille antagoniste, la vie.

Jasper et Rose dirent que Mildred voulait savoir s'il fallait faire attendre le dîner.

« Non, pas même pour la reine d'Angleterre ! » dit Mrs. Ramsay avec emphase.

« Non, pas même pour l'impératrice du Mexique ! » ajouta-t-elle, regardant Jasper en riant ; car il partageait le vice de sa mère : lui aussi il exagérait.

Et si Rose le voulait, dit-elle, pendant que Jasper allait faire sa commission, elle aurait le droit de choisir les bijoux que sa mère devrait mettre. Lorsqu'il y a quinze personnes à dîner il est impossible d'attendre indéfiniment. Elle commençait à leur en vouloir d'être si en retard ; il y avait là un manque d'égard de leur part et à l'anxiété qu'ils lui faisaient éprouver venait s'ajouter la contrariété qu'ils eussent choisi pour se mettre en retard justement ce soir-ci où elle désirait tout particulièrement que le dîner fût réussi puisque William Bankes avait enfin consenti à venir ; et puis on devait manger le chef-d'œuvre de Mildred — le bœuf en daube. Le succès du dîner dépendait de l'exactitude avec laquelle on servirait dès que ce serait prêt. Le bœuf, le laurier et le vin — tout cela devait être absolument à point. Les faire attendre, il n'y fallait pas songer. Et cependant c'était ce soir-ci qu'ils avaient choisi entre tous pour s'en aller et ne pas rentrer. Il allait falloir renvoyer des choses à la cuisine, les tenir au chaud ; le bœuf en daube serait entièrement perdu.

Jaspert lui offrit un collier d'opales ; Rose un collier d'or. Lequel faisait le mieux sur sa robe noire ? Voyons ? demandait Mrs. Ramsay distraitement en regardant dans la glace son cou et ses épaules (mais en évitant de regarder son visage). Puis, tandis que ses enfants fouillaient dans ses affaires, elle regarda par la fenêtre un spectacle qui l'amusait toujours — celui des corneilles s'efforçant de choisir l'arbre sur lequel se poser. Chaque fois elles semblaient changer d'avis et repartaient dans les airs parce que, se disait-elle, le papa des corneilles, le vieux Joseph, comme elle l'appelait, était un oiseau d'un caractère très difficile. C'était un vieil oiseau de réputation douteuse dont les ailes avaient perdu la moitié de leurs plumes. Il ressemblait à un vieux gentleman minable qu'elle avait vu jouer du cor de chasse devant un cabaret en chapeau haut de forme.

« Regardez ! » dit-elle en riant. Ils se battaient pour de bon. Joseph et Mary étaient en train de se battre. Puis ils finirent par s'envoler de nouveau ; l'air fut balayé par leurs ailes noires et découpé délicatement en lames de cimeterre. Ce mouvement des ailes battantes, battantes, battantes — elle ne pouvait jamais arriver à se le décrire à elle-même d'une façon qui la satisfît — était un des plus délicieux qu'elle connût. « Regardez ça ! » dit-elle à Rose, dans l'espoir que celle-ci le verrait avec plus d'exactitude qu'elle-même. Car il arrive très souvent que nos enfants font faire à nos propres perceptions un pas en avant.

Mais que fallait-il choisir ? Ils avaient ouvert tous les plateaux de son coffre à bijoux. Le collier d'or, qui était italien, ou le collier d'opales que l'oncle James avait rapporté de l'Inde ? Ou encore ses améthystes ?

« Choisissez, mes chéris, choisissez », dit-elle, espérant qu'ils feraient vite.

Mais elle leur laissa tout leur temps ; à Rose en particulier elle permit de prendre tous les bijoux qu'elle voulait, l'un après l'autre, et de voir l'effet qu'ils faisaient sur sa robe noire, car cette petite cérémonie de sélection, à laquelle on procédait tous les soirs, était, elle le savait, l'amusement préféré de sa fille. Rose avait une raison secrète, bien à elle, d'attacher une grande importance à son choix. Quelle était cette raison, se demandait Mrs. Ramsay, tandis qu'immobile pour permettre à sa fille de passer à son bras le bracelet choisi elle devinait en elle, à l'aide de ses propres souvenirs, ce sentiment profond, enseveli, inarticulé, que nous avons eu pour notre mère à l'âge de Rose. Semblable en ce point à tous les autres sentiments dont nous sommes l'objet, celui-ci, trouva Mrs. Ramsay, la rendait triste. Que pouvait-elle offrir en retour qui ne fût lamentablement inférieur ? et ce que sa fille éprouvait à son égard était tout à fait disproportionné à ce qu'elle était en réalité. Puis Rose grandirait et, avec sa sensibilité profonde, souffrirait, pensait sa mère qui déclara être prête ; on pouvait descendre à présent ; Jasper en sa qualité d'homme lui donnerait le bras et Rose, étant une dame, porterait son mouchoir (elle le lui donna) et quoi encore ? Mais un châle, car il pouvait faire froid. « Choisissez-moi un châle », dit-elle. Cela ferait plaisir à Rose qui était appelée à tant souffrir. « Tenez, dit Mrs. Ramsay s'arrêtant devant la fenêtre du palier, les voilà qui recommencent. » Joseph était installé au sommet d'un autre arbre. « Croyez-vous que cela ne leur fasse rien, demanda-t-elle à Jasper, qu'on leur casse les ailes ? » Pourquoi voulait-il tirer des coups de fusil sur ce pauvre vieux Joseph et sur Mary ? Jasper se mit à traînailler un peu sur l'escalier, car il était vexé, mais pas sérieusement, car sa mère ne se rendait pas compte de ce qu'il y a d'amusant à tirer sur les oiseaux qui ne sentent rien ; en sa qualité de mère, d'ailleurs, elle vivait dans une division du monde différente de la sienne, mais il aimait assez ses histoires sur Mary et Joseph. Elle le faisait rire. Pourtant comment savait-elle que ceux-là s'appelaient Mary et Joseph ? Croyait-elle que ce sont les mêmes oiseaux qui vont se poser sur les mêmes arbres tous les soirs ? lui demanda-t-il. Mais à ce point, et à la façon de toutes les grandes personnes, elle cessa de faire la moindre attention à ce qu'il disait. Elle écoutait un bruit d'arrivée dans le hall.

« Les voilà ! » s'écria-t-elle et, aussitôt, se sentit beaucoup plus contrariée que soulagée. Qu'était-il donc arrivé ? se demandait-elle. Ils le lui diraient dès qu'elle serait en bas — mais non. Ils ne pourraient rien lui raconter avec tous ces gens autour d'eux. Il fallait descendre, commencer à dîner et attendre leurs explications. Et elle descendit, semblable à une reine qui, trouvant sa cour réunie dans une grande salle, laisse tomber son regard sur ces gens, descend au milieu d'eux, reçoit silencieusement leurs hommages, accepte l'assurance de leur dévouement et leurs saluts prostrés (Paul ne bougea pas un muscle et regarda droit devant lui au moment où elle passa), puis elle traversa le hall en inclinant très légèrement la tête, comme si elle acceptait ce qu'ils ne pouvaient exprimer : leur tribut d'admiration à l'adresse de sa beauté.

Mais elle s'arrêta. Il y avait une odeur de brûlé. Avait-on laissé le bœuf en daube trop longtemps sur le feu ? se demanda-t-elle. Plût au Ciel qu'il n'en fût rien ! Puis le grand retentissement du gong annonça avec une autorité solennelle que tous ceux qui se trouvaient dispersés dans les mansardes, les chambres à coucher, les petits repaires particuliers, en train de lire, d'écrire, de donner un éclat suprême à leurs cheveux ou d'attacher leurs robes, devaient laisser tout cela, ainsi que les bricoles de leurs tables de toilette et de leurs coiffeuses, les romans posés sur les tables de nuit et la rédaction de leur journal intime, afin de se rassembler pour le dîner dans la salle à manger.

17

Mais qu'ai-je fait de ma vie ? se demanda Mrs. Ramsay en prenant sa place à une extrémité de la table et en regardant les cercles blancs que faisaient toutes les assiettes. « William, dit-elle, mettez-vous à côté de moi. — Lily, ajouta-t-elle avec lassitude, mettez-vous là-bas. » Ils avaient cela — Paul Rayley et Minta Doyle — et elle ceci seulement — une table d'une longueur infinie avec des assiettes et des couteaux. A l'autre bout se trouvait son mari, tout affaissé et fronçant les sourcils. Pourquoi ? Elle n'en savait rien. Peu lui importait. Elle ne pouvait comprendre comment elle avait jamais pu éprouver la moindre émotion, la moindre affection à son égard. Elle avait le sentiment d'avoir tout dépassé, d'avoir tout connu, d'avoir tout épuisé et, pendant qu'elle servait la soupe, il lui semblait voir un tourbillon — là — dans lequel ou hors duquel il fallait se trouver. Quant à elle, elle en était sortie. Tout ça c'est fini, se disait-elle, pendant que les gens faisaient leur entrée, les uns après les autres, Charles Tansley — « Asseyez-vous là, voulez-vous ? » dit-elle — Augustus Carmichaël — et qu'ils prenaient leur place. Et tout ce temps-là elle attendait passivement que quelqu'un lui répondît, que quelque chose arrivât. Mais ce n'est pas quelque chose, songea-t-elle en servant la soupe, que l'on puisse dire.

Elle leva les sourcils en constatant à quel point cela allait mal ensemble, ce à quoi elle songeait, d'une part, et ce qu'elle faisait, d'autre part — servir la soupe — et elle se sentait, avec une force grandissante, en dehors du tourbillon ; ou encore elle avait l'impression qu'une ombre était tombée et que, dans cette absence de couleur, elle voyait les choses sous leur vrai jour. La pièce (elle promenait son regard autour d'elle) était dans un état misérable. Il n'y avait nulle part de beauté. Elle s'abstenait de regarder Mr. Tansley. Rien ne semblait s'être fondu. Chacun avait l'air séparé de son voisin. Et c'était à elle qu'incombait l'effort de fusion, de mise en train, de création. Elle sentit à nouveau, sans hostilité —

simple fait — la stérilité des hommes, car si elle n'agissait pas personne ne le ferait ; aussi se donnat-elle la petite secousse que l'on donne à une montre arrêtée, et le pouls se remit à battre au rythme familier comme la montre se remet à marcher — une, deux, trois, une, deux, trois. Et ainsi de suite, et ainsi de suite, répéta-t-elle, tout en écoutant, protégeant, couvant ce pouls encore faible comme on le fait pour une flamme vacillante avec un journal. Et c'est comme ça, conclut-elle, s'adressant à William Bankes par une inclinaison silencieuse de la tête dans sa direction — le pauvre homme ! il n'avait ni femme ni enfants et, sauf ce soir, dînait tout seul chez son logeur. Par pitié pour lui, car elle avait maintenant assez de vitalité pour se remettre en route, elle s'était attelée à toute cette besogne à la façon d'un marin qui sent le vent gonfler sa voile, mais non sans lassitude, non sans envie de demeurer où il se trouve et qui se dit que, si son navire avait coulé, il serait descendu en tournoyant jusqu'au fond de la mer pour y trouver le repos.

« Avez-vous trouvé vos lettres ? J'ai dit de les mettre dans le hall pour vous », dit-elle à William Bankes.

Lily Briscoe la regarda s'enfoncer dans cet étrange « no man's land » où il est impossible de suivre les gens. Mais on éprouve à les voir partir un tel froid au cœur qu'on essaie tout au moins de les suivre du regard comme on suit un navire dans le lointain jusqu'à ce que ses voiles aient disparu derrière l'horizon.

Comme elle a l'air vieille, usée et lointaine ! songeait Lily Briscoe. Puis, lorsqu'elle se tourna vers William Bankes, en souriant, Lily eut l'impression que le navire s'était tourné et que le soleil frappait de nouveau ses voiles de ses rayons. Elle se demanda avec un certain amusement, parce qu'elle était soulagée : « Pourquoi a-t-elle pitié de lui ? » Car telle était l'impression que Mrs. Ramsay donnait lorsqu'elle lui dit que ses lettres étaient dans le hall. Ce pauvre William Bankes ! avait-elle l'air de dire, comme si sa propre lassitude se fût pour une part tournée en commisération d'autrui et que l'élément d'activité qu'il y avait en elle, sa résolution de vivre de nouveau, eussent été stimulés par sa pitié. Et ce n'est pas vrai, pensait Lily, que William Bankes fût malheureux ; il y avait là un exemple de ces erreurs de jugement de Mrs. Ramsay qui semblaient instinctives chez elle et prendre leur source dans un besoin personnel plutôt que dans celui d'autrui. Il n'est nullement à plaindre, se disait-elle. Il a son travail. Elle songea soudainement, avec la sensation de découvrir un trésor, qu'elle aussi avait son travail. Dans un éclair elle vit son tableau et se dit : « Oui, je mettrai cet arbre plus au milieu et ainsi j'éviterai cet espace qui me gêne. C'est ce que je ferai. C'est cela qui me tourmentait. » Elle prit la salière et la posa sur une fleur de la nappe de façon à se rappeler qu'il fallait pousser son arbre.

« C'est curieux, étant donné que la poste ne vous apporte presque jamais rien d'intéressant, à quel point on désire toujours recevoir des lettres », observa Mr. Bankes.

« Que c'est donc idiot ce qu'ils disent ! » songeait Charles Tansley, en posant sa cuiller juste au milieu de son assiette qu'il avait bien nettoyée comme si, se disait Lily (il était assis en face d'elle, le dos à la fenêtre au beau milieu de la vue), il fût décidé à ne jamais rien laisser perdre de ses repas. Tout en lui avait cette maigre fixité, ce caractère nu et ingrat. Néanmoins le fait subsistait qu'il est presque impossible d'éprouver de l'aversion pour les gens lorsqu'on les regarde. Elle aimait ses yeux ; ils étaient bleus, enfoncés, effrayants.

« Est-ce que vous écrivez beaucoup de lettres, Mr. Tansley ? » demanda Mrs. Ramsay, le prenant lui aussi en pitié, supposait Lily ; car il était vrai de dire de Mrs. Ramsay qu'elle prenait toujours les hommes en pitié comme s'ils eussent manqué de quelque chose — et les femmes jamais, pour la raison contraire. Mr. Tansley écrivait à sa mère ; à part elle, il n'écrivait pas, croyait-il, une seule lettre par mois, répondit-il brièvement.

Car il n'allait pas débiter les sottises que ces gens voulaient tirer de lui. Il n'allait pas se soumettre à la condescendance de ces niaises de femmes. Il avait lu dans sa chambre avant le dîner et, depuis qu'il était descendu, tout ce qu'il entendait lui paraissait sot, superficiel, inconsistant. Pourquoi ces gens s'habillaient-ils ? Lui il était arrivé avec ses vêtements ordinaires. Il n'avait pas de tenue de soirée. « La poste ne vous apporte presque jamais rien d'intéressant » — voilà le genre de choses qu'on disait toujours. On contraignait des hommes à parler ainsi. Et cependant il y a du vrai, réfléchit-il. Non, on ne reçoit jamais rien d'intéressant d'un bout de l'année à l'autre. On ne fait que causer, causer, causer et manger, manger, manger. C'est la faute des femmes. Elles rendent la civilisation impossible avec tout leur « charme », toutes leurs fadaises.

« Il n'y aura pas moyen d'aller au Phare demain, Mrs. Ramsay », dit-il pour se mettre en avant. Il l'aimait ; il l'admirait ; il pensait encore à cet homme qui, du fond de sa canalisation, levait les yeux vers elle ; mais il sentait qu'il était nécessaire de se mettre en avant. C'était vraiment, se disait Lily Briscoe, en dépit de ses yeux — mais regardez ce nez, regardez ces mains — l'être le plus dénué de charme que j'aie jamais rencontré. Et cela en dépit de ses yeux, car on ne pouvait pas ne pas regarder aussi son nez et ses mains. Alors pourquoi faire attention à ce qu'il disait ? Les femmes ne savent pas écrire, les femmes ne savent pas peindre — qu'importait tout cela venant de sa bouche ? Il était en effet bien clair que ces allégations ne représentaient pas pour lui la vérité mais lui servaient à quelque chose et que c'était pour cela qu'il les formulait. Pourquoi sentait-elle son être tout entier se courber comme le blé sous le vent et ne pouvoir se relever de cette prostration que par un grand effort assez douloureux ? Il lui fallait le fournir cet effort, une fois de plus. Voici la ramille dessinée sur la nappe ; voici mon tableau ; il faut que je pousse l'arbre au milieu ; cela seul importe et rien d'autre. Ne pouvait-elle s'en tenir résolument à cela ? se demandait-elle ; ne pouvait-elle s'empêcher de discuter, de se laisser emporter et, si elle voulait se venger un peu, ne pouvait-elle le faire en riant à ses dépens ?

« Oh ! Mr. Tansley, je vous en prie, emmenez-moi au Phare avec vous. J'adorerais ça. »

Il voyait bien qu'elle mentait. Elle disait là quelque chose qu'elle ne pensait pas et cela pour l'ennuyer, pour quelque obscure raison. Elle se moquait de lui. Il avait ses vieux pantalons de flanelle. Il n'en avait pas d'autres. Il se sentait très fruste, très isolé, très solitaire. Il savait qu'elle essayait de le tourmenter dans un certain but ; elle n'avait pas envie d'aller au Phare avec lui ; elle le méprisait, comme le méprisait Prue Ramsay, comme le méprisait tout le monde. Mais il n'allait pas se laisser ridiculiser par des femmes. Il se tourna donc délibérément sur sa chaise, regarda par la fenêtre et dit avec une brusquerie très impolie qu'il ferait trop mauvais pour elle demain. Elle rendrait son déjeuner.

Il regrettait qu'elle l'eût fait s'exprimer ainsi à un moment où Mrs. Ramsay écoutait ce qu'il disait. Si seulement il pouvait être seul dans sa chambre en train de travailler au milieu de ses livres ! songea-t-il. C'est là qu'il se sentait à l'aise. Et il n'avait jamais fait un penny de dettes ; il n'avait jamais coûté un penny à son père depuis l'âge de quinze ans ; il avait aidé les siens de ses économies ; il subvenait à l'éducation de sa sœur. Et pourtant il regrettait de n'avoir pas su répondre à Miss Briscoe d'une façon convenable ; il regrettait que sa réponse fût partie tout d'un coup : « Vous rendriez votre déjeuner. » Il aurait voulu pouvoir trouver quelque chose à dire à Mrs. Ramsay, quelque chose qui lui montrerait qu'il n'était pas un pédant tout sec. Car tout le monde le considérait comme tel. Il se tourna vers elle. Mais Mrs. Ramsay causait avec William Bankes de gens dont il n'avait jamais entendu parler.

« Oui, emportez-le », dit-elle brièvement et en s'interrompant pour s'adresser à la domestique. « Il doit y avoir quinze, non, vingt ans que je l'ai vue pour la dernière fois », disait-elle en se retournant vers William Bankes, comme s'il lui eût été impossible de perdre une minute de leur absorbante conversation. Vraiment il avait reçu de ses nouvelles ce soir ? Et Carrie habitait toujours Marlow ? Tout y était-il demeuré comme autrefois ? Elle s'en souvenait comme si c'eût été hier — cette promenade sur la rivière, il faisait très froid. Mais lorsque les Manning décidaient de faire quelque chose ils n'en démordaient pas. Jamais elle n'oublierait le spectacle d'Herbert tuant une guêpe sur la rive avec une petite cuiller ! Et tout cela continuait, songeait Mrs. Ramsay se glissant comme un fantôme entre les chaises et les tables de ce salon sur les bords de la Tamise où elle avait si froid il y avait vingt ans ; mais à présent ce n'était plus qu'en qualité de fantôme qu'elle se trouvait parmi elles et elle éprouvait la même fascination que si, alors qu'elle avait changé, cette journée particulière, devenue maintenant très calme et très belle, était demeurée là, pendant toutes ces années. Carrie lui avait-elle écrit elle-même? demanda-t-elle.

« Oui. Elle me raconte qu'on construit une nouvelle salle de billard », répondit-il. Non, non, c'était inconcevable! Une nouvelle salle de billard! Cela paraissait impossibe à Mrs. Ramsay.

Mr. Bankes ne comprenait pas ce qu'il y avait de si extraordinaire à cela. Ils étaient très riches à présent. Devait-il envoyer à Carrie les amitiés de Mrs. Ramsay?

« Oh! » fit-elle avec un petit sursaut. « Non », ajouta-t-elle, réfléchissant qu'elle ne connaissait pas la Carrie qui faisait construire une nouvelle salle de billard. Mais qu'il était donc étrange, répéta-t-elle, au grand amusement de Mr. Bankes, que ces gens-là continuassent à vivre là! Oui, il était extraordinaire de penser qu'ils avaient été capables de continuer à vivre toutes ces années-là alors qu'elle-même n'avait songé à eux qu'une seule fois pendant le même temps. Comme sa propre vie avait été chargée d'événements! Et cependant Carrie Manning n'avait peut-être pas songé à elle non plus. Cette pensée était étrange et désagréable.

« Les gens ont vite fait de se perdre de vue », dit Mr. Bankes, qui éprouvait cependant une certaine satisfaction en songeant qu'il connaissait à la fois les Manning et les Ramsay. Lui n'avait perdu de vue personne, se dit-il en posant sa cuiller et en essuyant avec un soin extrême ses lèvres bien rasées. Mais peut-être était-il une exception en ceci qu'il ne se laissait jamais gagner par la routine. Il avait des amis dans tous les cercles de société... Mrs. Ramsay dut s'interrompre ici pour dire quelque chose à la domestique sur ce qu'il fallait tenir au chaud. C'est pour cela qu'il préférait dîner seul. Toutes ces interruptions l'ennuyaient. Oui, songeait William Bankes, conservant une attitude d'exquise courtoisie et se contentant d'étendre les doigts de sa main gauche sur la nappe comme un ouvrier examine un outil soigneusement fourbi pendant un moment de repos et tout prêt à servir, voilà quels sont les sacrifices qu'il faut faire à l'amitié. Mrs. Ramsay aurait été peinée s'il avait refusé de venir. Mais le plaisir ne valait pas le dérangement que cela représentait pour lui. Tout en regardant sa main il se disait que s'il avait été seul son dîner serait presque terminé et il serait libre de travailler. Oui, un dîner pareil est une terrible perte de temps. Les enfants continuaient à arriver. « Je voudrais bien que l'un d'entre vous monte jusqu'à la chambre de Roger », disait Mrs. Ramsay. Que tout ceci a donc peu d'importance et est donc ennuyeux, continuait-il à songer, quand on le compare à cette autre chose : le travail ! Il était assis ici en train de tambouriner sur la nappe avec ses doigts quand il aurait pu... — il eut, comme dans un éclair, une vision d'ensemble de ses travaux. Quel gaspillage de temps représentait tout cela, pour sûr ! « Et cependant, continuait-il, Mrs. Ramsay est une de mes plus vieilles amies. Je crois bien que je lui suis dévoué. » Néanmoins en ce moment sa présence ne signifiait pour lui absolument rien, ni sa beauté non plus, ni la vision d'elle assise à la fenêtre avec son petit garçon — rien, absolument rien. Il n'avait envie que d'être seul et de se remettre à ce livre. Il se sentait mal à l'aise ; il avait comme l'impression de commettre une perfidie en songeant qu'il pouvait se trouver assis à côté d'elle sans rien éprouver pour elle. La vérité, c'est qu'il n'appréciait pas la vie de famille. C'est dans l'espèce d'état d'esprit où il se trouvait que l'on se demande : Pourquoi vivons-nous ? Pourquoi se donner tant de mal pour que la race humaine continue à exister ? Est-ce tellement désirable ? Sommes-nous attirants en tant qu'espèce ? Pas tellement, se disait-il, en regardant ces garçons assez mal tenus. Sa favorite, Cam, était au lit, du moins il le supposait. Absurdes, vaines questions que celles-là, questions qu'on ne se pose jamais quand on est occupé. La vie humaine consiste-t-elle en ceci ou en cela ? On n'a jamais le temps d'y réfléchir. Mais il se posait en ce moment ce genre de questions parce que Mrs. Ramsay donnait des ordres à ses domestiques et aussi parce qu'il avait été frappé de la fragilité même des meilleures amitiés en réfléchissant à la surprise manifestée par Mrs. Ramsay à la nouvelle que Carrie Manning existait encore. Les gens se perdent de vue. De nouveau il s'adressait des reproches. Il était assis à côté de Mrs. Ramsay et il n'avait absolument rien à lui dire.

« Je suis désolée », dit-elle en se tournant vers lui. Il sentait en lui la présence d'une ingrate rigidité semblable à celle d'une paire de chaussures d'abord imbibées d'eau, puis séchées, de manière qu'on ne puisse que très difficilement y introduire les pieds. Il fallait cependant qu'il y introduisît les siens. Il fallait qu'il se forçât à parler. S'il ne faisait pas très attention elle découvrirait sa perfidie ; elle s'apercevrait qu'il ne se souciait aucunement d'elle et cela, pensait-il, serait loin d'être agréable. Il inclina donc courtoisement la tête vers elle.

« Que vous devez détester de dîner au milieu de tous ces fauves ! » dit-elle, ayant recours à ses façons mondaines, comme elle le faisait quand elle était préoccupée. Ainsi lorsqu'il se produit un conflit de langues dans une assemblée, le président, dans le but d'obtenir de l'unité, suggère que tout le monde s'exprime en français. Il se peut que le français employé soit mauvais ; il se peut que la langue française ne possède pas les termes qui rendraient la pensée de l'orateur ; néanmoins le fait de la parler impose de l'ordre, de l'uniformité. Mr. Bankes ainsi répondit à Mrs. Ramsay dans la langue que celle-ci avait employée et lui dit : « Non, non, pas du tout », et Mr. Tansley qui n'avait aucune connaissance de cette langue, même parlée dans le cas présent en mots d'une seule syllabe, soupçonna aussitôt qu'on s'en servait sans sincérité. Ils en disent des sottises, ces Ramsay ! pensa-t-il ; et il se jeta avec bonheur sur cette nouvelle preuve de son assertion dont il ferait une note qu'il lirait un de ces jours à un ou deux amis. Dans ce milieu où il était permis de dire tout ce qu'on voulait, il ferait une description sarcastique de ce qu'était la vie chez les Ramsay et de toutes les sornettes qu'ils débitaient. Il faut voir ça une fois, dirait-il, mais pas deux. Les femmes étaient assommantes, dirait-il. Il était évident que Ramsay s'était coulé en épousant une beauté qui lui avait donné huit enfants. La communication de Mr. Tansley prendrait plus ou moins cette forme, mais en ce moment où il se trouvait planté sur sa chaise avec un siège vacant à son côté, elle n'en avait encore pris aucune. Elle demeurait encore à l'état de rogatons et de fragments. Il se sentait extrêmement mal à l'aise, et même physiquement. Il avait besoin que quelqu'un lui fournît l'occasion de se mettre en avant. Ce besoin était si pressant qu'il s'agitait sur son siège, regardait tantôt l'un, tantôt l'autre, essayait de se mêler à leur conversation, ouvrait la bouche et la refermait. On parlait de l'industrie de la pêche. Pourquoi personne ne lui demandait-il son opinion ? Qu'est-ce que ces gens-là savaient de l'industrie de la pêche ?

Lily Briscoe était au courant de tout cela. De sa place, en face de lui, ne pouvait-elle pas voir, comme dans une radiographie, toute l'ossature du désir qu'éprouvait ce jeune homme de s'affirmer se détachant en noir au milieu de sa chair — cette brume légère posée par les conventions sur son brûlant désir de se mêler à la conversation ? Mais, se disait-elle, en plissant ses yeux de Chinoise et se rappelant sa façon de railler les femmes, « incapables de peindre, incapables d'écrire », pourquoi lui viendrais-je en aide ?

Il existe, elle le savait, un code de bonnes manières dont l'article sept (vraisemblablement) édicte que dans une occasion semblable il incombe à la femme, quelle que soit sa propre occupation, d'aller au secours du jeune homme assis en face d'elle, de façon à lui permettre de mettre au jour, de soulager les fémurs, les côtes, toute l'ossature de sa vanité, de son pressant désir de se mettre en avant, de même qu'il est du devoir des hommes, continuait-elle à se dire avec son honnêteté de vieille fille, de venir à notre secours, si, par exemple, un incendie éclatait dans le métro. Alors, songeait-elle, je compterais certainement sur Mr. Tansley pour me sortir de là. Mais qu'arriverait-il si aucun de nous deux ne faisait ce qu'il a à faire ? Elle continuait donc à sourire.

« Vous n'avez pas mis dans vos projets d'aller au Phare, Lily ? demanda Mrs. Ramsay. Rappelez-vous le pauvre Mr. Langley qui avait fait une douzaine de fois le tour du monde. Il m'a dit qu'il n'avait jamais tant souffert que le jour où mon mari l'a emmené là. Vous ne craignez pas la mer, Mr. Tansley ? » ajouta-t-elle.

Mr. Tansley brandit un marteau et le balança très haut. Mais se rendant compte en le laissant retomber qu'il ne pouvait pas frapper un papillon avec un instrument de ce genre, il se contenta de dire qu'il n'avait jamais eu de nausées de sa vie. Mais dans cette seule phrase se trouvait condensé, compact comme la poudre à canon, le fait que son grand-père était un pêcheur, son père un pharmacien ; qu'il avait fait son chemin sans devoir rien à personne ; qu'il en était fier ; qu'il était Charles Tansley — ce dont personne ne semblait se rendre compte, mais ce que tout le monde, sans aucune exception, apprendrait un jour. Il regardait l'avenir les sourcils froncés. Pour un peu il aurait eu pitié de ces personnes insignifiantes et cultivées qui, un de ces jours, seraient projetées dans l'espace, comme des balles de laine ou des barriques de pommes, par l'explosion de la poudre qu'il portait en lui.

« Voulez-vous m'emmener, Mr. Tansley ? » s'empressa aimablement de demander Lily, car si Mrs. Ramsay lui disait, comme elle le faisait en réalité : « Ma chère enfant, je suis en train de me noyer dans une mer de feu. Si vous n'appliquez pas quelque baume sur l'angoisse du moment présent, si vous ne dites pas quelque chose de gentil à ce jeune homme, le vaisseau de la vie va se briser sur les écueils — il me semble déjà l'entendre grincer et gémir. Mes nerfs sont tendus comme des cordes de violon. Au premier contact ils vont claquer » — lorsque Mrs. Ramsay s'exprima ainsi, car le regard de ses yeux disait tout cela, Lily Briscoe fut bien obligée pour la cent cinquantième fois de renoncer à son expérience destinée à découvrir ce qui arrive quand on n'est pas gentille avec le jeune homme en question — et d'être gentille.

Il eut une juste appréciation du changement qui venait de se produire dans l'humeur de Lily — elle était maintenant devenue amicale — et, débarrassé du souci de défendre son moi, il lui raconta qu'on le jetait à l'eau quand il était encore tout petit ; son père le retirait avec une gaffe et c'était ainsi qu'il avait appris à nager. Un de ses oncles était gardien de phare sur un rocher de la côte d'Écosse. Il avait passé là une tempête en sa compagnie. Il parlait d'une voix forte et pendant un silence général. Il fallut l'écouter lorsqu'il dit qu'il avait passé une tempête dans un phare en compagnie de son oncle.

« Ah ! se disait Lily Briscoe pendant que la conversation prenait ce tour favorable et qu'elle sentait
que Mrs. Ramsay lui en était reconnaissante (car il
lui était de la sorte loisible de parler un peu de
son côté), ah ! se disait-elle, si vous saviez ce que ça
m'a coûté ce que je viens de vous donner ! Ça m'a
coûté une insincérité. »

Elle avait eu recours au truc ordinaire — elle
avait été gentille. Elle ne le connaîtrait jamais. Il
ne la connaîtrait jamais. C'est ainsi que sont les
relations humaines, songea-t-elle, et les pires (si
Mr. Bankes n'avait pas existé) eussent été celles qui
existent entre hommes et femmes. Celles-ci sont
forcément d'une extrême insincérité. Puis son regard
rencontra la salière qu'elle avait placée là comme
aide-mémoire ; elle se rappela que le lendemain
matin elle mettrait l'arbre plus au milieu et la
perspective de peindre le lendemain la transporta
au point qu'elle se mit à rire tout haut de ce que
disait Mr. Tansley. Il pouvait bien parler toute la
soirée s'il en avait envie.

« Mais combien de temps laisse-t-on les gardiens
dans un phare ? » demanda-t-elle. Il le lui dit. Il était
merveilleusement bien informé. Et à présent qu'il
était reconnaissant, qu'il éprouvait de la sympathie
pour Lily et commençait à se trouver bien, Mrs. Ramsay se dit que, quant à elle, elle pouvait revenir au
pays des rêves, dans cet endroit irréel mais fascinant,
le salon des Manning à Marlow, il y avait vingt ans ;
où l'on circulait sans hâte ni anxiété car on n'était
tourmenté par aucune préoccupation d'avenir. Elle
savait ce qui était arrivé à eux et elle-même. C'était
comme si elle eût été en train de relire un livre
intéressant car elle connaissait la fin de l'histoire,
puisque tout cela s'était passé vingt ans plus tôt, et
la vie, qui ce soir bondissait en cascades de cette
table de dîner pour s'en aller Dieu sait où, se trou-

vait là placée sous scellés ; elle ressemblait à un lac placide et bien saisi entre ses bords. Il disait que les Manning avaient construit une salle de billard — était-ce possible ? Est-ce que William allait continuer à parler des Manning ? Elle l'eût désiré. Mais non ; pour une raison quelconque il n'en avait plus envie. Elle essaya de le faire revenir sur ce sujet. Il ne répondit pas à ses invites. Elle ne pouvait pas le contraindre. Elle fut déçue.

« Ces enfants sont honteusement en retard », dit-elle avec un soupir. Il parla de la ponctualité comme étant une de ces vertus modestes que nous n'acquérons que tard dans la vie.

« En admettant que nous les acquérions jamais », dit Mrs. Ramsay simplement pour remplir un silence et tout en songeant que William Bankes était en train de prendre des allures de vieille fille. Ce dernier se rendait compte de sa propre perfidie. Il se rendait compte aussi du désir de Mrs. Ramsay d'aborder un sujet plus intime, mais il n'avait pas envie de lui céder pour le moment et se sentait envahir par le sentiment du caractère désagréable de l'existence. Il restait assis, dans l'expectative. Peut-être les autres disaient-ils quelque chose d'intéressant. Que disaient-ils donc ?

Que la saison de pêche avait été mauvaise ; que les pêcheurs étaient en train d'émigrer. On parlait aussi de salaires et de chômage. Ce jeune homme déblatérait contre le gouvernement. William Bankes, qui songeait à quel point on est soulagé de tomber sur un pareil sujet au moment où l'on sent le caractère désagréable de sa propre existence, l'entendit dire quelque chose concernant « un des actes les plus scandaleux du gouvernement actuel ». Lily écoutait, tout le monde écoutait. Mais Lily, déjà assommée, sentit qu'il manquait quelque chose ; Mr. Bankes sentit aussi qu'il manquait quelque chose. Mrs. Ramsay enfin, ramenant son châle sur ses épaules, sentit qu'il manquait quelque chose. Tous, penchés pour mieux entendre, se disaient : « Fasse le Ciel qu'on ne puisse pas voir l'intérieur de mon esprit ! » car chacun d'eux songeait : « Les autres éprouvent contre le gouvernement un sentiment de scandale, d'indignation qu'a fait naître en eux cette histoire de pêcheurs. Moi, par contre, je n'éprouve rien du tout. » Mais peut-être, songeait Mr. Bankes, en regardant Mr. Tansley, voici l'homme qu'il nous faut. On attend toujours l'homme qu'il faut. Il y a toujours une possibilité qu'il arrive. A tout moment le chef peut surgir ; l'homme de génie, en politique comme en tout. Il se montrera probablement très désagréable pour nous, vieux débris, continuait à songer Mr. Bankes qui faisait de son mieux pour tenir compte des circonstances et se montrer équitable, car il savait, grâce à une curieuse sensation physique, quelque chose comme un hérissement de ses nerfs dans sa colonne vertébrale, qu'il était jaloux, en partie pour lui-même, en partie, et plus probablement, pour son travail, pour son point de vue, pour sa science ; et que, par conséquent, sa liberté d'esprit, son impartialité n'étaient pas complètes, car Mr. Tansley semblait dire : « Vous avez gaspillé vos existences. Tous, tant que vous êtes, vous avez tort. Pauvres vieux débris, vous êtes trop en retard pour pouvoir rattraper votre époque. » Il paraissait un peu trop sûr de lui ce jeune homme ; et il était mal élevé. Mais Mr. Bankes s'obligeait à observer ; il avait du courage et des capacités ; il était extrêmement bien informé. « Il est probable, songeait-il en l'entendant déblatérer contre le gouvernement, qu'il y a beaucoup de vrai dans ce qu'il dit. »

« Voyons, expliquez-moi... », dit-il. C'est ainsi qu'ils causaient politique. Lily regardait la nappe et Mrs. Ramsay, abandonnant entièrement la discussion à ces deux hommes, se demandait pourquoi ce qu'ils disaient l'ennuyait tellement. Elle aurait bien voulu que son mari, qu'elle regardait là-bas, à l'autre bout de la table, parlât un peu. Un mot seulement, se disait-elle. Si peu que ce fût, venant de lui, apporterait un changement énorme dans le dîner. Il allait au cœur des choses. Il s'intéressait vraiment aux pêcheurs et à leurs salaires. Cette préoccupation l'empêchait de dormir. Tout devenait différent quand il parlait ; on ne se disait pas alors : « Fasse le Ciel qu'on ne voie pas combien je m'intéresse peu à cela ! » parce qu'en réalité on s'y intéressait. Puis, se rendant compte que c'était parce qu'elle l'admirait tant qu'il lui tardait qu'il parlât, elle eut l'impression que quelqu'un lui avait fait l'éloge de son mari et de leur mariage et une bouffée de joie orgueilleuse monta en elle sans qu'elle s'aperçût que c'était elle-même qui avait fait cet éloge. Elle le regarda, comptant qu'elle allait trouver sur son visage un reflet de ce qu'elle venait d'entendre ; il devait avoir l'air magnifique... Mais non, pas du tout ! Il plissait son visage, il avait l'air menaçant, fronçait les sourcils, rougissait de colère. Que se passait-il donc ? se demanda-t-elle. Que pouvait-il bien y avoir ? Ce pauvre vieil Augustus avait demandé une autre assiettée de soupe, voilà tout. Il était inconcevable, il était odieux (signala à sa femme Mr. Ramsay à travers la table) qu'Augustus se remît à manger de la soupe. Il avait horreur de voir manger les gens quand il avait fini. Elle vit sa colère s'élancer dans ses yeux et sur son front comme une meute en plein cri ; elle savait que, dans un instant, une explosion violente allait se produire et puis — Dieu merci ! — elle le vit saisir son propre levier, se freiner lui-même et son corps tout entier parut émettre des étincelles mais non point de paroles. Il continuait à froncer les sourcils, l'air sombre. Il n'avait rien dit, comme il le lui ferait observer. Qu'elle lui tienne au moins compte de cela ! Mais pourquoi, après tout, ce pauvre Augustus n'aurait-il pas le droit de rede-mander de la soupe ? Il s'était contenté de toucher le bras d'Ellen en disant : « Ellen, donnez-moi, je vous prie, une autre assiette de soupe » et aussitôt Mr. Ramsay s'était renfrogné comme cela.

Et pourquoi ne reprendrait-il pas de la soupe ? demandait Mrs. Ramsay. On pouvait bien le laisser faire. Il haïssait qu'on se bourrât à table, signifiait Mr. Ramsay à sa femme de ses sourcils froncés. Il avait horreur qu'on fît ainsi traîner les repas pendant des heures. Mais il tiendrait à faire constater qu'il était resté maître de lui, quelque répugnant qu'un pareil spectacle ait pu être pour lui. Pourquoi cepen-dant montrer si clairement ce qu'il éprouvait ? demanda encore Mrs. Ramsay (ils échangeaient à travers toute la longueur de la table des regards chargés de questions et de réponses, et chacun savait exactement quels étaient les sentiments de l'autre). Tout le monde pouvait s'apercevoir de ce que pensait son mari, jugeait-elle. Voici que Rose le regardait elle aussi ; puis ce fut le tour de Roger, tous les deux allaient avoir une crise de fou rire, elle le savait ; aussi s'empressa-t-elle de dire (et il n'était que temps) :

« Allumez les bougies ! » sur quoi ils bondirent aussitôt de leurs sièges et allèrent s'agiter autour de la desserte pour trouver des bougies.

Pourquoi ne pouvait-il jamais dissimuler ses impressions ? se demandait Mrs. Ramsay, et elle se demandait aussi si Augustus Carmichaël avait remar-qué ce qui s'était passé. Peut-être oui, peut-être non. Elle ne pouvait s'empêcher de respecter le calme avec lequel il restait assis là et prenait sa soupe. Lorsqu'il en voulait il en demandait. Qu'on se moquât de lui, qu'on se fâchât contre lui, il n'en bougeait pas davantage. Il ne l'aimait pas, elle le voyait bien ; mais un peu pour cette raison même elle le respectait. Tout en le regardant en train de manger sa soupe, très grand, très calme dans la lumière tombante, d'aspect monumental et contemplatif, elle se demandait ce qu'il éprouvait en ce moment et pourquoi il était toujours satisfait et digne ; puis elle songea à quel point il était dévoué à Andrew. Il le faisait venir dans sa chambre et, disait Andrew, « lui montrait des affaires ». Puis il restait étendu toute la journée sur la pelouse, ruminant ses vers probablement et finissant par ressembler à un chat qui guette des oiseaux jusqu'au moment où il frappait ses pattes l'une contre l'autre. Il avait alors trouvé le mot cherché et Mr. Ramsay disait : « Pauvre Augustus ! c'est un véritable poète », ce qui était un grand éloge dans sa bouche.

Huit bougies se trouvaient maintenant posées sur la table. Après les premières vacillations, les flammes devenues bien droites entraînaient dans leur lumière toute la longue table au milieu de laquelle s'étalait une coupe de fruits jaune et violette. Qu'avait-elle donc fait ? se demandait Mrs. Ramsay, car la façon dont Rose avait disposé les grappes et les poires, le coquillage hérissé d'arêtes et doublé de rose, les bananes, la faisait penser à quelque trophée arraché au fond de la mer, au banquet de Neptune, à cette brassée où l'on distingue les feuilles de vigne que Bacchus porte sur son épaule (dans certains tableaux) au milieu des peaux de léopards et des zigzags rouge et or que font les torches... Ainsi brusquement mise en lumière, cette coupe semblait avoir une grande dimension et une grande profondeur, ressemblait à un monde dans lequel on peut prendre son bâton et monter des collines, se disait-elle, et descendre des vallées. Et elle eut le plaisir de constater (ils se trouvaient ainsi amenés à sympathiser un instant) qu'Augustus lui aussi se régalait de ce spectacle, plongeait au milieu de ces fruits, arrachait une fleur par-ci, un épi par-là, et s'en revenait à sa ruche après s'être bien régalé. C'était sa façon à lui de regarder, façon bien différente de celle de Mrs. Ramsay. Mais le fait de regarder ensemble créait un lien entre eux.

Toutes les bougies étaient maintenant allumées ; de chaque côté de la table les visages se trouvaient rapprochés par la lumière et s'ordonnaient autour comme ils ne l'avaient pas fait au crépuscule.

La nuit était maintenant tenue à l'écart par les vitres et celles-ci, au lieu de donner une vue exacte du monde extérieur, le gondolaient d'étrange façon, au point que l'ordre, la fixité, la terre ferme semblaient s'être installés à l'intérieur de la maison ; au-dehors, au contraire, il n'y avait plus qu'un reflet dans lequel les choses, devenues fluides, tremblaient et disparaissaient.

Un changement s'opéra aussitôt en eux tout comme si ce phénomène apparent se fût réellement produit. Ils eurent tous conscience de former un groupe humain réuni dans un creux de terrain, sur une île ; ils se trouvaient ligués contre la fluidité extérieure. Mrs. Ramsay avait attendu Paul et Minta avec inquiétude au point de ne pouvoir se mêler à ce qui se passait autour d'elle. Mais à présent cette inquiétude se muait en une simple expectative. Car ils ne pouvaient pas ne pas arriver et Lily Briscoe, qui s'efforçait d'analyser la cause de cet égaiement soudain, comparait celui-ci au moment où, sur la pelouse de tennis, le sentiment de la solidité s'était soudainement évanoui et de vastes espaces s'étaient créés entre eux. En ce moment le même effet était produit par cette abondance de bougies dans une salle à manger à peine meublée, l'absence de rideaux aux fenêtres et cet aspect de masques brillants que la lumière donnait aux visages. Tout le monde avait un poids de moins ; elle avait l'impression que toutes sortes de choses pouvaient se produire. Ils ne pouvaient pas ne pas arriver à présent, se disait Mrs. Ramsay, regardant la porte, et à ce moment, Minta Doyle, Paul Rayley et une domestique portant un grand plat, firent ensemble leur entrée. Ils étaient terriblement, affreusement en retard, dit Minta, pendant qu'ils se dirigeaient vers différents endroits de la table.

« J'ai perdu ma broche — la broche de ma grand-mère », dit Minta sur un ton lamentable et avec une sensation d'humidité dans ses grands yeux bruns qu'elle baissait et levait alternativement tout en s'asseyant à côté de Mr. Ramsay. Les sentiments chevaleresques de celui-ci en furent si vivement stimulés qu'il se mit à la taquiner. « Comment, demanda-t-il, pouvait-elle être assez nigaude pour escalader les rochers avec des bijoux sur elle ? »

Elle n'était pas loin d'être terrifiée par lui — il était tellement intelligent ! Le premier soir où elle s'était trouvée près de lui, il s'était mis à parler de George Eliot et elle avait eu une vraie peur car elle avait oublié le troisième volume de *Middlemarch* dans le train et n'avait aucune idée de ce qui arrivait à la fin ; mais elle réussit à se mettre très bien à la conversation et prétendit être encore plus ignorante qu'elle ne l'était en réalité parce qu'il aimait lui dire qu'elle était une petite sotte. Aussi, ce soir, dès qu'il se mit à se moquer d'elle elle cessa d'avoir peur. D'ailleurs, à peine entrée, elle se rendit compte que le miracle s'était produit ; son halo de brume dorée flottait autour d'elle. Tantôt il était là et tantôt pas. Minta ne savait jamais pourquoi il arrivait ni pourquoi il s'en allait et ne se doutait jamais de sa présence avant d'entrer quelque part. Mais elle était fixée instantanément sur cette présence rien qu'à la façon dont un homme la regardait. Oui, ce soir, elle l'avait, son halo, et à un degré phénoménal ; elle le savait rien qu'à la façon dont Mr. Ramsay lui dit de ne pas être une petite sotte. Elle s'assit à côté de lui en souriant.

Ça a dû se faire, pensa Mrs. Ramsay, ils sont fiancés. Et, pendant un instant elle éprouva ce qu'elle n'aurait pas cru devoir éprouver encore : de la jalousie. Car lui, son mari, était sensible aussi à cette chaude animation qui se dégageait de Minta ; il aimait ce type de jeunes filles, ces jeunes filles aux cheveux roux et dorés qui ont en elles quelque chose d'ailé, d'un peu sauvage et d'un peu fou, qui n'ont pas leurs cheveux « bien tirés en arrière » et qui ne sont pas, comme il le disait de la pauvre Lily Briscoe, « peu de chose ». Il y avait une qualité que celle-ci n'avait pas, une magnificence lustrée, qui l'attirait, l'incitait à faire ses favorites de jeunes filles comme Minta. Elles avaient la permission de lui couper les cheveux, de lui tresser des chaînes de montre, de l'interrompre à son travail, de lui crier (Mrs. Ramsay les avait entendues) : « Allons, venez, Mr. Ramsay ; c'est à notre tour de les battre à présent », et il s'en allait jouer au tennis.

Mais elle n'était assurément pas jalouse ; il lui arrivait seulement, même lorsqu'elle se contraignait à se regarder à la glace, d'en vouloir un peu à la destinée de ce qu'elle fût devenue vieille, peut-être par sa propre faute (la note des réparations à la serre et toutes les histoires du même genre). Elle était reconnaissante à ces jeunes filles de se moquer de lui (« Combien de pipes avez-vous fumées aujourd'hui, Mr. Ramsay ? » et ainsi de suite), jusqu'à ce qu'il eût repris l'air d'un jeune homme ; un homme plein d'attraits pour les femmes, non point alourdi, harassé par la grandeur de ses travaux, les chagrins de ce monde, le souci de sa gloire ou de son échec, redevenu ce qu'il était quand elle l'avait connu, un peu dégingandé mais plein de galanterie ; elle se le rappelait l'aidant à descendre d'un bateau ; il avait des façons délicieuses, comme en ce moment (elle le regardait et il avait l'air étonnamment jeune en train de taquiner Minta). Quant à elle-même — « Posez ça là », dit-elle en aidant la Suissesse à placer doucement devant elle le vaste plat de couleur brune contenant le bœuf en daube —, quant à elle-même ce qu'elle aimait c'était les simples d'esprit.

La place de Paul était à côté d'elle ; elle l'avait gardée pour lui. Oui, elle avait l'impression, parfois, que ce qu'elle préférait c'était les simples d'esprit. Ils n'ennuyaient personne avec leurs mémoires. Tout bien pesé, que de choses leur échappaient à ces hommes si malins ! Comme ils se desséchaient ! Il y avait quelque chose de tout à fait charmant dans ce Paul, songea-t-elle au moment où il s'assit. Ses façons avec elle étaient délicieuses comme étaient délicieux son nez aigu et ses yeux bleus brillants. Il était si plein d'attentions ! Voudrait-il lui dire — maintenant que la conversation était devenue générale — ce qui était arrivé ?

« Nous sommes revenus sur nos pas pour chercher la broche de Minta », dit-il en s'asseyant à côté d'elle. « Nous » — cela suffisait. Elle devinait, à l'effort qu'il faisait, à sa façon d'élever la voix pour arriver à prononcer ce mot difficile, que c'était la première fois qu'il disait « nous ». « Nous » avons fait ceci, « nous » avons fait cela. Ils emploieront ce mot toute leur vie, se disait Mrs. Ramsay, et une odeur exquise d'olives, d'huile et de sauce monta du grand plat brun lorsque Martha enleva le couvercle d'un geste un peu théâtral. La cuisinière avait passé trois jours à mijoter ce plat. Et il fallait faire très attention, se dit Mrs. Ramsay, plongeant dans cette masse fluide, à choisir un morceau particulièrement tendre pour William Bankes. Et elle examina soigneusement l'intérieur du plat, ses parois brillantes, la confusion de ses viandes jaunes et brunes à l'aspect succulent, ses feuilles de laurier, sa sauce au vin et songea : « Nous allons célébrer le grand événement avec cela » — car un sentiment curieux naissait en elle, où se mêlaient l'espièglerie et la tendresse, d'être en train de fêter ces amoureux ; on eût dit que deux émotions se partageaient son cœur, l'une profonde — car que peut-il y avoir de plus sérieux que l'amour de l'homme pour la femme, de plus imposant, de plus impressionnant aussi, car cet amour porte dans son sein les germes de la mort ; mais, en même temps, ces amoureux, ces gens qui entraient les yeux brillants dans la sphère des illusions, il fallait danser autour d'eux, les railler, les enguirlander.

« C'est un triomphe », dit Mr. Bankes, posant un instant sa fourchette. Il avait mangé avec attention. C'était un mets riche et tendre. Il était parfaitement cuit. Comment pouvait-elle arriver à faire des choses pareilles au fond de ce pays ? lui demanda-t-il. Elle était étonnante. Toute son affection, toute sa révérence pour elle lui étaient revenues et elle le savait.

« C'est une recette française de ma grand-mère », dit Mrs. Ramsay, dont la voix avait pris un accent de vif plaisir. Et cette recette ne pouvait être autrement que française. Ce qui passe pour de la cuisine en Angleterre est une abomination (tout le monde en convint). Ça consiste à mettre des choux dans de l'eau. A rôtir la viande jusqu'à ce qu'elle devienne de la semelle de soulier. A enlever aux légumes la peau qui les rend délicieux. « Et dans laquelle, dit Mr. Bankes, réside toute leur vertu. » Et quel gaspillage ! dit Mrs. Ramsay. Toute une famille française pourrait vivre de ce que jette une cuisinière anglaise. Excitée comme elle l'était par le sentiment que l'affection de William lui était revenue, que tout se trouvait en ordre, que son inquiétude était finie et qu'elle pouvait maintenant à la fois triompher et railler, elle riait, elle gesticulait si bien que Lily trouva qu'elle était puérile et absurde de parler ainsi de la peau des légumes au moment où toute sa beauté s'épanouissait de nouveau. Il y avait en elle quelque chose d'effrayant. Elle était irrésistible. Elle finissait toujours par obtenir ce qu'elle voulait. Voici qu'elle avait provoqué ce grand événement — car on pouvait bien supposer que Paul et Minta étaient fiancés. Mr. Bankes dînait ici. Elle leur jetait un charme à tous rien que par sa façon si simple, si directe de désirer les choses. Lily compara la richesse de cette nature avec la pauvreté de la sienne et supposa que c'était en partie la croyance en cette chose terrible et redoutable (car le visage de Mrs. Ramsay était tout illuminé et, sans paraître jeune elle paraissait radieuse) qui rendait Paul Rayley, placé au centre de cette chose-là, tout tremblant, quoique, en même temps, distrait, absorbé, silencieux. Mrs. Ramsay, Lily le sentait, en parlant de la peau des légumes, exaltait cela, adorait cela ; étendait les mains dessus tant pour les réchauffer que pour les protéger. Et cependant, après avoir tout fait pour amener ce résultat, elle donnait l'impression, d'après Lily, de conduire en riant des victimes au sacrifice. Elle aussi se trouvait gagnée par cette émotion, ce frémissement de l'amour. Qu'elle se sentait peu de chose à côté de Paul ! Lui, tout plein d'une ardeur contenue et brûlante ; elle, à l'écart de ce qui se passait, conservant sa faculté de critiquer ; lui, prêt pour les aventures ; elle, attachée au rivage ; lui, lancé sur les flots et méprisant du danger ; elle, solitaire, abandonnée — et toute prête à implorer sa part de la catastrophe si catastrophe il y avait. Elle dit timidement :

« Quand Minta a-t-elle perdu sa broche ? »

Il eut le plus exquis des sourires, voilé par le

souvenir, teinté par ses rêves. Il secoua la tête. « Sur la plage », dit-il.

« Je la trouverai, ajouta-t-il. Je me lèverai de bonne heure. » Comme il désirait cacher sa résolution à Minta il baissa la voix et tourna les yeux vers l'endroit où elle était en train de rire à côté de Mr. Ramsay.

Lily avait envie de proclamer violemment et sans aucun égard pour les convenances son désir d'aider Paul ; elle concevait déjà comment sur la plage, à l'aube, elle était la personne la mieux faite pour tomber sur la broche à demi cachée par quelque pierre et comment, par là, elle prendrait rang parmi les marins et les aventuriers. Mais que répondit-il à son offre ? Elle dit avec une émotion qu'elle laissait rarement apparaître : « Laissez-moi y aller avec vous » ; et il se mit à rire. Il voulait répondre affirmativement ou négativement — l'un et l'autre peut-être. Mais ce n'était pas ce qu'il voulait dire qui importait — c'était ce drôle de petit rire qui avait l'air de répondre : « Vous pouvez vous jeter en bas de la falaise, si vous voulez, ça m'est bien égal. » Il avait fait sentir à sa joue la chaleur de l'amour, ce qu'il y a en lui d'affreusement cruel et de peu scrupuleux. Elle en fut toute brûlée et, comme elle regardait Minta faire des grâces à Mr. Ramsay à l'autre bout de la table, elle eut un sentiment de frayeur de la voir ainsi exposée à ces morsures. Elle eut en même temps un sentiment de gratitude. Car elle du moins, et Dieu merci, se dit-elle apercevant la salière sur le dessin de la nappe, n'était pas obligée de se marier : elle n'était pas contrainte de subir cette dégradation. Cet affaiblissement spirituel lui était épargné. Elle mettrait l'arbre plus au milieu.

Telle était la complexité des choses. Car ce qui lui arrivait, surtout lorsqu'elle se trouvait chez les Ramsay, c'était de ne pouvoir s'empêcher d'éprouver violemment et en même temps deux sentiments contradictoires : l'un était ce que vous ressentez ; l'autre était ce que moi je ressens et ces deux sentiments se faisaient la guerre dans son esprit, comme ils le faisaient en ce moment. C'est si beau, si passionnant cet amour, que je tremble en me penchant sur le bord et que j'offre, contrairement à mes habitudes, de chercher une broche sur une plage ; mais c'est aussi la plus stupide, la plus barbare des passions humaines et elle fait d'un charmant jeune homme au profil de camée (celui de Paul était exquis) un apache qui brandit une barre de fer (il était en train de faire le flambard et l'insolent) dans les faubourgs ouvriers de Londres. Et pourtant, se disait-elle, depuis le commencement du monde, on chante des odes en l'honneur de l'amour ; pour lui on accumule les guirlandes et les roses ; neuf personnes sur dix vous répondront, si vous leur demandez ce qu'ils en pensent, qu'ils ne veulent rien d'autre, cependant que les femmes, à en juger par ma propre expérience, ont tout le temps l'impression que ce n'est pas là ce dont elles ont besoin ; il n'y a rien de plus ennuyeux, puéril, inhumain que l'amour ; et pourtant il est beau et nécessaire. Alors quoi, alors quoi ? se demandait-elle, avec un vague espoir que les autres allaient prendre part à cette discussion comme si dans une discussion comme celle-ci le petit trait que chacun lance fût évidemment incapable d'atteindre au but, à moins d'être repris par les autres qui continuent la lutte. Elle écouta donc ce que l'on disait au cas où elle y découvrirait quelque lumière sur cette question de l'amour.

« Et puis, disait Mr. Bankes, il y a ce liquide que les Anglais appellent du café. »

« Oh ! le café ! » dit Mrs. Ramsay. Mais c'était beaucoup plus une question (elle prenait ce sujet très à cœur, Lily le voyait bien, et elle s'exprimait avec beaucoup d'emphase) de bon beurre et de lait pur. Elle décrivit avec une chaude éloquence les horreurs du système qui prévaut en Angleterre pour la fourniture du lait (dans quel état on vous remet celui-ci à votre porte !) et elle allait faire la preuve de ses allégations, car elle était allée fort avant dans ses explications, lorsque, tout autour de la table, à partir d'Andrew qui se trouvait au milieu et à la façon d'un incendie qui se propage d'une touffe d'ajoncs à une autre, ses enfants se mirent à rire ; son mari se mit à rire et elle finit par être cernée par cet incendie d'hilarité, obligée de baisser pavillon, de démonter ses batteries et de se contenter, en guise de revanche, de dénoncer à Mr. Bankes ces railleries comme un exemple de ce que l'on est exposé à souffrir lorsqu'on attaque les préjugés du public britannique.

Elle eut soin cependant de faire exception en faveur de Lily car elle savait bien que celle-ci, qui était venue à son secours dans le cas de Mr. Tansley, restait à l'écart. Elle dit : « En tout cas Lily est de mon avis », et la mit ainsi de son côté, un peu agitée, un peu saisie. (Car elle était en train de songer à l'amour.) Tous deux se trouvaient à l'écart des autres, réfléchissait Mrs. Ramsay, elle et Charles Tansley. Tous les deux souffraient de l'éclat qui parait les deux fiancés. Lui, c'était bien évident, se sentait complètement délaissé ; aucune femme ne le regarderait tant que Paul Rayley serait dans la même pièce. Pauvre garçon ! Encore lui il avait son mémoire, son influence de quelqu'un sur quelque chose : il pouvait se passer des autres. Le cas de Lily était différent. L'éclat de Minta la faisait paraître plus pâle ; elle devenait encore plus insignifiante que jamais dans sa petite robe grise, avec sa petite figure plissée et ses petits yeux de Chinoise. Tout en elle était petit. Et pourtant, se disait Mrs. Ramsay, qui, au moment où elle l'appelait à l'aide, la comparait à Minta (car elle voulait que Lily témoignât qu'elle ne parlait pas plus de ses laiteries que son mari de ses chaussures — il en parlait pendant des heures) quand toutes les deux auraient quarante ans c'est Lily qui l'emporterait sur l'autre. Il y avait dans Lily une veine de quelque chose ; une flamme de quelque chose ; de quelque chose bien à elle que Mrs. Ramsay aimait en vérité beaucoup mais qui, elle le craignait, ne plairait à aucun homme. Non, évidemment, à moins qu'il ne s'agit d'un homme beaucoup plus âgé qu'elle, comme William Bankes. Mais celui-ci était peut-être attiré, Mrs. Ramsay en avait du moins parfois comme une impression, vers elle-même, depuis la mort de sa femme. Il ne l'« aimait » pas sans doute ; c'était là une de ces affections non cataloguées et qui sont si nombreuses. « Oh ! se disait-elle, c'est absurde ; il faut que William épouse Lily. Ils ont tant de choses en commun. Lily aime tant les fleurs ! Tous deux sont froids, distants et un peu cantonnés en eux-mêmes. » Il fallait s'arranger pour qu'ils fissent une grande promenade ensemble.

Elle les avait stupidement fait asseoir l'un en face de l'autre. On pourrait remédier à cela demain. S'il faisait beau on irait faire un pique-nique. Tout semblait possible. Tout semblait bien ainsi. En ce moment elle venait d'atteindre à la sécurité (mais cela ne peut pas durer, pensait-elle, se dissociant du moment présent pendant qu'ils parlaient tous de souliers) ; elle se balançait comme un épervier en vol plané ; comme un drapeau déployé dans un principe d'allégresse qui envahissait tous les nerfs de son corps avec une douce plénitude, sans bruit, un peu solennellement même, car en regardant tous ces gens en train de manger elle trouva que ce principe émanait de tous, mari, enfants, amis. Et, s'élevant au milieu de ce calme profond (elle servait à William Bankes un tout petit morceau de plus en fouillant du regard le pot de faïence), il semblait maintenant, sans raison bien particulière, demeurer là comme une fumée, comme une vapeur montante, et les enfermer tous dans une atmosphère de sécurité. Il n'était besoin ni possible de rien dire. Il était là, ce principe, tout autour d'eux. Il participait de l'éternité, trouvait-elle en servant avec précaution un morceau de choix à Mr. Bankes. Elle avait déjà éprouvé un sentiment analogue cet après-midi au sujet de quelque chose de différent ; il y a là une cohérence, une stabilité dans les choses ; elle voulait dire par là qu'il existe un élément soustrait au changement et qui s'oppose, avec sa clarté de rubis, à ce qu'il y a dans le monde de fluide, de fugace et de spectral (ici elle jeta un coup d'œil sur la fenêtre où se jouaient des réflexions de lumière) ; aussi avait-elle ce soir, comme elle l'avait déjà eue dans la journée, une impression de paix et de repos. C'est de semblables moments, pensa-t-elle, qu'est fait ce qui doit rester à jamais. Oui, cette impression-là resterait à jamais.

« Certainement, assura-t-elle à William Bankes, il y en a largement pour tout le monde. »

« Andrew, dit-elle, baissez votre assiette ou je vais tout faire tomber. » (Le bœuf en daube était un triomphe complet.) Ici, sentit-elle en reposant sa cuiller, se trouvait la région tranquille cachée au cœur des choses où elle pouvait se mouvoir et se reposer ; et maintenant, attendre et écouter (tout le monde était servi) ; puis, semblable à un épervier soudain précipité de sa hauteur, descendre, les ailes éployées, sans effort, sur du rire, en s'appuyant de tout son poids sur ce qu'à l'autre bout de la table était en train de dire son mari à propos de la racine carrée de 1253 qui se trouvait être le numéro de son billet de chemin de fer.

Que signifiait tout cela ? Jusqu'à maintenant elle

n'en avait aucune idée. Une racine carrée ? Qu'était-ce que cela ? Ses fils le savaient. Elle s'appuyait sur eux ; ainsi que sur les racines cubiques et carrées ; c'était de cela qu'on parlait maintenant ; sur Voltaire et Mme de Staël ; sur le caractère de Napoléon ; sur le système français de propriété rurale ; sur Lord Rosebery ; sur les Mémoires de Creevly ; elle le laissait la soulever et la soutenir, cet admirable édifice élevé par l'intelligence masculine qui monte et descend, passe et repasse par tant de chemins entre-croisés et qui soutient le monde à la façon de fermes métalliques jetées au travers de l'édifice chancelant. Aussi s'abandonnait-elle à cet édifice avec une entière confiance, les yeux fermés, à peine et furtivement entrouverts de temps en temps à la façon d'un enfant qui, de son oreiller, cligne des yeux devant les étages superposés des milliers de feuilles dont se compose un arbre. Puis elle fut tirée de son rêve. L'édifice était encore en train de se construire. William Bankes faisait l'éloge des romans de Walter Scott.

Il en lisait un tous les six mois, disait-il. Et pourquoi cela irrita-t-il Charles Tansley ? Il se précipita dans la discussion (et tout cela, pensa Mrs. Ramsay, parce que Prue ne voulait pas se montrer gentille avec lui) pour déblatérer contre ces romans dont il ne savait rien, absolument rien. Mrs. Ramsay l'observait plutôt qu'elle n'écoutait ce qu'il disait. Elle voyait bien ce dont il retournait rien qu'à sa manière de s'exprimer : il voulait se mettre en avant et il ferait toujours la même chose jusqu'à ce qu'il ait obtenu sa chaire de professeur ou se soit marié ; alors il n'aurait pas toujours besoin de dire : « Moi, moi, moi. » Car c'était à cela que se ramenait sa critique du pauvre Sir Walter, ou peut-être s'agissait-il de Jane Austen. « Moi, moi, moi. » Il pensait à lui-même et à l'impression qu'il produisait ; elle le savait au son de sa voix, à l'emphase et à la gêne de son débit. Le succès lui ferait du bien. En tout cas ils étaient repartis à discuter. Elle n'avait plus besoin d'écouter. La discussion, elle le savait, ne pouvait pas durer, mais en ce moment ses yeux étaient si clairs qu'ils semblaient faire le tour de la table, enlever leur voile à chacun de ces êtres qui y étaient assis, découvrir leurs pensées et leurs sentiments et sans efforts, à la façon d'une lumière qui se glisse sous l'eau et saisit dans leur frémissement, dans leur tremblement, les rides de la surface, les roseaux immergés, les goujons balancés et la truite silencieuse et soudaine. C'est ainsi qu'elle les voyait, qu'elle les entendait ; mais tout ce qu'ils disaient avait aussi ce caractère de ressembler au mouvement d'une truite lorsque la ride de l'eau et le gravier du fond, quelque chose à droite et quelque chose à gauche, sont saisis dans une seule et même perception ; car, alors que dans sa vie active elle eût séparé chaque chose l'une de l'autre pour les tresser ensemble, déclaré qu'elle aimait les romans de Walter Scott ou ne les avait pas lus ; cherché à aller de l'avant ; maintenant au contraire elle ne dit rien. Pour le moment elle demeura en suspens.

« Ah ! mais combien de temps croyez-vous que cela durera ? » demanda quelqu'un. C'était comme si elle eût eu des antennes qui se projetaient hors d'elle en tremblant et qui, interceptant certaines phrases, les imposaient à son attention. Celle-ci en était une. Elle sentit du danger venant de son mari. Une question comme cette dernière conduirait, c'était presque certain, à quelque assertion qui le ferait songer à ce que sa propre carrière avait eu de manqué. Combien de temps continuerait-on à le lire ? se demanderait-il aussitôt. William Bankes (qui était complètement à l'abri d'une semblable vanité) se mit à rire et dit qu'il n'attachait aucune importance aux changements de la mode. Qui pouvait dire ce qui allait durer

— en littérature comme d'ailleurs en tout le reste ?

« Prenons notre plaisir où nous le trouvons », conclut-il. Son honnêteté parut tout à fait admirable à Mrs. Ramsay. Pas un instant il ne paraissait se demander : « Mais comment cela peut-il m'affecter ? » Cependant lorsqu'on a l'autre tempérament, celui qui a besoin de louanges, d'encouragements, il est tout naturel, lorsqu'on entend cela, de commencer à se sentir gêné (et elle était certaine que c'était le cas de Mr. Ramsay) ; d'éprouver le besoin d'entendre dire par quelqu'un : « Oh ! mais votre œuvre durera, Mr. Ramsay », ou quelque chose d'approchant. Il trahit très clairement son malaise en disant avec quelque irritation qu'en tout cas Scott (ou était-ce Shakespeare ?) durerait pour lui aussi longtemps que sa propre vie. Il dit cela sur un ton irrité. Tout le monde, elle en eut l'impression, se sentit un peu gêné, sans savoir pourquoi. Puis Minta Doyle, douée d'un instinct pénétrant, dit lourdement, absurdement, qu'elle ne croyait pas que personne pût éprouver un plaisir réel à lire Shakespeare. Mr. Ramsay répondit farouchement (mais déjà son esprit s'était détourné de la conversation) que très peu de gens le goûtaient autant qu'ils prétendaient le faire. Mais, ajouta-t-il, il y a néanmoins des qualités considérables dans quelques-unes de ses pièces, et Mrs. Ramsay vit que, pour le moment du moins, tout était arrangé. Il persistait à vouloir taquiner Minta et celle-ci, Mrs. Ramsay le voyait aussi, se rendant compte de son extrême anxiété à propos de lui-même, veillerait à sa façon, et par tous les moyens, à ce qu'on s'occupât de lui, qu'on lui fît des compliments. Mais Mrs. Ramsay eût souhaité que cela n'eût pas été nécessaire ; peut-être était-ce sa faute à elle s'il en était autrement. En tout cas elle était maintenant libre d'écouter ce que Paul Rayley essayait de dire sur les livres que l'on a lus dans son enfance. Ils vivent dans notre mémoire, dit-il. Il avait lu quelques-unes des œuvres de Tolstoï au collège. Il y en avait une qu'il se rappelait toujours mais il avait oublié le titre. Ces noms russes sont impossibles, dit Mrs. Ramsay. « Vronsky », dit Paul. Il se rappelait celui-là parce qu'il avait toujours trouvé que c'était un excellent nom pour un personnage antipathique. « Vronsky », répéta Mrs. Ramsay. « Oh ! Anna Karénine », mais cela ne les avançait pas beaucoup ; ils n'étaient livresques ni l'un ni l'autre. Non, Charles Tansley pouvait leur donner instantanément tous les renseignements dont ils avaient besoin sur les livres, mais ce qu'il disait était tellement rempli de « Est-ce que je dis bien ce qu'il faut ? Produis-je une bonne impression ? » qu'on était à la fin mieux fixé sur son compte à lui que sur celui de Tolstoï, tandis que ce que Paul disait se rapportait tout bonnement au sujet traité et non pas à lui-même. Comme tous les gens stupides il avait en outre une espèce de modestie, une façon de prendre en considération les sentiments de son interlocuteur auxquels elle trouvait du charme, au moins une fois en passant. En ce moment ce n'était pas à lui-même ni à Tolstoï qu'il pensait mais au froid qu'il faisait, au courant d'air qu'elle pouvait sentir, à la poire qu'elle pouvait désirer.

Non, dit-elle, elle ne voulait pas de poire. A vrai dire, elle avait monté une garde jalouse sur le plat de fruits (sans s'en rendre compte) et espéré que personne n'y toucherait. Son regard s'était promené parmi les courbes et les ombres des fruits, les riches violets des raisins des plaines, l'arête rugueuse du coquillage ; avait opposé le jaune au violet, une forme courbe à une forme ronde, sans savoir pourquoi, ni pourquoi, chaque fois que cela arrivait, elle éprouvait une sérénité de plus en plus grande ; et

cela jusqu'au moment où — oh ! quel dommage ! —
une main s'avança, prit une poire et gâta le spectacle. Dans son besoin de sympathie elle regarda
Rose. Elle regarda Rose assise entre Jasper et Prue.
Comme il était étrange qu'un de ses enfants pût
faire cela !

Comme il était étrange de les voir assis là, tous
en rang ! Jasper, Rose, Prue, Andrew, presque silencieux, mais savourant une plaisanterie bien à eux,
elle le devinait au tremblement de leurs lèvres.
C'était quelque chose d'entièrement à part de
tout, quelque chose qu'ils conservaient jalousement
comme un trésor pour s'en délecter dans leurs
chambres. Il ne s'agissait pas de leur père, espé-
rait-elle. Non, elle ne le croyait pas. Qu'était-ce
donc ? se demanda-t-elle, un peu tristement, car il
lui semblait qu'ils riaient quand elle n'était pas là.
Que de choses s'amassaient derrière ces visages
calmes, un peu fermés, semblables à des masques !
Car ils ne se joignaient pas facilement à la conversation ; ils ressemblaient à des guetteurs, à des
experts, séparés des grandes personnes et installés
au-dessus d'elles. Mais comme elle regardait Prue
ce soir, elle comprit que cela ne s'appliquait pas
tout à fait à elle. Elle commençait tout juste, se
mouvait, descendait à peine. Il y avait sur son visage
un rien de lumière qui semblait être le reflet de
l'ardeur de Minta assise en face d'elle, d'une animation heureuse, d'une anticipation de bonheur. On
eût dit que le soleil de l'amour des hommes et des
femmes montait au-dessus de l'horizon formé par
la nappe, et que, sans savoir de quoi il s'agissait,
elle s'inclinait vers lui et saluait sa venue. Elle regardait toujours Minta avec une curiosité timide, si
bien que Mrs. Ramsay, promenant ses yeux de l'une
à l'autre, s'adressa intérieurement à elle et lui dit :
« Vous serez aussi heureuse qu'elle un jour. Vous

serez beaucoup plus heureuse », ajouta-t-elle, parce que vous êtes ma fille, voulait-elle dire ; car sa fille à elle devait être plus heureuse que les filles des autres gens. Mais le dîner était fini. Il était temps de se lever. On ne faisait plus que taquiner ce qui se trouvait sur les assiettes. Elle attendrait qu'on ait fini de rire d'une histoire que son mari était en train de raconter. Il plaisantait avec Minta au sujet d'un pari. Après cela elle se lèverait.

Elle aimait Charles Tansley, se dit-elle brusquement ; elle aimait son rire. Elle l'aimait de s'irriter à ce point contre Paul et Minta. Elle aimait sa maladresse. En somme ce jeune homme avait des tas de qualités. Et Lily, continua-t-elle à se dire en posant sa serviette à côté de son assiette, elle a toujours une plaisanterie à elle. On n'a jamais besoin de se préoccuper d'elle. Elle attendit. Elle poussa sa serviette sous le bord de son assiette. Eh bien, avaient-ils fini à présent ? Non. Cette histoire avait abouti à une autre histoire. Son mari était très en train ce soir et, dans son désir, elle le supposait, de faire la paix avec le vieil Augustus après ce qui s'était passé pour la soupe, il faisait parler celui-ci — ils se racontaient tous les deux des histoires sur quelqu'un qu'ils avaient connu à Oxford. Elle regarda la fenêtre sur laquelle les flammes des bougies mettaient un éclat plus vif à présent que les vitres étaient noires et comme elle considérait cette nuit extérieure, les voix lui parvenaient d'une façon très étrange, comme si elles se fussent employées à chanter l'office dans une cathédrale, car elle ne distinguait pas les paroles. Des éclats de rire soudain, puis une voix s'élevant seule (celle de Minta) lui rappelèrent ces répons latins que clament hommes et enfants dans une cathédrale catholique. Elle attendait. Son mari parlait. Il répétait quelque chose et elle savait que c'étaient des

vers à cause du rythme et de l'accent de mélancolique passion qu'il y avait dans sa voix.

> Ecoutons, en montant tout le long de l'allée,
> Luriana, Lurilee,
> Dans les roses en fleur l'abeille bourdonner.

Ces paroles (elle regardait la fenêtre) ressemblaient à des fleurs flottant là-bas sur une eau
nocturne ; elles donnaient l'impression d'appartenir
à un autre milieu, de n'avoir été prononcées par
aucune des personnes qui se trouvaient dans cette
pièce, d'être entrées toutes seules dans l'existence.

> Nos vies évanouies et celles qui seront
> Sont pleines de rameaux aux verdeurs saisonnières.

Elle ne savait pas ce que cela voulait dire, mais,
à la façon de la musique, ces paroles semblaient
avoir été prononcées par sa propre voix s'exprimant
en dehors d'elle-même et énonçant avec un naturel
parfait ce qu'elle avait eu dans l'esprit toute la
soirée alors même qu'elle disait des choses qui
n'avaient avec cela aucun rapport. Elle savait, sans
même regarder pour s'en assurer, que tout le monde
à table écoutait la voix qui disait :

> Voyons, en est-il bien ainsi ?
> Luriana, Lurilee ?

avec la même sorte de soulagement et de plaisir
qu'elle éprouvait elle-même et comme si ces paroles
eussent été, enfin, la chose qui venait naturellement
aux lèvres, comme si c'eût été leur propre voix qui
se fût fait entendre.

Mais la voix qui parlait s'arrêta. Mrs. Ramsay jeta
un coup d'œil autour de la table. Elle se contraignit

à se lever. Augustus Carmichaël venait de se lever aussi et, tenant sa serviette de façon à la faire ressembler à une longue robe blanche, il récitait sur un ton de mélopée :

> Allons voir chevaucher les Rois
> Passant les prés aux marguerites
> Avec des palmes dans leurs doigts,
> Des branches de cèdre bénites,
> Luriana, Lurilee.

et, au moment où elle passa devant lui, il se tourna légèrement vers elle en répétant les derniers mots :

> Luriana, Lurilee,

et s'inclina comme pour lui rendre hommage. Sans savoir pourquoi, elle eut l'impression qu'il l'aimait plus qu'il ne l'avait jamais fait et, lui rendant son salut avec un sentiment de soulagement et de gratitude, elle franchit la porte qu'il avait ouverte pour la laisser passer.

Il était maintenant nécessaire de franchir une étape. Un pied posé sur le seuil de la porte, elle demeura un instant encore dans une scène de sa vie qui s'évanouissait pendant le temps même qu'elle la considérait ; puis lorsqu'elle s'avança et quitta la salle à manger au bras de Minta, cette scène changea, altéra sa forme ; Mrs. Ramsay, lui donnant un dernier regard en tournant la tête, savait qu'elle était déjà devenue le passé.

C'est comme d'habitude, se disait Lily. Il y avait toujours quelque chose qu'il fallait faire à ce moment précis, quelque chose que, pour des raisons à elle, Mrs. Ramsay avait décidé de faire à l'instant, même lorsque, comme dans le cas présent, tout le monde se trouvait debout autour d'elle en train de plaisanter et sans pouvoir décider si on irait au fumoir, dans le salon ou dans les mansardes. Puis on vit Mrs. Ramsay, donnant le bras à Minta au milieu de cette confusion, dire, avec un air de se rappeler : « Oui, c'est le moment » et s'en aller aussitôt toute seule et mystérieusement. Dès qu'elle fut partie une sorte de désintégration s'opéra ; tout le monde hésita et suivit des directions diverses. Mr. Bankes prit Charles Tansley par le bras et l'emmena finir sur la terrasse la discussion politique qu'ils avaient commencée au dîner. Il imprima par là un mouvement à la masse en équilibre de la soirée et en inclina le poids vers une direction nouvelle. Lily, qui les vit partir et entendit quelques mots sur la politique des Travaillistes, eut l'impression qu'ils étaient montés sur le pont d'un navire et en cherchaient la position ; c'était sous cette forme que lui apparaissait le passage de la poésie à la politique. Ainsi s'en allèrent Mr. Bankes et Charles Tansley tandis que les autres regardaient Mrs. Ramsay monter l'escalier, seule à la lumière de la lampe. Où allait-elle si vite ? se demandait Lily.

Ce n'est point qu'à la vérité elle courût ni même se pressât ; elle allait même plutôt lentement. Elle éprouvait le besoin de s'arrêter un moment après tout ce tapage et de ne choisir qu'une chose en particulier : celle qui comptait ; de la détacher, de la séparer ; de la nettoyer de toutes les émotions, de tout ce qui reste et de tout ce qui traîne, puis de la tenir devant elle, de l'amener devant le tribunal où, rangés en conclave, étaient assis les juges qu'elle avait désignés pour décider des points suivants : Est-ce bon, est-ce mauvais, est-ce bien, est-ce mal ? Où allons-nous ? et ainsi de suite. C'est ainsi qu'elle reprit son équilibre après le choc causé par l'événement qui venait de se produire et, sans se rendre compte de ce qu'elle faisait, et de la façon la plus incongrue, elle utilisa les branches des ormeaux pour l'aider à stabiliser sa position. Son monde était en train de changer : eux restaient immobiles. Ce dernier événement lui avait donné une impression de mouvement. Il fallait tout remettre en ordre. Il fallait arranger ceci et cela, se dit-elle tout en arrivant par une pente insensible à noter avec approbation la dignité calme de ces arbres puis le magnifique mouvement ascendant (semblable à celui que fait l'étrave d'un navire en remontant une vague) de leurs branches soulevées par le vent. Car il faisait du vent (elle s'arrêta un instant pour regarder au-dehors). Et l'effet de ce vent était de faire apparaître brusquement une étoile dans le balaiement du ciel par les feuilles et les étoiles elles-mêmes semblaient en tremblant darder leurs lumières, s'efforcer de lancer leurs éclairs par les interstices. Oui, c'était fini, accompli, et, ainsi qu'il arrive dans le cas de toutes les choses finies, cette sensation d'accomplissement prenait un caractère solennel. Et en y pensant à présent, dégagé des bavardages et des émotions, on avait l'impression que cela qui était avait toujours existé, s'était maintenant simplement manifesté et, par cela même, conférait à toutes choses une stabilité soudaine. Et, reprenant sa marche, elle se disait que, si longtemps qu'ils vécussent, Paul et Minta reviendraient à cette nuit ; cette lune ; ce vent ; cette maison ; et à elle aussi. Cela la flattait, et à l'endroit où elle était le plus accessible à la flatterie, de songer qu'insinuée dans leur cœur elle s'incorporerait à la trame même de leur existence ; et cela aussi, et cela aussi, et cela aussi, se disait-elle en montant l'escalier et se moquant avec affection du canapé du palier (celui de sa mère) ; du fauteuil à bascule (celui de son père) ; de la carte des îles Hébrides. Tout cela revivrait dans les vues de Paul et de Minta ; des « Rayley » — elle s'essayait à prononcer ce nouveau nom ; et, la main posée sur la porte de la chambre des enfants, elle éprouva cette communauté de sentiment avec autrui que donne l'émotion et grâce à laquelle il lui semblait que les cloisons la séparant de ces êtres s'étaient réduites au point que leur vie et la sienne se confondaient dans le même flot (il n'en résultait pour elle que du soulagement et du bonheur) ; que les chaises, les tables, les cartes étaient à elle, étaient à eux, peu importait, et que Paul et Minta continueraient cette confusion quand elle serait morte.

Elle tourna le loquet d'une main ferme pour éviter qu'il grinçât et entra, pinçant légèrement les lèvres pour se rappeler qu'il ne fallait pas parler à haute voix.

Mais à peine fut-elle entrée qu'elle vit, avec contrariété, que sa précaution était inutile. Les enfants ne dormaient pas. C'était extrêmement ennuyeux. Mildred aurait dû faire plus attention. James avait les yeux grands ouverts ; Cam était assise sur son lit et Mildred était sortie du sien, pieds nus. Il était près de onze heures et ils parlaient tous ensemble. Que se passait-il donc ? C'était encore cet horrible crâne. Elle avait dit à Mildred de l'enlever, mais celle-ci avait naturellement oublié et maintenant Cam et James étaient en train de se disputer alors qu'ils auraient dû dormir depuis des heures. Quelle idée avait donc eue Edward de leur envoyer cet horrible crâne ? Elle avait eu la faiblesse de leur permettre de le suspendre là. Il était bien fixé au mur, disait Mildred, et Cam était incapable de s'endormir avec cet objet dans la chambre et James hurlait dès que Mildred voulait le toucher.

Voyons, il fallait que Cam s'endormît (la tête avait de grandes cornes, disait-elle), il fallait dormir et rêver à de beaux palais, répétait Mrs. Ramsay s'asseyant à côté d'elle sur son lit. Cam disait qu'elle voyait les cornes tout autour de la chambre. C'était vrai. Où qu'on plaçât la lumière (et James ne pouvait pas dormir sans lumière) il y avait toujours une ombre quelque part.

« Voyez donc, Cam, ce n'est qu'un vieux cochon, disait Mrs. Ramsay, un joli cochon noir comme ceux de la ferme. » Mais Cam trouvait que c'était une terrible apparition qui étendait ses cornes vers elle tout au travers de la pièce.

« Eh bien, dit sa mère, nous allons cacher ça », et ils la regardèrent aller à la commode, ouvrir rapidement l'un après l'autre les petits tiroirs, puis, n'ayant rien trouvé qui pût faire l'affaire, prendre vivement son propre châle et l'enrouler plusieurs fois autour du crâne. Elle revint vers Cam, posa presque sa tête sur l'oreiller à côté de la sienne et lui montra comme c'était joli maintenant ; les fées trouveraient cela ravissant ; ça ressemblait à un nid d'oiseau ; à une de ces belles montagnes qu'elle avait vues bien loin qui ont des vallées, des fleurs, des cloches, des gazouillements d'oiseaux, des petites chèvres et des antilopes... Elle pouvait distinguer l'écho que produisaient dans l'esprit de Cam ses paroles prononcées d'une voix rythmée. Sa petite fille répétait après elle que cela ressemblait à une montagne, à un nid d'oiseau, à un jardin, et qu'il y avait des antilopes ; ses yeux s'ouvraient et se fermaient et sa mère continuait à raconter sur un rythme de plus en plus monotone des choses de plus en plus absurdes ; qu'il fallait fermer les yeux, s'endormir, rêver de montagnes, de vallées, d'étoiles qui tombent du ciel, d'antilopes, de jardins, de tout ce qui est beau, dit-elle, levant très lentement la tête et sans interrompre son débit mécanique jusqu'à ce que, s'étant mise sur son séant, elle constatât que Cam s'était endormie.

Et maintenant, murmura-t-elle, en allant trouver James, il fallait que lui aussi s'endormît, car voyez donc, dit-elle, le crâne du sanglier était toujours là ; on n'y avait pas touché ; on avait fait juste ce qu'il voulait ; il était absolument intact. Il s'assura que le crâne était toujours là sous le châle. Mais il voulait lui demander quelque chose de plus. Est-ce qu'on irait au Phare demain ?

Non, pas demain, répondit-elle, mais bientôt, elle le lui promettait ; à la première belle journée. Il fut très sage. Il se recoucha. Elle le couvrit bien. Mais il n'oublierait rien, elle le savait et elle en voulut à Charles Tansley, à son mari et elle s'en voulut à elle-même d'avoir fait naître des espérances en lui. Puis portant les mains à son châle et se rappelant qu'elle avait entouré le crâne du sanglier, elle se leva, alla baisser la fenêtre d'un ou deux pouces, entendit le vent, aspira une bouffée de l'air frais et si indifférent du soir, murmura bonne nuit à Mildred et s'en alla en laissant le pêne du loquet s'allonger doucement dans la gâche.

Il fallait espérer qu'il ne laisserait pas tomber ses livres sur le plancher au-dessus de leurs têtes, songea-t-elle en continuant à se dire à quel point Charles Tansley était ennuyeux. Car personne ne dormait bien dans la famille ; ses enfants étaient nerveux et, étant donné tout ce qu'il disait à propos du Phare, il lui semblait vraisemblable qu'il renverserait une pile de livres au moment où tout le monde s'endormirait en les poussant maladroitement du coude. Car elle supposait qu'il était monté travailler. Il avait, il est vrai, l'air bien malheureux ; et pourtant elle serait soulagée quand il partirait ; elle veillerait néanmoins à ce qu'il fût mieux traité demain par ses enfants, car il était admirable avec son mari ; son éducation cependant laissait à désirer ; d'autre part elle éprouvait du plaisir à l'entendre rire. Livrée à de telles pensées pendant qu'elle descendait, elle remarqua qu'elle apercevait à présent la lune elle-même par la fenêtre de l'escalier — la lune jaune du temps de la moisson — puis elle se tourna et les gens restés en bas l'aperçurent en haut des marches.

« Voici ma mère », songea Prue. Oui, il fallait que Minta la regardât et il fallait que Paul Rayley la regardât aussi. Voici l'être qu'il nous faut, se dit-elle, comme s'il n'y eût eu qu'une seule personne au monde qui répondît à cette nécessité, sa mère. Et elle qui, l'instant d'avant, était une grande fille et causait avec tout le monde, redevint une enfant. Ce qu'on faisait autour d'elle prit à ses yeux l'aspect d'un jeu et elle se demanda si sa mère approuverait ce jeu ou le condamnerait. Elle songea à la chance qu'avaient Minta et Paul de la voir ; elle sentit le caractère extraordinaire du hasard heureux qui lui avait donné une mère pareille et combien il lui serait impossible de jamais grandir et de quitter la maison. Et elle dit, comme une enfant : « Nous avions envie d'aller sur la plage regarder les vagues. »

Aussitôt, et sans aucune raison, Mrs. Ramsay devint semblable à une jeune fille de vingt ans, pleine de gaieté. Elle fut soudain envahie par une grande envie de s'amuser. Bien sûr, il fallait y aller ; oui, bien sûr, s'écria-t-elle en riant. Et, descendant précipitamment les trois ou quatre dernières marches, elle se mit à tourner de l'un à l'autre en riant, elle enveloppa bien Minta dans son manteau, dit qu'elle aurait bien voulu pouvoir les accompagner et leur demanda s'ils rentreraient très tard et s'il y en avait un parmi eux qui eût une montre.

« Oui, dit Minta, Paul en a une. » Paul fit glisser une belle montre d'or d'une petite pochette de peau de chamois pour la lui montrer. Et tout en la tenant sur la paume de sa main devant elle il se dit : « Elle est au courant de ce qui est arrivé. Je n'ai besoin de rien lui dire. Ça y est, Mrs. Ramsay. Et c'est à vous que je dois ça. » Et, tout en regardant cette montre d'or posée sur sa main, Mrs. Ramsay se disait : « Quelle veine extraordinaire a Minta ! Elle épouse un homme qui a une montre d'or dans une pochette de peau de chamois ! »

« Comme je voudrais aller avec vous ! » s'écriat-elle. Mais elle était retenue par quelque chose de si fort qu'il ne lui vint pas à l'esprit de se demander ce que c'était. Bien sûr, il lui était impossible d'aller avec eux. Elle eût cependant aimé le faire si cette autre chose ne l'en avait pas empêchée et, émoustillée par le sentiment de l'absurdité de sa dernière pensée (la veine qu'il y avait à épouser un homme possédant une pochette en peau de chamois pour sa montre), elle passa, un sourire aux lèvres, dans l'autre pièce où son mari était assis et lisait.

18

Evidemment, se dit-elle en entrant, elle avait dû venir ici pour prendre quelque chose dont elle avait besoin. Elle voulait d'abord s'asseoir dans un certain fauteuil sous une certaine lampe. Mais elle voulait quelque chose de plus, bien qu'elle ne sût pas quoi, n'eût aucune idée de quoi il s'agissait. Elle regarda son mari (tout en reprenant son tricot) et vit qu'il ne voulait pas être interrompu — c'était bien clair. Il lisait quelque chose qui l'émouvait profondément. Il souriait à demi, mais elle se rendait compte que c'était pour dominer son émotion. Il tournait vivement les pages. Il semblait jouer un rôle — peut-être s'imaginait-il être le personnage dont il lisait l'histoire. Elle se demanda quel était ce livre. Oh ! c'est un des vieux romans de Sir Walter Scott, vit-elle en ajustant l'abat-jour de manière à faire tomber la lumière sur son ouvrage. Car Charles Tansley avait dit (elle leva les yeux comme si elle se fût attendue à entendre un fracas de livres sur le plancher au-dessus de sa tête) qu'on ne lit plus Scott. Alors son mari avait songé : « C'est ce qu'on dira de moi », et il était allé chercher un de ces livres. Et s'il en arrivait à conclure : « C'est vrai », en songeant à ce que disait Charles Tansley, il engloberait dans cette approbation le jugement de ce dernier sur Scott. (Elle voyait bien qu'il soupesait, examinait, comparait tout avec soin à mesure qu'il lisait.) Mais ce n'était pas de lui-même qu'il s'occupait ainsi. Il était toujours inquiet de lui-même. Cela la troublait. Il se tourmentait toujours au sujet de ses propres livres : les lira-t-on, sont-ils bons, pourquoi ne sont-ils pas meilleurs, que pense-t-on de moi ? Elle n'aimait pas l'imaginer dans de pareils moments. Elle se demandait si l'on avait deviné au dîner pourquoi il était soudainement devenu irritable lorsqu'on s'était mis à parler de la gloire et de la durée de celle des livres. Elle se demandait aussi si ses enfants se moquaient de lui à cause de cela. Ainsi préoccupée, elle arrêta son tricot d'un mouvement brusque et le fin réseau de rides qui encadraient ses lèvres et sillonnaient son front apparut avec une netteté nouvelle comme repassé par des instruments d'acier. Son immobilité présente ressemblait à celle d'un arbre qui a frémi, qui s'est agité et qui, maintenant, quand la brise tombe, s'installe dans le repos, feuille par feuille.

Rien de tout cela n'avait d'importance, se dit-elle. Un grand homme, un grand livre, la gloire — comment savoir ? Elle ignorait tout de ces choses. Mais c'était sa façon de faire à lui, sa sincérité — par exemple pendant le dîner elle s'était dit, sous la seule impulsion de l'instinct : Si seulement il voulait parler ! Elle avait en lui une confiance absolue. Puis elle chassa ces pensées, comme un plongeur sans s'arrêter passe devant une herbe, une paille, une bulle d'air. Et, s'enfonçant toujours, elle éprouva de nouveau l'impression qu'elle avait eue dans le hall pendant qu'on parlait : « Il y a quelque chose dont j'ai besoin — quelque chose que je suis venue chercher. » Et, les yeux fermés, elle descendait toujours sans savoir davantage de quoi il s'agissait exactement. Elle attendit un peu, remise à son tricot, intriguée, et, lentement, les mots qu'on avait dits pendant le repas : « Dans les roses en fleur l'abeille bourdonner », se mirent à osciller d'un côté à l'autre de son esprit d'un mouvement rythmique de clapotis et, pendant cette oscillation, d'autres mots, semblables à de petites lumières tamisées, se mirent à briller dans l'obscurité de son esprit. Il y en avait de rouges, de bleus, de jaunes qui, semblait-il, quittaient leurs perchoirs là-haut pour croiser et recroiser leur course ou bien pousser des cris et animer les échos. Aussi se tourna-t-elle pour chercher à tâtons un livre sur la table.

> Nos vies évanouies et celles qui seront
> Sont pleines de rameaux aux verdeurs saisonnières,

murmura-t-elle en enfonçant ses aiguilles dans son bas. Elle l'ouvrit et se mit à lire çà et là, au hasard, et, tout ce temps-là, elle avait l'impression de monter et de descendre, de se frayer un chemin sous des pétales courbés au-dessus d'elle, de telle sorte que tout ce qu'elle pouvait dire c'est que ceci était blanc ou cela rouge. Au début elle n'avait aucune idée de ce que ces mots pouvaient signifier.

> Inclinez vers ces bords vos mâtures ailées,
> O pauvres nautoniers !

lut-elle, et elle tourna la page, s'abandonnant à un balancement, un zigzag qui l'emportait de-ci de-là, d'un vers à l'autre comme d'une branche à l'autre, d'une fleur rouge et blanche à une autre, jusqu'au moment où un bruit léger la tira de son engourdissement — son mari se tapait les cuisses. Leurs yeux se rencontrèrent une seconde, mais ils n'avaient pas envie de se parler. Ils n'avaient rien à se dire et, néanmoins, quelque chose sembla passer de lui à elle. C'était la vie, la force, l'humour formidable de ce qu'il lisait qui, elle le savait, le faisaient se taper les cuisses. « Ne m'interrompez pas, semblait-il dire, ne parlez pas ; restez assise où vous êtes. » Et il lisait toujours. Ses lèvres frémissaient. Son livre le remplissait, le fortifiait. Il avait complètement oublié les petits froissements, les petites piques de la soirée, l'inexprimable ennui qu'il éprouvait à rester tranquillement assis au milieu de gens qui mangent et boivent interminablement, l'humeur irritable dont il faisait preuve envers sa femme et l'extrême susceptibilité qui apparaissait chez lui lorsqu'on passait rapidement sur ses livres comme s'ils n'eussent pas existé. Il sentait à présent qu'il lui était complètement indifférent de savoir qui arrivait jusqu'à Z (dans l'hypothèse où la pensée va comme un alphabet, de A jusqu'à Z). Quelqu'un y atteindrait — si ce n'était pas lui, ce serait un autre. La force et la santé de ce Walter Scott, le sentiment qu'il a des choses directes et simples, ses pêcheurs, la pauvre vieille créature innocente dans la cabane de Mucklebackit[1] lui infusaient une telle vigueur, un tel sentiment de libération qu'il en était transporté, triomphant, et ne pouvait pas refouler ses larmes. Il leva un peu son livre pour cacher son visage, et, branlant la tête d'un côté à l'autre, oublia complètement sa propre personnalité (mais non point une ou deux réflexions sur la morale, les romans français et les romans anglais, le fait que Scott avait les mains liées sans que peut-être sa vue des choses en fût moins vraie), oublia aussi complètement ses propres ennuis, ses propres insuccès, dans sa lecture du récit de la noyade du pauvre Steenie et du chagrin de Mucklebackit (c'est du meilleur Scott) ainsi que dans l'extraordinaire sensation de délice et de vigueur qu'il y trouvait.

« Oui, essayez donc de faire mieux que ça », se dit-il lorsqu'il eut fini son chapitre. Il lui semblait qu'il venait d'avoir une discussion avec quelqu'un et qu'il était resté vainqueur. Non, on ne pouvait pas faire mieux que cela, quoi qu'on pût dire ; et sa propre position en était fortifiée. Les amoureux de Scott sont de la gnognote, songeait-il, rassemblant dans son esprit tous les éléments de son appréciation. Ça c'est de la gnognote, ça c'est de première, se déclarait-il à lui-même en les comparant entre eux. Mais il avait besoin de relire tout cela. Il ne pouvait pas se rappeler l'ensemble du livre. Il lui fallait réserver son jugement. Il revint donc à cette autre pensée : si les jeunes gens n'aiment plus cela, il est bien évident qu'ils n'aiment pas davantage ce qu'il écrivait, lui. On n'a pas le droit de se plaindre, songeait-il, étouffant son désir de se plaindre à sa femme de ce que les jeunes gens ne l'admirassent

---

1. Personnage du roman de Walter Scott intitulé *L'Antiquaire*. (N. d. T.)

plus. Mais il était bien décidé à ne plus la tourmenter. Il la regarda en train de lire. Elle avait l'air très paisible ainsi. Il lui plaisait de penser que tout le monde s'en était allé et que lui et elle restaient seuls. La vie ne consiste pas tout entière à aller se coucher avec une femme, se dit-il, revenant à Scott et à Balzac, au roman anglais et au roman français.

Mrs. Ramsay leva la tête et, semblable à une personne abandonnée à un sommeil léger, sembla dire que s'il tenait absolument à ce qu'elle se réveillât, elle le voulait bien, mais, s'il en était autrement, ne pouvait-elle pas continuer à dormir un tout petit peu plus ? Elle grimpait dans ces branches, çà et là, posait les mains sur une fleur, puis sur une autre.

« Ni célébrer la rose aux profondeurs vermeilles », lut-elle, et, tout en lisant ainsi, elle continuait son ascension, semblait-il, jusqu'en haut, jusqu'au sommet. Que cela faisait du bien ! Quel repos ! Tout le résidu de la journée venait adhérer à cet aimant ; son esprit se sentait bien balayé et propre. Puis voici qu'à ses yeux se présenta une forme devenue soudainement entière entre ses mains, belle et raisonnable, claire et complète, l'essence de la vie même, ici tout entière contenue — un sonnet.

Mais elle se rendait compte que son mari la regardait. Il lui souriait, d'un air énigmatique, comme s'il se fût moqué doucement d'elle la voyant dormir en plein jour, mais en même temps il lui disait en pensée : « Continuez à lire. Vous n'avez pas l'air triste à présent. » Et il se demandait ce qu'elle lisait ; il exagérait son ignorance, sa simplicité, car il lui plaisait de se dire qu'elle n'était ni brillante, ni savante. Il n'était pas sûr qu'elle comprît ce qu'elle était en train de lire. C'était peu probable. Elle était d'une beauté étonnante. Cette beauté lui semblait augmenter si possible.

> On aurait dit l'hiver encor. Vous étiez loin.
> Je jouais de cette ombre en y mêlant la vôtre,

finit-elle.

« Eh bien ? » demanda-t-elle en levant les yeux et lui rendant son sourire avec une expression songeuse.

> Je jouais de cette ombre en y mêlant la vôtre,

murmura-t-elle en posant le livre sur la table.

Qu'était-il arrivé ? se demanda-t-elle, lorsqu'elle reprit son tricot, depuis qu'elle l'avait vu seul pour la dernière fois. Elle se rappela qu'elle s'était habillée et qu'elle avait vu la lune, qu'Andrew tenait son assiette trop haut au dîner, qu'elle s'était sentie déprimée par quelque chose que William avait dit ; elle revoyait aussi les oiseaux dans les arbres, le canapé sur le palier, les enfants éveillés, Charles Tansley les empêchant de dormir en faisant tomber ses livres — oh ! non ! cela elle ne l'avait pas inventé ; et Paul avait une pochette en peau de chamois pour sa montre. Lequel de ces souvenirs allait-elle choisir pour lui en parler ?

« Ils sont fiancés, dit-elle, se mettant à tricoter, Paul et Minta.

— C'est ce que j'ai deviné », répondit-il. Il n'y avait pas grand-chose à dire sur ce sujet. L'esprit de Mrs. Ramsay était encore emporté dans le mouvement de haut en bas, de bas en haut des vers qu'elle venait de lire ; son mari sentait encore en lui la vigueur, l'allant que lui avait donnés le récit des funérailles de Steenie. Ils restèrent assis sans rien dire. Puis elle se rendit compte qu'elle voulait qu'il dît quelque chose.

N'importe quoi, n'importe quoi, se dit-elle, tout en continuant à tricoter. N'importe quoi fera l'affaire.

« Comme ce doit être agréable d'épouser un homme qui a une pochette en peau de chamois pour y mettre sa montre ! » dit-elle. C'était là un spécimen du genre de plaisanteries qu'ils échangeaient volontiers entre eux.

Il souffla avec mépris. Son sentiment à l'égard de ces fiançailles était celui qu'il éprouvait toujours en semblable circonstance ; la jeune fille était beaucoup trop bien pour le jeune homme. Il en vint peu à peu à se demander pourquoi désire-t-on donc faire se marier les gens ? Quelle était la valeur, la signification des choses ? (Tout ce qu'ils allaient dire maintenant serait vrai.) « Je vous en prie, dites quelque chose », demandait-elle intérieurement, n'éprouvant que le désir d'entendre sa voix. Car l'ombre, la chose qui les enveloppait, commençait, elle le sentait, à l'entourer de nouveau. « Dites n'importe quoi », lui demandait-elle, en le regardant comme pour implorer son appui.

Il restait silencieux, imprimant à sa chaîne de montre un balancement d'un demi-cercle et songeant aux romans de Walter Scott et à ceux de Balzac. Mais à travers les murs crépusculaires de leur intimité elle avait une vision de l'esprit de son mari abritant le sien, le mettant à l'ombre, à la façon d'une main levée, car ils étaient en train de se rapprocher l'un de l'autre, de se mettre côte à côte, l'un contre l'autre, et sans le chercher ; et maintenant que les pensées de sa femme prenaient une direction qu'il n'aimait pas — tendaient à ce qu'il appelait « ce pessimisme » — il commença à s'agiter, et, sans parler davantage, porta une main à son front, tordit une mèche de cheveux, la laissa retomber.

« Vous ne finirez pas ce bas ce soir », finit-il par

dire, lui montrant son ouvrage. C'était cela qu'il lui fallait, cette aspérité dans le ton de son mari qui agissait sur elle comme un reproche. « S'il dit qu'il est mal d'être pessimiste, il a probablement raison, se dit-elle ; ce mariage réussira très bien. »

« Non, répondit-elle, en effaçant les plis du bas sur son genou, je ne le finirai pas. »

Et puis quoi ? Car elle sentait qu'il la regardait toujours mais que son regard avait changé. Il voulait quelque chose — il voulait ce qu'elle trouvait toujours si difficile de lui donner ; il voulait qu'elle lui dît qu'elle l'aimait. Et cela, non, elle ne pouvait pas le faire. Parler, s'exprimer était pour lui tellement plus facile que pour elle ! Il savait dire les choses — et elle ne le savait jamais. Il était donc naturel que ce fût toujours lui qui les dît, mais, sans qu'on sût bien pourquoi, il lui arrivait ensuite de s'en formaliser et de le lui reprocher. Il l'accusait d'être sans cœur ; elle ne lui disait jamais qu'elle l'aimait. Mais son silence n'avait pas la cause qu'il croyait — oh ! non. Ce silence venait simplement de ce qu'elle ne pouvait pas dire ce qu'elle éprouvait. N'y avait-il pas une miette oubliée sur son veston ? N'y avait-il rien qu'elle pût faire pour lui ? Elle se leva et alla se mettre devant la fenêtre, son bas rouge foncé à la main, en partie pour se détourner de lui, et en partie parce qu'il lui était maintenant égal de regarder le Phare en se sentant observée par lui. Elle savait qu'il était en train de se dire : « Vous êtes plus belle que jamais. » Et elle se sentait très belle. « Ne voulez-vous pas, rien qu'une fois, me dire que vous m'aimez ? » C'était cette question qu'il y avait au fond de la pensée de Mr. Ramsay, car il était échauffé tant par l'histoire de Minta et de son livre, que par le fait que c'était à présent la fin de la journée et qu'ils s'étaient querellés au sujet de cette promenade au Phare. Mais elle ne pouvait pas le faire ; elle ne pouvait pas se résoudre à dire ce qu'il attendait. Puis, sachant qu'il l'observait, au lieu de dire quoi que ce soit, elle se tourna, son bas toujours à la main, et le regarda. Et tout en le regardant elle se mit à sourire, car, bien qu'elle n'eût pas dit un mot, il savait, oui, bien sûr, il savait qu'elle l'aimait. Il ne pouvait pas le nier. Et, tout en souriant, elle regarda par la fenêtre et dit (en songeant que rien ici-bas ne pouvait égaler ce bonheur) :

« Oui, vous aviez raison. Il pleuvra demain. »

Elle n'avait pas prononcé ces paroles, mais il les avait tout de même entendues. Et elle le regardait, souriante. Car elle avait de nouveau triomphé.

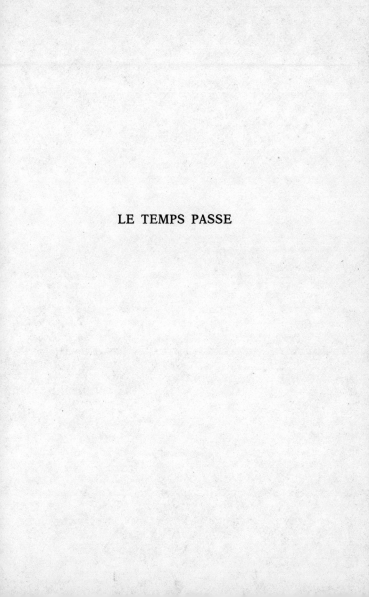

LE TEMPS PASSE

1

« Eh bien, il faut attendre l'avenir », dit Mr. Bankes, arrivant de la terrasse.

« Il fait si sombre qu'on n'y voit presque rien », dit Andrew, arrivant de la plage.

« C'est à peine si on peut distinguer la mer de la terre », dit Prue.

« Est-ce qu'on laisse brûler cette lumière ? » demanda Lily tandis qu'ils quittaient leurs manteaux.

« Non, répondit Prue, non, si tout le monde est rentré. »

« Andrew, appela-t-elle, éteignez donc la lumière du hall. »

Une à une toutes les lampes furent éteintes, sauf cependant que Mr. Carmichaël, qui aimait lire Virgile dans son lit, garda sa bougie allumée un peu plus longtemps que les autres.

2

Ainsi, toutes les lampes éteintes, la lune disparue et une pluie fine tambourinant sur le toit, une immense obscurité s'abattit. Rien, semblait-il, ne pouvait survivre à cette profusion, cette inondation de ténèbres qui s'insinuait par les serrures et les crevasses, se glissait autour des stores, montait dans les chambres, avalait ici un pot à eau et une cuvette, là un vase garni de dahlias rouges et jaunes ou encore la fine silhouette et la masse ferme d'une commode. Ce n'était pas seulement que tout le mobilier se trouvât confondu ; mais il était difficile de trouver quoi que ce fût de corporel ou de spirituel qui permît de dire : « C'est lui » ou « C'est elle ». Parfois une main se levait comme pour saisir quelque chose ou s'en préserver, quelqu'un poussait un gémissement, ou riait bruyamment comme s'il eût été en train de plaisanter avec le néant.

Rien ne bougeait dans le salon, la salle à manger ou l'escalier. Mais certains airs, détachés de la masse centrale du vent, passèrent par les gonds rouillés et les boiseries gonflées par l'humidité de la mer, se faufilèrent par les coins de la maison et s'aventurèrent à l'intérieur. On pouvait presque les imaginer, entrant dans le salon, questionnant, s'intriguant, jouant avec un lambeau de la tapisserie, se demandant s'il tiendrait beaucoup plus longtemps et quand il allait tomber. Puis, d'un frôlement léger, ils passèrent le long des murs, l'air méditatif, semblant demander aux roses rouges et jaunes de la tapisserie si elles allaient se flétrir et interroger — doucement, car ils avaient du temps à leur disposition — les lettres déchirées de la corbeille à papier, les fleurs, les livres, tous ouverts pour eux, afin de savoir s'ils étaient des alliés, des ennemis et combien de temps ils allaient demeurer là.

Ainsi dirigés par quelque lumière égarée, tombée d'une étoile dévoilée, d'un navire errant, ou même du Phare, sa pâle empreinte posée sur les marches et les paillassons, les petits airs montèrent l'escalier et fouinèrent autour des portes des chambres à coucher. Ici, bien certainement, il leur fallait s'arrêter. Quoi qui puisse périr et disparaître ailleurs, ce qui se trouve ici est bien solide. Ici, pouvait-on dire à ces lueurs fugitives, à ces airs tâtonnants qui respirent et se penchent sur le lit même, ici vous ne pouvez rien toucher ni rien détruire. Sur quoi, avec un air las et spectral, comme si leurs doigts eussent eu la légère persistance de la plume, ils regardèrent, une seule fois, les yeux fermés, la molle étreinte des mains des dormeurs, puis, ramenant sur eux leurs vêtements d'un geste fatigué, ils disparurent. Ainsi, toujours furetant, toujours affairés, ils allèrent à la fenêtre de l'escalier, aux chambres des domestiques, aux malles du grenier ; puis, descendant, ils blanchirent les pommes sur la table de la salle à manger, fouillèrent dans les pétales des roses, s'essayèrent sur le tableau posé sur un chevalet, brossèrent le paillasson et soufflèrent un peu de sable sur le plancher. A la fin, ils cessèrent tous ensemble, se réunirent, soupirèrent en chœur ; en chœur aussi produisirent une rafale au son lamentable à laquelle une porte dans la cuisine répondit en s'ouvrant toute grande, puis sans avoir rien laissé entrer, cette porte se referma bruyamment.

(Ici Mr. Carmichaël, qui lisait Virgile, souffla sa bougie. Il était minuit passé.)

3

Mais, après tout, qu'est-ce qu'une nuit ? Un espace bien court, surtout lorsque l'obscurité s'atténue si vite, qu'on entend si tôt chanter un oiseau, croasser une corneille, ou qu'on voit s'aviver faiblement, au fond d'une vague, un vert pâle semblable à celui d'une feuille naissante. La nuit cependant succède à la nuit. L'hiver en possède un paquet dans son magasin et les sort d'un mouvement égal et mesuré, avec des doigts infatigables. Elles s'allongent ; elles s'obscurcissent. Certaines d'entre elles suspendent là-haut de claires planètes, plaques étincelantes. Les arbres automnaux, tout ravagés qu'ils soient, connaissent l'éclat qui parcourt quelquefois les drapeaux en haillons dans l'obscurité fraîche des caveaux de cathédrales où des lettres d'or sur des pages de marbre parlent de mort sur le champ de bataille et d'ossements blanchis et consumés bien loin, là-bas, sur les sables de l'Inde. Les arbres automnaux brillent dans le jeune clair de lune, le clair de lune des moissons qui donne sa plénitude heureuse à l'énergie du travailleur, étend sa douceur sur l'aspérité du chaume et apporte au rivage la caresse bleue de la vague.

Il semblait maintenant que, touchée par la pénitence humaine et tout ce qu'elle comporte de labeur, la bonté divine eût écarté le rideau pour faire voir ce qui se trouvait derrière lui, le lièvre seul, tout droit, nettement détaché ; la chute de la vague ; le balancement du bateau, toutes visions qui devraient toujours être nôtres, si nous en étions dignes. Mais, hélas ! la bonté divine tire le rideau d'un coup sec ; il ne lui plaît point de nous montrer ce spectacle ; elle couvre ses trésors d'une avalanche de grêle et les brise, les mêle de telle façon qu'il semble impossible qu'ils puissent jamais recouvrer leur calme ni que nous puissions jamais composer avec leurs fragments un tout parfait ou lire dans leurs morceaux dispersés les claires paroles de la vérité. Car notre pénitence ne mérite qu'un aperçu et notre labeur que du répit.

Les nuits sont maintenant pleines de vent et de destruction ; les arbres courbés font des plongeons et leurs feuilles s'envolant dans toutes les directions jonchent la pelouse, s'amoncellent dans les ruisseaux, bouchent les gouttières et parsèment les sentiers humides. La mer aussi s'agite et se brise et si quelqu'un s'imaginant dans son sommeil qu'il peut trouver sur la plage une réponse à ses doutes, un compagnon pour partager sa solitude, repousse ses couvertures et s'en va tout seul se promener sur le sable, aucune apparition dont l'air évoque une serviable et divine promptitude n'arrivera aussitôt pour mettre la nuit en ordre et faire réfléchir par le monde toute l'amplitude de l'esprit. La main se rétrécit dans sa main ; la voix mugit dans son oreille. Il semblerait presque qu'il est inutile dans une pareille confusion de poser à la nuit ces questions fondamentales auxquelles pour répondre le dormeur est tenté de s'arracher à son lit.

(Mr. Ramsay, trébuchant le long d'un couloir, étendit les bras, un matin obscur. Mais Mrs. Ramsay étant morte assez soudainement la veille au soir, ils restèrent vides.)

4

Ainsi la maison se trouvant vide, les portes fermées à clef et les matelas roulés, ces airs vagabonds, avant-gardes de grandes armées, entrèrent tumultueusement, frôlèrent des panneaux nus, mordillèrent, soufflèrent, ne rencontrèrent aucune résistance sérieuse dans les chambres à coucher ou le salon, rien que des tentures qui s'agitaient, du bois qui craquait, les pieds nus des tables, des casseroles et de la porcelaine déjà noircies, ternies, craquelées. Ce que l'on avait jeté, abandonné — une paire de souliers, une casquette de chasse, des jupes et des vestons défraîchis dans des garde-robes — ces objets-là seuls gardaient une forme humaine et, dans ce vide général, indiquaient qu'ils avaient été jadis gonflés par de la vie ; que des mains avaient manié des crochets et des boutons ; que le miroir avait jadis contenu un visage, un monde, creusé, semblait-il, dans sa profondeur, dans lequel parfois une forme humaine s'était tournée, une main avait passé comme un éclair, une porte s'était ouverte, des enfants s'étaient précipités en trébuchant, étaient repartis. Maintenant, tous les jours, la lumière tournante projetait sa claire image sur le mur d'en face, comme une fleur se mirant dans l'eau. Les ombres des arbres cependant, dont le vent agitait les panaches, faisaient des révérences qui, apparaissant sur ce mur, obscurcissaient un instant le lac où se réfléchissait la lumière ; ou encore des oiseaux en fuyant promenaient à travers le plancher une tache au doux frémissement.

C'est ainsi que régnaient ensemble le calme et la beauté, et leur union donnait à cette même beauté l'aspect d'une forme d'où la vie s'est retirée, forme solitaire comme un étang aperçu le soir dans le lointain de la fenêtre d'un wagon et qui disparaît si vite dans sa pâleur vespérale que c'est à peine si notre regard l'a dépouillé de cette solitude. Le calme et la beauté se donnaient la main dans la chambre à coucher et l'irruption indiscrète du vent, comme l'inquisition douce et tenace des airs chantés par la mer, qui, au milieu des pots à eau et des chaises recouvertes de leur housse soufflaient, insistaient, répétaient leurs éternelles questions : « Allez-vous vous faner ? Allez-vous périr ? », troublaient à peine

cette paix, cette indifférence, cet air de pure intégrité, comme si à la question qu'ils posaient il n'eût
guère été nécessaire de répondre : nous demeurons.

Rien, semblait-il, ne pouvait briser cette image,
corrompre cette innocence ou troubler ce mouvant
manteau de silence qui, à mesure que les semaines
se succédaient dans la chambre vide, absorbait dans
sa texture les cris finissants des oiseaux, les sirènes
des navires, les murmures et les bourdonnements
des champs, l'aboiement d'un chien, l'appel d'un
homme, et les enveloppait dans ses plis tout autour
de la maison. Une seule fois une planche sortit de
sa place sur le palier ; une fois au milieu de la nuit
avec un fracas de rupture, un pli du châle se défit
et se mit à se balancer, comme on voit, après des
siècles d'immobilité, un rocher s'arracher à la montagne et se précipiter dans la vallée en écrasant tout
sur son passage. Puis, de nouveau la paix s'établit ;
l'ombre trembla ; la lumière s'inclina devant sa
propre image qu'elle adorait sur le mur de la
chambre ; puis Mrs. MacNab, déchirant le voile du
silence de ses mains qui avaient trempé dans le seau
à laver, l'écrasant sous des souliers qui avaient broyé
le gravier de la plage, arriva pour ouvrir toutes les
fenêtres et épousseter les chambres, comme elle en
avait reçu l'ordre.

5

Elle chantait tout en faisant des embardées (car
elle roulait comme un navire sur la mer), en jetant
des regards en coulisse (car ses yeux ne se posaient
franchement sur rien mais opéraient du coin des

paupières) avec un air de demander grâce au mépris irrité de ce monde (elle savait bien qu'elle était simple d'esprit), en s'accrochant à la rampe pour se hisser dans l'escalier et en dévalant de chambre en chambre. Comme elle frottait le long miroir et faisait des œillades à sa propre et oscillante personne, un son sortait de ses lèvres — quelque air qui avait été gai peut-être vingt ans auparavant sur la scène, qui avait été fredonné, au rythme duquel on avait dansé, mais qui, maintenant, émanant de cette femme édentée, en bonnet et préposée aux gros ouvrages, avait perdu toute signification, semblait être la voix même de la niaiserie, de l'humeur, de l'obstination, foulées aux pieds mais se relevant toujours. Ainsi cette femme avec ses embardées, toujours en train d'épousseter et de frotter, semblait dire que tout n'était qu'une longue tristesse, une longue peine, un réveil matinal et un coucher tardif, et sortir les choses pour ensuite les remettre en place. Il n'était ni facile ni confortable ce monde qu'elle avait connu depuis près de soixante-dix ans. Elle était courbée par la lassitude. Combien de temps cela va-t-il durer ? se demandait-elle en se mettant à genoux pour nettoyer le dessous des lits. Mais elle se remettait debout en trébuchant quelque peu, elle se redressait, puis, de nouveau, avec son regard de côté qui semblait, emporté par son glissement, dépasser son visage, et toujours nantie de ses chagrins, elle se tenait bouche bée devant la glace, avec un vague sourire, parlait en trottinant et en trébuchant, s'attaquait aux matelas, mettait la porcelaine à sa place, et faisait une autre œillade au miroir comme si, après tout, elle eût eu ses consolations, comme si un espoir incorrigible se fût entortillé dans ses lamentations. Il avait dû y avoir pour elle des visions de joie attachées au seau à lessivage, à la présence de ses enfants (deux pourtant étaient illégitimes et un l'avait abandonnée), à ses libations au cabaret, à tripoter des chiffons dans les fonds de tiroir. Il avait dû y avoir quelque faille dans ses ténèbres, quelque canal traversant son obscure profondeur grâce auxquels elle y voyait assez pour, devant cette glace, grimacer un sourire et chevroter, en reprenant son ouvrage, sa vieille chanson de music-hall. Cependant les mystiques, les visionnaires se promenaient sur la plage, remuaient l'eau d'une flaque, regardaient une pierre et se demandaient : « Qu'est-ce que je suis ? », « Qu'est-ce que cela ? » Soudain ils recevaient une réponse (mais sans pouvoir dire en quoi elle consistait) et se sentaient en conséquence réchauffés dans leur froid et réconfortés dans leur désert. Mais Mrs. MacNab continuait à boire et à bavarder comme avant.

6

Le printemps, sans feuille à agiter, dans la brillante nudité d'une vierge chaste et farouche, pure et méprisante, avait été installé dans les champs où il demeurait les yeux ouverts, attentif, entièrement indifférent aux faits et gestes comme aux pensées des gens qui l'observaient.

(Prue Ramsay, appuyée au bras de son père, se maria pendant ce mois de mai. Aucune union n'aurait pu être plus assortie, disait-on. Et, ajoutait-on, qu'elle paraissait belle !)

Comme l'été approchait, comme les soirées s'allongeaient, les vigilants, les confiants, qui se promenaient sur la plage et agitaient l'eau des flaques, eurent des visions de la plus étrange espèce : de chair transformée en atomes chassés par le vent, d'étoiles s'allumant soudain dans leur cœur, de falaise, de mer, de nuage et de ciel rassemblés à dessein pour réunir dans une forme extérieure les fragments dispersés de l'image intérieure. Dans ces miroirs que sont les esprits des hommes, dans ces flaques d'eau inquiète, où incessamment tournent les nuages et se produisent les ombres, les songes persistaient et il était impossible de résister à l'étrange suggestion que semblaient faire toutes les mouettes, toutes les fleurs, tous les arbres, tous les êtres humains et la terre elle-même dans sa blancheur, à savoir que le bien triomphe, le bonheur l'emporte, l'ordre gouverne (mais tous ces témoins se dérobaient lorsqu'on leur posait une question précise) ; impossible également de résister à une extraordinaire impulsion de s'en aller de tous côtés à la recherche d'un bien absolu, d'une intensité cristalline, éloignée des plaisirs connus et des vertus familiales, quelque chose d'étranger au mécanisme de la vie domestique, possédant l'unité, la dureté, le brillant comme un diamant enfoui dans le sable et dont la possession assure la sécurité. D'ailleurs le printemps, pénétré d'une acquiesçante douceur, le printemps aux bourdonnements d'abeilles et aux danses de moucherons, se drapait dans son manteau, se voilait les yeux, et, au milieu des ombres passagères et des brèves ondées, semblait s'être initié aux peines de l'humanité.

(Prue Ramsay mourut l'été suivant de suites de couches, une véritable tragédie, dit-on. On disait aussi que personne n'avait plus mérité d'être heureuse.)

Et maintenant, au plus fort de l'été, le vent envoya de nouveau ses espions dans la maison. Des mouches entrelaçaient leurs vols dans les pièces ensoleillées ; des herbes qui avaient poussé pendant la nuit tout contre les fenêtres tapaient méthodiquement la vitre. Lorsque l'obscurité faiblissait, le faisceau de lumière du Phare, qui s'était posé avec tant d'autorité sur le tapis dans la nuit et en avait fait apparaître le dessin, arrivait à présent dans un mélange de douce lumière du printemps et de clair de lune ; il glissait doucement dans un mouvement de caresse, s'attardait en secret, regardait longuement, puis revenait avec la même tendresse. Mais dans le bercement même de cette caresse, lorsque le plus long des rayons se penchait sur le lit, le rocher se fendait ; un autre pli du châle se défaisait, retombait avec un balancement. A travers les courtes nuits et les longues journées d'été, alors que les pièces vides semblaient accorder leurs murmures aux échos des champs et au bourdonnement des mouches, le long pli défait se balançait doucement, d'un mouvement désordonné, tandis que le soleil mettait dans les pièces tant de rayures et de barrures et les remplissait d'une telle buée jaune que Mrs. MacNab, lorsqu'elle y faisait irruption avec ses embardées pour épousseter et balayer, ressemblait à un poisson tropical voguant dans des eaux zébrées de soleil.

Mais en dépit de tant d'engourdissement et de sommeil, des bruits menaçants se produisirent à mesure que l'été s'avançait. C'était comme des coups de marteau rythmés et amortis par du feutre et dont les chocs répétés défaisaient davantage le châle et fêlaient les tasses à thé. De temps en temps du cristal tintait dans le buffet comme si quelque voix géante eût poussé un tel hurlement de détresse que des verres installés dans un buffet dussent en vibrer. Puis, de nouveau, le silence s'établissait et, la nuit, parfois en plein midi lorsque les roses étaient dans tout leur éclat et que la lumière éclairait à plein le mur, on avait distinctement l'impression que, dans ce silence, cette indifférence, cette intégrité, se faisait entendre le bruit sourd de quelque chose qui tombait.

(Un obus fit explosion. Vingt ou trente jeunes gens furent tués en France et parmi eux Andrew Ramsay, dont la mort, Dieu merci, fut instantanée.)

Cette saison-là, ceux qui étaient allés se promener sur la plage pour demander à la mer et au ciel quel message ils avaient à annoncer ou quelle vision à révéler, eurent à examiner parmi les gages habituels de la générosité divine — le coucher de soleil sur la mer, la pâleur de l'aube, le lever de la lune, les bateaux de pêche se détachant sur la lumière et les enfants se bombardant avec des poignées de gazon — quelque chose qui ne s'accordait pas avec cette allégresse et cette sérénité. Il y eut par exemple l'apparition silencieuse d'un navire couleur de cendre, aussitôt parti qu'arrivé ; il y eut une tache violâtre sur la calme surface de la mer comme si quelque chose eût bouillonné et saigné, invisiblement, dans ses profondeurs. Cette intrusion dans un spectacle fait pour exciter les réflexions les plus sublimes et faire aboutir aux conclusions les plus réconfortantes arrêta les promeneurs. Il était difficile de la traiter par l'indifférence, de faire fi de ce qu'elle signifiait dans ce paysage ; de continuer, en marchant devant la mer, à s'émerveiller de la façon dont la beauté du dehors réfléchissait celle du dedans.

La Nature ajoute-t-elle à ce que l'homme a produit ? Achève-t-elle ce qu'il commence ? Avec la même complaisance, elle voit sa misère, excuse sa bassesse, acquiesce à ses tortures. Ainsi ce rêve de partage, d'achèvement, de réponse trouvée dans la solitude de la plage, n'était qu'un reflet dans un miroir et le miroir lui-même n'était que cette surface vitreuse qui se forme au repos lorsque nos facultés nobles s'assoupissent au-dessous ? Dans leur état d'impatience, de désespoir, il leur était impossible d'arpenter la plage et cependant il leur répugnait de la quitter (car la beauté offre ses enchantements et ses consolations) ; il était insupportable de la contempler ; le miroir était brisé.

(Mr. Carmichaël publia au printemps de cette année-là un volume de poésies qui eut un succès inattendu. La guerre, disait-on, avait fait revivre le goût des vers.)

7

Toutes les nuits, à travers l'été et l'hiver, le tourment des tempêtes, la fixité du beau temps, semblables à la droiture de la flèche, régnèrent sans trouble. Si l'on avait pu écouter des pièces d'en haut de la maison vide on n'aurait entendu que les secousses, les écroulements d'un chaos gigantesque traversé d'éclairs. Les vents et les vagues s'ébattaient à la façon de léviathans amorphes et gigantesques dont le front ne laisse passer aucune lueur de raison et qui, montés l'un sur l'autre, dans des jeux imbéciles, font des poussées, des plongeons dans les ténèbres ou la lumière (car la nuit et le jour, les mois et les années se confondaient en une masse informe), et cela au point qu'on eût dit que l'univers tout entier se battait contre lui-même, se culbutait dans une brutale confusion, dans un déchaînement d'incohérents appétits.

Pendant le printemps les urnes du jardin, garnies au hasard de plantes dont le vent avait apporté la graine, furent aussi gaies que jamais. Les violettes arrivèrent, puis les asphodèles. Cependant le tranquille éclat des journées était aussi étrange que le chaos tumultueux des nuits avec ces arbres et ces fleurs plantés là qui regardaient devant eux ou en l'air, mais sans rien voir, car ils étaient sans yeux, et par là terribles.

8

Mrs. MacNab se baissa et cueillit une gerbe de fleurs pour l'emporter chez elle. Elle n'y voyait pas malice car la famille ne devait pas venir, ne viendrait jamais plus, disaient quelques-uns, et la maison allait peut-être être vendue à la Saint-Michel. Elle les posa sur la table pendant qu'elle époussetait. Elle aimait les fleurs. C'était dommage de les laisser perdre. A supposer que la maison fût vendue (elle se tenait les bras écartés devant le miroir), elle aurait besoin d'être entretenue, pour sûr. Elle était restée toutes ces dernières années sans personne pour y habiter. Les livres et les autres choses qu'elle contenait étaient moisis car, tant par suite de la guerre que de la difficulté qu'on avait à trouver de l'aide, la maison n'avait pas été aussi bien nettoyée qu'elle l'aurait voulu. Et maintenant une seule personne ne suffisait plus pour la remettre en état. Elle était trop vieille. Les jambes lui faisaient mal. Tous ces livres avaient besoin d'être étalés sur le gazon au soleil ; il y avait du plâtre qui était tombé dans le hall, le tuyau d'écoulement des eaux s'était bouché au-dessus de la fenêtre du cabinet de travail et avait laissé passer l'eau, le tapis était tout à fait en ruine. Mais il fallait que les maîtres vinssent eux-mêmes ; ils auraient dû envoyer quelqu'un pour se rendre compte. Car il y avait des vêtements dans les placards ; on en avait laissé dans toutes les chambres. Que fallait-il en faire ? Les mites s'y étaient mises — dans les affaires de Mrs. Ramsay. Pauvre dame ! Elle n'en aurait jamais plus besoin. Elle était morte, disait-on ; il y avait des années de cela, à Londres. Voilà le vieux manteau gris qu'elle portait pour faire son jardinage. (Mrs. MacNab le tâtait.) Il lui semblait la voir, lorsqu'elle montait l'allée pour apporter la lessive, se pencher sur les fleurs (le jardin offrait maintenant un spectacle lamentable ; tout poussait à l'aventure et les lapins sortaient des plates-bandes et se jetaient sur vous) — oui, il lui semblait la voir dans ce manteau gris, avec un de ses enfants à côté d'elle. Il y avait des souliers et des bottines et une brosse et un peigne laissés sur la table de toilette comme si elle eût eu l'intention d'arriver demain. (Sa fin avait été très brusque, disait-on.) Une fois la famille avait dû venir, mais elle avait remis son voyage ; il y avait la guerre et il était bien difficile de voyager par le temps présent ; pendant toutes ces années personne n'était venu ; on se contentait de lui envoyer de l'argent ; mais on n'avait jamais écrit, on n'était jamais venu et on s'attendait à trouver les choses comme on les avait laissées, ah ! Dieu ! Mais les tiroirs de la table de toilette étaient pleins d'affaires (elle les ouvrit), de mouchoirs, de bouts de rubans. Oui, il lui semblait voir Mrs. Ramsay au moment où elle montait l'allée avec la lessive.

« Bonsoir, Mrs. MacNab », disait-elle.

Elle avait des façons plaisantes. Toutes les servantes l'aimaient. Mais mon Dieu ! que de choses avaient changé depuis cette époque ! (Elle ferma le tiroir.) Que de familles avaient perdu ceux qui leur étaient le plus chers ! Ainsi elle était morte ; et Mr. Andrew était tué ; et Miss Prue était morte, elle aussi, disait-on, avec son premier enfant ; mais tout le monde avait perdu quelqu'un pendant ces dernières années. Les prix avaient monté d'une façon honteuse et n'avaient pas l'air de descendre. Oui, elle se la rappelait bien dans son manteau gris.

« Bonsoir, Mrs. MacNab », disait-elle, et elle ordonnait à la cuisinière de garder une assiette de soupe au lait pour Mrs. McNab, elle était bien sûre que celle-ci en avait besoin, après avoir porté ce gros panier depuis la ville. Elle croyait la voir en ce moment en train de se pencher sur des fleurs (et, faible et vacillante, comme un rayon jaune ou le cercle qui termine un télescope, une dame en manteau gris, penchée sur ses fleurs, errait sur le mur de la chambre à coucher, sur la table à toilette, à travers le lavabo, pendant que Mrs. MacNab clopinait et trottinait, époussetait, mettait en ordre).

Et, voyons, comment s'appelait la cuisinière ? Mildred ? Marian ? — un nom dans ce genre. Ah ! elle avait oublié — elle en oubliait des choses ! Elle était ardente comme toutes ces femmes aux cheveux roux. Elles avaient bien souvent ri ensemble. On lui faisait toujours bon accueil à la cuisine. Elle les faisait rire, oui, pour sûr. Les choses allaient mieux alors qu'aujourd'hui.

Elle soupira ; il y avait trop de travail pour une seule femme. Elle secoua la tête d'un côté et de l'autre. Ici c'était la nursery. Que c'était donc humide, ici ! Le plâtre tombait. Quelle idée avait-on eue de suspendre une tête d'animal là ? Elle s'était moisie, elle aussi. Et il y avait des rats dans tous les greniers. La pluie entrait. Mais ils n'envoyaient jamais personne ; ils ne venaient jamais. Quelques serrures étaient parties et les portes battaient. Elle n'aimait pas beaucoup se trouver ici toute seule au crépuscule non plus. C'était trop pour une femme, beaucoup, beaucoup trop. Elle craquait aux jointures, elle gémissait. Elle fit claquer la porte. Elle tourna la clef dans la serrure et laissa la maison fermée, verrouillée, toute seule.

9

La maison était abandonnée, désertée. On l'avait laissée comme on laisse sur une dune un coquillage qu'envahissent des grains de sel desséché, depuis que la vie l'a quitté. La longue nuit semblait avoir commencé ; les petits airs grignoteurs, murmurés par le vent, les souffles visqueux et tâtonnants paraissaient avoir triomphé. La casserole s'était rouillée et le paillasson était en lambeaux. Des crapauds s'étaient introduits à l'intérieur. Le châle se balançait indolemment et sans but. Un chardon s'insinuait entre les dalles du garde-manger. Les hirondelles nichaient dans le salon ; le plancher était jonché de paille ; le plâtre tombait à pelletées ; des solives apparaissaient toutes nues ; des rats emportaient ceci et cela pour le ronger derrière les boiseries. Des papillons couleur d'écaille jaillis de leur chrysalide passaient leur vie à tambouriner sur les vitres. Des coquelicots étaient semés au milieu de dahlias ; la pelouse disparaissait sous de longues herbes ondoyantes ; des artichauts géants se dressaient au milieu des roses ; un œillet frangé fleurissait au milieu des choux ; cependant que le doux tapotement d'une herbe à la fenêtre était devenu, par les nuits d'hiver, un roulement de tambour produit par les gros arbres et les bruyères épineuses qui, l'été, remplissaient la pièce de verdure.

Quelle force pouvait maintenant mettre obstacle à l'insensible fertilité de la nature ? Le rêve que faisait Mrs. MacNab d'une dame, d'un enfant, d'une assiette de soupe au lait ? Ce rêve avait vacillé sur les murs comme une tache de lumière, puis s'était évanoui. Elle avait fermé la porte à clef ; elle était partie. Cela dépassait les moyens d'une femme, disait-elle. Ils ne venaient jamais. Ils n'écrivaient jamais. Il y avait là-haut des affaires qui pourrissaient dans les tiroirs — c'était une honte de les laisser ainsi, disait-elle. La maison était abandonnée au désordre et à la ruine. Seul le rayon du Phare entrait un instant, envoyait son éclat soudain sur le lit et le mur dans l'obscurité de l'hiver, regardait avec tranquillité le chardon et l'hirondelle, le rat et la paille. Rien maintenant ne s'opposait à ces rayons ; rien ne les contredisait. Le vent pouvait souffler ; le coquelicot et l'œillet pouvaient mêler leurs graines à celles des choux. L'hirondelle pouvait construire son nid dans le salon, le chardon écarter les dalles et le papillon se chauffer au soleil sur la cretonne fanée des fauteuils. Le verre cassé et la porcelaine pouvaient demeurer sur la pelouse et disparaître dans la confusion de l'herbe et des baies sauvages.

Car maintenant était arrivé ce moment hésitant où l'aube tremble et la nuit s'arrête, où la plume la plus légère fera pencher la balance. Si cette plume s'était posée, la maison, s'affaissant, tombant, serait allée s'effondrer dans des abîmes d'obscurité. Dans la pièce en ruine des pique-niqueurs auraient fait chauffer leur thé ; des amoureux se seraient réfugiés et étendus sur les planches nues ; le berger aurait mis sa nourriture en réserve sur des briques et le chemineau aurait dormi serré dans sa veste pour se préserver du froid. Puis le toit serait tombé ; les bruyères et le chanvre auraient effacé sentiers, marches et fenêtres ; auraient poussé avec une vigueur inégale sur le monticule représentant les ruines de la maison, jusqu'au jour où quelqu'un ayant perdu son chemin et s'aventurant jusqu'ici, n'aurait reconnu qu'à la présence d'un plant de tritoma au milieu des orties, ou d'un fragment de porcelaine dans le chanvre, que jadis on avait vécu ici ; qu'il y avait eu une maison.

Si la plume était tombée sur le plateau de la balance, et avait fait descendre celui-ci, la maison tout entière, s'engouffrant dans des profondeurs, serait allée reposer sur les sables de l'oubli. Mais il y avait une force qui travaillait en elle ; point très consciente d'elle-même ; qui faisait des yeux en coulisse et s'avançait avec des embardées ; qui n'éprouvait pas le besoin de se mettre à la besogne avec un rite majestueux ou des chants solennels. Mrs. Mac-Nab gémissait ; Mrs. Bast craquait aux jointures. Elles étaient vieilles ; elles étaient raides ; les jambes leur faisaient mal. Elles finirent par arriver avec leurs balais et leurs seaux ; elles se mirent à l'œuvre. Une de ces jeunes dames avait brusquement écrit pour demander à Mrs. MacNab de préparer la maison ; voulait-elle se charger de ceci et de cela ? C'était très pressé. Il se pouvait qu'on vînt passer l'été ; on avait attendu jusqu'au dernier moment ; on s'attendait à tout trouver comme on l'avait laissé. Lentement, péniblement, à coups de seau et de balai, à force de nettoyage et de récurage, Mrs. MacNab et Mrs. Bast arrêtèrent la décomposition et la pourriture ; arrachèrent à la crue de néant qui les aurait cernées à bref délai un jour une cuvette, un autre une armoire ; sauvèrent de l'oubli un matin tous les romans de Walter Scott et un service à thé ; et, l'après-midi, restituèrent à l'air et au soleil un garde-cendres de cuivre, une pelle et des pincettes d'acier. George, le fils de Mrs. Bast, attrapa les rats et coupa le gazon. On fit venir les maçons. Au milieu du grincement des gonds, du hurlement des verrous, du claquement et du fracas des portes gonflées d'humidité, et au sein de cet engourdissement, un enfantement laborieux semblait se produire. Les deux femmes, se courbant, se redressant, gémissant, chantant, faisant claquer étoffes et portes, passaient et repassaient du grenier à la cave. Oh ! disaient-elles, quel travail !

Elles prenaient leur thé tantôt dans la chambre à coucher et tantôt dans le cabinet de travail ; elles s'arrêtaient à midi, le visage tout barbouillé et leurs vieilles mains raidies conservant la forme du manche à balai. Elles se laissaient tomber sur leurs chaises et contemplaient tantôt leur magnifique conquête sur les robinets et la baignoire ; tantôt leur triomphe plus difficile et plus limité sur les longues rangées de livres, jadis aussi noirs que l'aile du corbeau et qui, couverts de taches blanchâtres, avaient abrité de pâles champignons et dissimulé de furtives araignées. Une fois de plus, et tandis qu'elle sentait en elle la chaleur du thé, un télescope vint s'ajuster aux yeux de Mrs. MacNab et, dans un cercle de lumière, elle vit le vieux monsieur, maigre comme une perche, qui secouait la tête en parlant tout seul sur on dirait la pelouse, alors qu'elle arrivait avec sa lessive. Il ne faisait jamais attention à elle. Les uns disaient qu'il était mort ; d'autres disaient que c'était elle. Lesquels fallait-il croire ? Mrs. Bast elle non plus n'était pas bien fixée. Le jeune monsieur était mort. Ça c'était sûr. Elle avait vu son nom dans les journaux.

Et puis il y avait la cuisinière, cette Mildred, Marian, un nom comme ça — une femme à cheveux roux et qui était vive comme toutes les femmes de cette espèce, mais bonne fille aussi, quand on savait la prendre. Elles avaient ri ensemble bien souvent. Elle gardait une assiette de soupe pour Maggie ; quelquefois un morceau de jambon ; tout ce qui restait. On vivait bien à cette époque. On avait tout ce qu'on voulait (avec cette chaleur du thé en elle,

190

elle déroulait le peloton de ses souvenirs, intarissable et gaie). Il y avait toujours beaucoup à faire, des gens dans la maison, jusqu'à vingt personnes à la fois, et on lavait la vaisselle jusqu'à bien après minuit.

Mrs. Bast (elle ne les avait jamais connus ; elle habitait Glasgow à cette époque) ouvrait de grands yeux, posait sa tasse, demandait pourquoi on avait suspendu là cette tête d'animal. On l'avait tué dans quelque pays lointain, sans doute.

Ça pouvait bien être, dit Mrs. MacNab, se remettant à vagabonder dans ses souvenirs. Ils avaient des amis dans les pays de l'Orient. Des messieurs venaient faire des séjours ainsi que des dames en toilette de soirée ; elle les avait vus une fois à table par la porte de la salle à manger. Il y en avait bien vingt, croyait-elle, les dames avec leurs plus beaux bijoux ; et on lui avait demandé de rester pour aider à faire la vaisselle ; ça avait duré jusqu'après minuit, croyait-elle.

« Ah ! dit Mrs. Bast, les maîtres trouveraient du changement. » Elle se pencha à la fenêtre. Elle regarda son fils George faucher l'herbe. On pouvait certes se demander ce qu'on y avait fait. Car c'était le vieux Kennedy qui en était chargé, mais sa jambe était devenue très mauvaise depuis qu'il était tombé de sa charrette ; et puis personne ne s'en était occupé pendant un an ou presque ; et puis il y avait eu David Macdonald et on pouvait évidemment envoyer des graines, mais qui pouvait dire si on les semait ? Oui, ils trouveraient du changement.

Elle regardait faucher son fils. Il ne boudait pas à l'ouvrage — dans le genre tranquille. Eh bien, il fallait se remettre aux armoires, n'est-ce pas ? Elles se hissèrent sur leurs jambes.

A la fin, après des jours de nettoyage à l'intérieur, de fauchage et de bêchage dehors, les linges à poussière furent secoués par la fenêtre, celles-ci furent refermées, tout fut verrouillé dans la maison ; la porte d'entrée se ferma bruyamment ; tout était fini.

Alors s'éleva cette sourde mélodie que le nettoyage, le frottement, le travail de la serpe et de la faux avaient, semblait-il, étouffée, cette musique intermittente que l'oreille saisit en partie et laisse fuir ; quelque chose d'irrégulier, d'intermittent, dont les parties sont pourtant apparentées, où il y a de l'aboiement, du bêlement, le bourdonnement de l'insecte, le tremblement de l'herbe coupée qui, toute séparée qu'elle soit de la terre, continue mystérieusement à lui appartenir, l'appel strident d'un scarabée, le grincement d'une roue, bruyant ou faible, mais étrangement relié aux autres bruits, que l'oreille s'efforce d'assembler et se trouve toujours sur le point d'harmoniser mais sans jamais arriver à les entendre tout à fait et, par suite, à les fondre dans un ensemble. A la fin, le soir, l'un après l'autre, ces sons expirent, l'harmonie balbutie et le silence s'établit. Au coucher du soleil les choses perdaient leurs arêtes vives ; semblable à une vapeur qui s'élève, le repos gagnait, s'étendait et le vent s'apaisait ; le monde se secouait paresseusement avant de s'endormir, ici obscurément, sans autre lumière que le vert diffusé dans les feuilles ou la pâleur des fleurs blanches près de la fenêtre.

(Lily Briscoe fit apporter sa valise tard dans la soirée, un jour de septembre. Mr. Carmichaël arriva par le même train.)

10

La paix était venue pour de bon. Les souffles de la mer apportaient au rivage de pacifiques messages.

Jamais plus elle n'interromprait son sommeil, elle le bercerait au contraire pour le faire mieux dormir et confirmerait. tout ce qui serait rêvé de saint et de sage — que pouvait-elle bien murmurer d'autre ? — au moment où Lily Briscoe posa sa tête sur l'oreiller dans sa chambre propre et tranquille et l'entendit. Par la fenêtre ouverte entrait la voix murmurante de la beauté du monde, trop douce pour qu'on pût entendre exactement ce qu'elle disait — mais à quoi bon si le sens était clair ? — Elle implorait les dormeurs (la maison se trouvait pleine de nouveau ; Mrs. Beckwith y faisait un séjour et Mr. Carmichaël aussi) de descendre sur la plage ou, tout au moins, de lever leur store et de regarder. Ils verraient la nuit descendre à flots violets, portant une couronne sur la tête, son sceptre orné de bijoux et ouvrant des yeux dans lesquels un enfant pouvait regarder. Et s'ils hésitaient encore (Lily était épuisée par son voyage et s'endormit presque aussitôt ; mais Mr. Carmichël lut un livre à la lumière d'une bougie), s'ils persistaient à refuser, déclaraient que cette splendeur de la nuit n'était qu'une vapeur, que la rosée avait plus de pouvoir qu'elle et qu'ils préféraient dormir, alors, doucement, sans se plaindre et sans discuter, la voix chantait sa chanson. Doucement les vagues se brisaient (Lily les entendait dans son sommeil) ; tendrement tombait la lumière (elle semblait passer à travers ses paupières). Et tout cela, se disait Mr. Carmichaël, en fermant son livre et s'endormant, ressemblait beaucoup à ce qui était jadis.

Certes, pouvait reprendre la voix, tandis que les rideaux de ténèbres enveloppaient la maison, sur Mrs. Beckwith, Mr. Carmichaël et Lily Briscoe, au point qu'ils reposaient avec plusieurs épaisseurs d'obscurité sur leurs yeux, pourquoi ne pas accepter ceci, s'en contenter, acquiescer, se résigner ? Le soupir de toutes les mers se brisant en mesure autour des îles exerçait sur eux son influence apaisante ; la nuit les enveloppait ; rien ne troubla leur sommeil jusqu'à ce que, les oiseaux s'étant mis à chanter et l'aurore ayant tissé leurs voix frêles dans la texture de sa blancheur et un chien ayant aboyé quelque part, le soleil écartât ses rideaux et déchirât le voile posé sur leurs yeux. Et Lily Briscoe, s'agitant dans son sommeil, se cramponna à ses couvertures comme quelqu'un qui tombe se cramponne au gazon au bord d'une falaise. Ses yeux s'ouvrirent tout grands. Elle se retrouvait ici, songea-t-elle en s'asseyant toute droite sur son lit. Bien réveillée.

LE PHARE

1

Qu'est-ce que cela veut donc dire ? Qu'est-ce que tout cela peut bien vouloir dire ? se demandait Lily Briscoe, incertaine si, étant donné qu'on l'avait laissée seule, il était convenable pour elle d'aller à la cuisine chercher une autre tasse de café ou s'il ne valait pas mieux attendre là où elle se trouvait. Qu'est-ce que cela veut dire ? — Cette question n'était qu'une façon de parler, prise dans quelque livre, un cliché qui ne s'adaptait que vaguement à sa pensée car il lui était impossible, au cours de cette première matinée passée chez les Ramsay, de concentrer ses sentiments et, en attendant que ces vapeurs se soient résorbées, elle ne trouvait que le son d'une phrase pour couvrir le vide de son esprit. Car qu'éprouvait-elle en réalité en revenant ainsi après tant d'années et la mort de Mrs. Ramsay ? Rien, rien — rien qu'elle pût le moins du monde expliquer.

Elle était arrivée tard la veille au soir, à un moment où tout était mystérieux et sombre. Maintenant elle se trouvait réveillée, assise à son ancienne place à la table du déjeuner, mais seule. Il est vrai qu'il était encore très tôt ; pas encore huit heures. C'est ce matin que devait avoir lieu cette expédition — ils allaient au Phare, Mr. Ramsay, Cam et James. Ils auraient dû être partis déjà — il leur fallait attraper la marée ou quelque chose d'approchant. Et Cam n'était pas prête, ni James non plus, et Nancy avait oublié de commander les sandwiches et Mr. Ramsay s'était mis en colère et était parti en faisant claquer la porte.

« Ce n'est plus la peine de s'en aller, maintenant ! » avait-il crié dans sa fureur.

Nancy avait disparu. On apercevait Mr. Ramsay sur la terrasse qu'il arpentait rageusement. On avait l'impression d'entendre des claquements de portes et des appels de voix dans toute la maison. Nancy fit brusquement irruption dans la pièce et demanda, promenant son regard autour d'elle, sur un ton étrange où se mêlaient la stupéfaction et le désespoir : « Qu'est-ce qu'on envoie au Phare ? » comme si elle se forçait à faire une chose qu'elle désespérait de réussir.

Oui, qu'est-ce qu'on envoie au Phare ? En toute autre circonstance Lily aurait raisonnablement conseillé du thé, du tabac, des journaux. Mais ce matin tout avait pris un aspect si extraordinaire et si bizarre qu'une question comme celle de Nancy — Qu'est-ce qu'on envoie au Phare ? — ouvrait dans l'esprit des portes qui se mettaient à battre et à claquer et qui faisaient qu'on se demandait, bouche bée : Qu'est-ce qu'on envoie ? Qu'est-ce qu'on fait ? Pourquoi, après tout, rester assis ici ?

Seule à présent (car Nancy était repartie) au milieu des tasses propres, devant la longue table, Lily se sentit à l'écart des autres et bonne seulement à continuer à attendre, à poser des questions, à se demander des choses. La maison, la pièce où elle se trouvait, la matinée, tout avait pour elle un aspect étranger. Elle sentait qu'il n'existait aucun attachement, aucun lien entre tout cela et elle. Tout pouvait arriver et tout ce qui arrivait, un pas à l'extérieur, l'appel d'une voix (« Ce n'est pas dans le placard ;

c'est sur le palier », criait quelqu'un) devenait une question, comme si le lien habituel des choses eût été coupé et qu'on flottât, çà et là, à l'aventure. Quelle incertitude, quel chaos, quelle irréalité dans tout cela ! se disait-elle, en regardant sa tasse vide. Mrs. Ramsay morte ; Andrew tué ; Prue morte elle aussi — elle avait beau se le répéter, elle n'arrivait pas à s'émouvoir. Et nous nous réunissons tous dans une maison comme celle-ci, par un matin comme celui-ci, dit-elle, regardant par la fenêtre — c'était une belle et calme journée.

Soudain Mr. Ramsay leva la tête en passant et la regarda en face, à sa façon égarée, farouche et pourtant si pénétrante, comme si, pendant une seconde, il vous voyait pour la première fois et pour toujours. Et elle fit semblant de boire dans sa tasse de café vide pour lui échapper — pour se soustraire à l'exigence de ce regard, écarter un instant encore ce besoin impérieux. Et il secoua la tête et s'éloigna à grands pas (« Seul ! » l'entendit-elle dire ; « Péri » entendit-elle encore) et comme tout le reste en ce matin étrange, ces paroles devinrent des symboles, s'inscrivirent sur toute la surface des murs gris vert. Si seulement elle avait pu les assembler, les faire tenir dans une phrase, il lui semblait qu'elle aurait pénétré la vérité des choses. Le vieux Mr. Carmichaël entra à pas feutrés, s'empara du café, prit sa tasse et s'en alla s'asseoir au soleil. Cette extraordinaire irréalité était effrayante mais elle était aussi passionnante. Aller au Phare. Mais qu'est-ce qu'on envoie au Phare ? Péri. Seul. La lumière gris vert sur le mur en face. Les places vides. C'étaient là quelques-unes des parties, mais comment les réunir ? se demandait-elle. Comme si une interruption quelconque dût briser la forme fragile qu'elle était en train d'édifier sur la table, elle tourna le dos à la fenêtre de peur que Mr. Ramsay ne la vît. Il lui fallait s'enfuir de façon ou d'autre ; il lui fallait être seule quelque part. Soudain elle se rappela. Lorsqu'elle s'était assise là, dix ans auparavant, il y avait sur la nappe un petit dessin de ramille ou de feuille qu'elle avait regardé dans un moment de révélation. Un problème s'était posé au sujet du premier plan d'un tableau. Il fallait pousser l'arbre au milieu, avait-elle dit. Elle n'avait jamais terminé ce tableau. Ça lui avait travaillé l'esprit pendant toutes ces années. Elle était décidée à le faire à présent. Où étaient ses couleurs ? se demandait-elle. Oui, ses couleurs. Elle les avait laissées dans le hall, la veille au soir. Elle commencerait tout de suite. Elle se leva vivement, avant que Mr. Ramsay fût revenu.

Elle alla chercher une chaise. Elle dressa son chevalet avec ses mouvements précis de vieille fille sur le bord de la pelouse, pas trop près de Mr. Carmichaël, mais assez près pour se trouver sous sa protection. Oui, ç'avait dû être exactement à cet endroit qu'elle s'était mise il y avait dix ans. Voilà le mur ; la haie ; l'arbre. Il s'agissait de trouver la relation entre ces masses. Elle n'avait cessé de s'en préoccuper pendant toutes ces années. Il lui semblait que la solution de ce problème s'était présentée à elle ; elle savait à présent ce qu'elle voulait faire.

Mais avec Mr. Ramsay se dirigeant vers elle, elle ne pouvait rien faire. Chaque fois qu'il s'approchait d'elle — il était en train d'arpenter la terrasse — c'était la ruine, c'était le chaos qui s'approchaient. Elle ne pouvait plus peindre. Elle courbait les épaules, elle se détournait ; elle prenait un chiffon ; elle pressait un tube. Mais tout ce qu'elle pouvait faire c'était l'écarter un moment. Il lui rendait impossible de faire quoi que ce fût. Car s'il lui laissait la moindre possibilité de travailler, s'il la voyait libre un instant, regarder tant soit peu de son côté, il arrivait sur elle et lui disait, comme il lui avait dit la veille au soir : « Vous nous trouvez bien changés. » Oui, la veille au soir, il s'était levé et, s'arrêtant devant elle, lui avait dit cela. Les six enfants auxquels on donnait jadis des noms de rois et de reines d'Angleterre — le Rouge, la Belle, le Méchant, l'Implacable —, tout muets qu'ils demeurassent avec leurs regards fixes, elle sentait bien à quel point de telles paroles les rendaient furieux. La bonne vieille Mrs. Beckwith avait dit quelque chose de sensé. Mais c'était une maison pleine de passions incoordonnées — elle l'avait senti toute la soirée. Et pour couronner ce chaos Mr. Ramsay s'était levé, lui avait serré la main et avait dit : « Vous nous trouvez bien changés. » Aucun d'entre eux n'avait bougé ni parlé ; mais tous étaient restés à leur place comme s'ils étaient obligés de lui permettre de parler ainsi. Seul James (le Maussade certainement) avait fait les gros yeux à la lampe ; et Cam avait entortillé son mouchoir autour de son doigt. Puis il leur avait rappelé qu'on allait au Phare le lendemain. Il fallait être prêt, dans le hall, à sept heures et demie tapant. Puis, la main sur le loquet, il s'arrêta, se tourna vers eux. Est-ce qu'ils n'avaient pas envie de venir ? demanda-t-il. S'ils avaient osé répondre « non » (il avait des raisons pour le désirer), il se serait jeté tragiquement en arrière dans les eaux amères du désespoir. Il avait ce don du geste. Il avait l'air d'un roi en exil. Farouchement James répondit « oui ». Cam fit une réponse plus maladroite et lamentable. Oui, oh ! ils seraient prêts tous les deux, dirent-ils. Et Lily fut frappée par cette pensée qu'il y avait là une tragédie — consistant non point en draps mortuaires, cendres et linceuls, mais en ce fait qu'il y avait là des enfants réduits au silence, des vaincus. James avait seize ans, Cam dix-sept peut-être. Elle avait regardé autour d'elle pour chercher quelqu'un qui n'était pas là, Mrs. Ramsay probablement. Mais il n'y avait que la bonne Mrs. Beckwith qui refaisait ses esquisses sous la lampe. Puis comme elle était fatiguée, que son esprit suivait la palpitation de la mer, qu'elle était possédée par ce goût, cette odeur qu'ont les maisons après une longue absence et que la flamme des bougies vacillait devant ses yeux, elle avait perdu la maîtrise d'elle-même et s'était abandonnée. C'était une nuit merveilleusement étoilée ; ils entendaient le bruit des vagues en montant à leurs chambres ; la lune les surprit par son énormité pâle lorsqu'ils passèrent devant la fenêtre de l'escalier. Elle s'était endormie tout de suite.

Elle plaça sa toile neuve sur son chevalet d'une main ferme comme une barrière, frêle sans doute, mais suffisante, elle l'espérait, pour tenir à distance Mr. Ramsay et ses exigences. Elle fit de son mieux pour regarder son tableau lorsque Mr. Ramsay tournait le dos ; il fallait cette ligne ici et cette masse là. Mais il n'y avait pas à y songer. Il pouvait être à une distance de cinquante pieds, il pouvait même ne pas parler et même ne pas vous voir, il ne pénétrait, ne dominait, ne s'imposait pas moins. Il transformait tout. Elle ne pouvait pas voir sa couleur, ni ses lignes ; et même lorsqu'il lui tournait le dos elle ne pouvait s'empêcher de se dire : mais il va arriver sur moi, il va me demander quelque chose qu'elle sentait ne pas pouvoir lui donner. Elle rejeta un pinceau ; elle en choisit un autre. Quand ces enfants allaient-ils venir ? Quand seraient-ils tous partis ? Et elle s'impatientait. Cet homme, se disait-elle, sentant la colère monter en elle, ne donnait jamais ; il prenait. Elle, par contre, serait forcée de donner. Mrs. Ramsay avait donné. Elle avait donné, donné, donné et puis elle était morte — en laissant tout ceci. Elle en voulait vraiment à

Mrs. Ramsay. Le pinceau tremblant légèrement entre ses doigts, elle regarda la haie, la marche, le mur. Tout cela était de la faute de Mrs. Ramsay. Elle était morte. Et voici que Lily, à quarante-quatre ans, gaspillait son temps, était incapable de rien faire, se plantait là pour jouer au peintre, pour jouer à la seule chose à laquelle on ne peut pas jouer, et tout cela c'était la faute de Mrs. Ramsay. Elle était morte. La marche sur laquelle elle avait l'habitude de s'asseoir était vide. Elle était morte.

Mais pourquoi répéter toujours cela ? Pourquoi s'efforcer toujours de provoquer en elle une émotion qu'elle ne ressentait pas ? Il y avait une sorte de blasphème dans cette façon de faire. Tout cela était desséché, flétri, fini. On n'aurait pas dû l'inviter ; elle n'aurait pas dû venir. On ne peut pas gaspiller son temps à quarante-quatre ans, se disait-elle. Elle détestait traiter la peinture comme un jeu. Un pinceau, cette seule réalité solide dans un monde de lutte, de ruines, de chaos — il ne faut pas jouer avec cela, même en se rendant compte de ce qu'on fait : elle avait horreur de cette attitude. Mais il l'obligeait à l'adopter. Vous ne toucherez pas à votre toile, avait-il l'air de dire lorsqu'il s'avançait vers elle, avant de m'avoir donné ce que j'exige de vous. Et le voici qui arrivait, il était de nouveau tout contre elle, avide, égaré. Eh bien, se disait Lily, désespérée, laissant retomber sa main droite, il était plus simple alors d'en finir. Elle pouvait certainement retrouver dans sa mémoire et imiter l'ardeur, le transport, l'abandon qu'elle avait vus sur le visage de tant de femmes (sur celui de Mrs. Ramsay, par exemple) lorsque, dans une occasion comme celle-ci, — elle se rappelait bien l'expression du visage de Mrs. Ramsay — elles s'abandonnaient à l'ivresse de la sympathie, du ravissement de la récompense reçue et qui, pour une raison qui lui échappait, leur conférait la plus haute félicité dont soit susceptible la nature humaine. Le voici, arrêté à côté d'elle. Elle lui donnerait ce qu'elle pourrait.

2

Elle paraissait s'être un peu ratatinée, trouva-t-il. Elle avait l'aspect un peu chétif ; elle était bien peu de chose et pourtant elle n'était pas dépourvue de charme. Elle lui plaisait. Il avait jadis été question de son mariage avec William Bankes, mais ce projet n'avait pas eu de suite. Sa femme avait eu de l'affection pour elle. D'ailleurs il n'avait pas été de bien bonne humeur au breakfast. Et puis, et puis, il se trouvait à un de ces moments où, sans qu'il se rendît bien compte de quoi il s'agissait, il se trouvait poussé par un énorme besoin de s'approcher d'une femme, quelle qu'elle fût, et de l'obliger, peu importait par quel moyen tant son besoin était grand, à lui donner ce qu'il cherchait : de la sympathie.

Est-ce qu'on s'occupait d'elle ? demanda-t-il. Est-ce qu'elle avait bien tout ce qu'il lui fallait ?

« Oh ! oui, certainement, je vous remercie », répondit Lily Briscoe avec nervosité. Non, cela lui était impossible. Elle aurait dû se laisser sur-le-champ emporter par une vague d'expansive sympathie ; la pression qui s'exerçait sur elle était formidable. Mais elle resta figée. Il y eut un terrible silence. Tous les deux regardaient la mer. Pourquoi, se demandait Mr. Ramsay, veut-elle regarder la mer pendant que je suis près d'elle ? Elle dit qu'elle espérait que la mer serait assez calme pour leur permettre d'aborder au Phare. Le Phare ! Le Phare ! Qu'est-ce que ça vient faire ici ? songea-t-il avec impatience. Aussitôt, et avec la force d'un ouragan des premiers âges du monde (car il lui était réellement impossible de se contenir plus longtemps), il laissa s'échapper un gémissement tel que n'importe quelle femme au monde aurait fait quelque chose en l'entendant — sauf moi, se dit Lily devenue pour elle-même un juge cruel, car je ne suis pas une femme, mais apparemment une vieille fille maussade, acariâtre et desséchée.

Mr. Ramsay soupira de toutes ses forces. Il attendit. N'allait-elle pas parler ? Ne voyait-elle pas ce qu'il attendait d'elle ? Alors il expliqua qu'il avait une raison particulière de vouloir aller au Phare. Sa femme avait l'habitude d'y envoyer des objets. Il y avait là un pauvre garçon qui souffrait de tuberculose de la hanche, le fils du gardien. Il poussa un profond soupir. Il mit dans son soupir un accent significatif. Tout ce que souhaitait Lily c'est que ce flot énorme de douleur, cet insatiable appétit de sympathie, cette demande qu'elle se donnât entièrement à lui, et dans ce cas il avait assez de chagrin pour ne jamais l'en laisser manquer, s'éloignassent d'elle, se trouvassent détournés (elle ne cessait de regarder du côté de la maison dans l'espoir d'une interruption) avant qu'elle fût emportée.

« De telles excursions, dit Mr. Ramsay, creusant le sol du bout de son soulier, sont très pénibles. » Cependant Lily continuait à ne pas parler. (C'est une souche, c'est une pierre, se dit-il.) « C'est très fatigant », continua-t-il en regardant ses belles mains avec une expression languissante qui donna la nausée à Lily. (Elle sentait qu'il jouait la comédie, que ce grand homme se donnait en spectacle.) C'était horrible, c'était indécent. N'allaient-ils donc jamais arriver, les autres ? se demandait-elle, car elle ne

pouvait plus supporter ce poids énorme de chagrin, soutenir plus longtemps ces lourdes draperies
d'affliction (il avait pris une pose suggérant l'extrême
décrépitude ; chancelait même légèrement en restant
debout).

Elle demeurait cependant incapable de parler ;
l'horizon tout entier semblait dépouillé de tout sujet
de conversation ; devant cette présence de Mr. Ramsay elle ne pouvait qu'éprouver de la stupéfaction
à voir son regard douloureux décolorer le gazon
ensoleillé sur lequel il tombait et jeter un voile de
crêpe sur la forme rubiconde, somnolente, entièrement satisfaite de Mr. Carmichaël en train de lire
un roman français sur un fauteuil de toile, comme
si cette dernière existence, affichant sa prospérité
dans un monde endeuillé, suffisait à elle seule à
provoquer les pensées les plus lugubres dans l'esprit
de tous. Regardez-le, semblait dire Mr. Ramsay,
regardez-moi ; et tout le temps, le sentiment qui
dominait en lui c'était qu'il fallait songer à lui. Ah !
si quelque souffle pouvait miraculeusement soulever
cette masse et transporter Mr. Carmichaël près
d'eux ; si seulement elle avait planté son chevalet
un ou deux mètres plus près de lui ! La présence
d'un homme, de n'importe quel homme aurait mis
fin à cette effusion, aurait arrêté ces lamentations.
C'est en sa qualité de femme qu'elle avait provoqué
cette scène affreuse ; en sa qualité de femme elle
aurait dû savoir comment se comporter. Il y avait
pour elle un discrédit immense, en tant que repré-
sentante de son sexe, à rester ainsi muette. Dans
un cas pareil on disait — que disait-on ? — Oh !
Mr. Ramsay ! Cher Mr. Ramsay ! C'est cela que la
bonne vieille dame aux esquisses, Mrs. Beckwith,
aurait dit tout de suite et comme il fallait. Mais non.
Ils restaient là tous les deux isolés du reste du
monde. L'immense pitié qu'il éprouvait pour lui-

même, sa demande de sympathie jaillissaient, formaient comme une mare aux pieds de Lily, et tout
ce qu'elle était capable de faire, pauvre misérable
pécheresse, c'était de relever un peu ses jupes de
peur de les mouiller. Elle continuait à observer un
silence absolu tout en étreignant son pinceau.

Jamais elle ne pourrait assez remercier le Ciel de
ce qu'il fit pour elle ! Elle entendit des bruits dans
la maison. C'étaient certainement James et Cam qui
arrivaient. Mais Mr. Ramsay, comme s'il eût compris
que le temps pressait, exerça sur sa solitaire personne la pression immense de son chagrin concen-
tré ; il y avait son âge, la fragilité de sa santé, la
désolation de sa vie ; puis soudainement, et tandis
que dans son dépit il secouait la tête avec impatience
— car, après tout, quelle femme pouvait lui résister ? —, il remarqua que ses cordons de souliers
étaient défaits. C'étaient d'ailleurs des souliers remar-
quables, se dit Lily en les regardant. Ils avaient
quelque chose de sculptural, de colossal, comme tout
ce qu'il portait, de sa cravate effrangée à son gilet
à moitié boutonné ; ils portaient indiscutablement
sa marque. Elle les imaginait, ses souliers, en train
de se diriger vers sa chambre, de leur propre mouvement, exprimant en son absence ce qu'il avait
d'émouvant, sa maussaderie, son mauvais caractère,
son charme.

« Les beaux souliers ! » s'écria-t-elle. Elle eut honte
d'elle-même. Faire l'éloge de ses souliers lorsqu'il
lui demandait de consoler son âme ; lorsqu'il lui
avait montré ses mains ensanglantées, son cœur
déchiré et lui avait demandé de les prendre en pitié,
répondre sur un ton dégagé : « Ah ! mais que vous
avez de beaux souliers ! » méritait, elle le savait et
leva les yeux dans sa certitude de le recevoir, qu'il
anéantît toute sa personne dans un de ces éclats
soudains qui lui étaient coutumiers.

Mais au lieu de l'anéantir Mr. Ramsay sourit. Son drap funéraire, ses draperies de douleur, ses infirmités, tout l'abandonna. Ah ! oui, dit-il, en levant un pied pour permettre à Lily de mieux regarder, c'étaient des souliers de premier ordre. Il n'y avait qu'un cordonnier en Angleterre qui sût faire des chaussures comme cela. Les souliers sont un des pires fléaux de l'humanité, dit-il. « Les cordonniers, s'écria-t-il, se chargent de mutiler et de torturer le pied de l'homme. » Ce sont aussi les plus obstinés et les plus pervers des hommes. Il lui avait fallu consacrer la meilleure partie de sa jeunesse à la découverte de souliers faits comme des souliers doivent être faits. Il se permettait de lui faire remarquer (il souleva le pied droit, puis le gauche) qu'elle n'avait jamais vu jusqu'à présent de souliers tout à fait comme ceux-ci. Ils étaient taillés dans le meilleur cuir qui fût au monde. La plupart des cuirs ne sont que du papier ou du carton de couleur marron. Il regarda son pied avec complaisance, en le tenant toujours en l'air. Ils avaient atteint, elle le sentait, une île ensoleillée où régnaient la paix, la santé de l'âme, où le temps ne cessait d'être radieux, l'île bénie des bonnes chaussures. Elle se sentit attirée vers lui. « Et maintenant voyons si vous savez faire un nœud », dit-il. Il tourna en dérision le pauvre système qu'elle lui montra. Il lui fit voir ce qu'il avait lui-même inventé. Une fois que le nœud était fait, il ne pouvait plus se défaire. Trois fois il lui noua son cordon à elle et trois fois il le dénoua.

Pourquoi fallut-il qu'à ce moment si parfaitement incongru, alors qu'il se penchait sur son soulier, la sympathie qu'elle éprouvait pour lui la tourmentât au point que, lorsqu'elle se pencha à son tour, le sang lui monta au visage et, en pensant à sa propre dureté de cœur (elle l'avait cependant traité d'acteur), elle sentit que ses yeux se gonflaient et la picotaient ? Ainsi occupé à nouer son cordon, il prenait aux yeux de Lily un aspect infiniment pathétique. Il attachait des souliers. Il en achetait. Il n'y avait pas moyen de lui venir en aide dans le voyage qu'il faisait. Mais voici que juste au moment où elle désirait dire quelque chose et y aurait peut-être réussi, ils arrivèrent — Cam et James. Ils parurent sur la terrasse. Ils s'avançaient nonchalamment, côte à côte, formant un couple sérieux et mélancolique.

Mais comment se faisait-il qu'ils arrivassent ainsi ? Elle ne pouvait s'empêcher de leur en vouloir ; ils auraient pu arriver avec un air plus gai ; ils auraient pu donner à leur père ce que, maintenant qu'ils allaient être partis, elle n'aurait plus l'occasion de lui donner. Car elle sentit un vide soudain ; une frustration. Son sentiment à l'égard de Mr. Ramsay était venu trop tard ; il était tout prêt à se manifester ; mais lui n'en avait plus besoin. Il était devenu un vieux monsieur, très distingué, qui n'avait plus aucun besoin d'elle. Elle se sentit méprisée. Il suspendit un havresac à ses épaules. Il distribua les paquets — il y en avait un bon nombre, mal ficelés, en papier marron. Il envoya Cam chercher un manteau. Il avait tout à fait l'aspect d'un chef qui se prépare pour une expédition. Puis, se tournant, il ouvrit la marche de son pas militaire et ferme, les pieds chaussés de ses souliers merveilleux, portant des paquets en papier marron, suivi de ses enfants descendant l'allée. Ces enfants ont l'air, se disait-elle, d'avoir été voués par le destin à quelque sévère entreprise qu'ils vont accomplir. Ils étaient encore assez jeunes pour se laisser docilement entraîner dans le sillage de leur père, mais la pâleur de leur regard donnait l'impression d'une souffrance silencieuse et en avance sur leurs années. Ils franchirent ainsi la limite de la pelouse et il semblait à Lily qu'elle était en train de regarder passer une procession animée par une commune impulsion qui faisait d'elle, en dépit de toutes les hésitations, de toutes les nonchalances, une petite troupe solidement unie et elle en ressentit un effet singulier. Mr. Ramsay, levant la main, la salua poliment, quoique d'une façon très distante, au moment où ils passèrent devant elle.

Mais quel visage ! songea-t-elle, s'apercevant immédiatement que la sympathie qu'on ne lui avait pas demandé de témoigner la gênait dans son besoin de s'exprimer. Qu'est-ce qui l'avait façonné ainsi ? Le fait, supposait-elle, d'avoir exercé pendant tant de soirs sa pensée — sur le problème de la réalité des tables de cuisine, ajouta-t-elle, se rappelant le symbole qu'Andrew lui avait donné pour fixer le vague de ses notions concernant l'objet des méditations de Mr. Ramsay. (Elle se rappela qu'Andrew avait été tué sur le coup par un éclat d'obus.) La table de cuisine était dans son austérité propre à une vision ; c'était quelque chose de nu, de dur, qui n'avait rien d'ornemental. Elle n'avait aucune couleur ; elle était tout arêtes et angles ; sa laideur n'admettait pas de compromis. Mais Mr. Ramsay gardait toujours ses yeux fixés sur elle, ne se laissait jamais distraire ni abuser, si bien que son visage s'était lui aussi usé, avait pris un aspect ascétique et participait de cette beauté nue qui impressionnait Lily si profondément. Puis elle se rappela (restée debout à l'endroit où il l'avait laissée, et son pinceau à la main) que des préoccupations d'un ordre moins noble avaient elles aussi marqué ce visage. Elle croyait qu'il avait dû avoir des doutes sur cette table ; qu'il avait dû se demander si elle était bien réelle, si elle valait le temps qu'il lui consacrait ; s'il était en somme capable de la trouver. Oui, elle sentait qu'il avait dû avoir des doutes, car autrement il aurait moins demandé aux autres. C'était de cela qu'ils parlaient le soir, tard, supposait-elle ; et le lendemain Mrs. Ramsay avait l'air fatigué et Lily s'emportait contre lui sans raison, d'une façon absurde. Mais à présent il n'avait plus personne à qui parler de cette table, ni de ses souliers, ni de ses nœuds ; il ressemblait à un lion cherchant quelqu'un à dévorer et on percevait dans son visage cet élément de désespoir, d'excès dans l'émotion qui l'avait effrayée et l'avait fait ramener sa jupe contre elle. Puis avaient suivi, elle se le rappelait, et soudainement, cette reviviscence, ce jaillissement d'ardeur (lorsqu'elle l'avait complimenté sur ses chaussures), ce retour à la vie, ce renouveau de l'intérêt qu'il prenait aux choses ordinaires de l'existence ; et ce nouvel état d'esprit avait lui aussi passé, s'était transformé (car son humeur changeait sans cesse et il n'en cachait rien), avait atteint cette dernière phase qui était nouvelle pour Lily et l'avait irritée au point qu'elle-même, elle le reconnaissait, en avait honte. Il lui avait semblé qu'il s'était dépouillé de toutes ses préoccupations, de toutes ses ambitions, de son espérance de sympathie et de son désir de louange, qu'il avait pénétré dans une région nouvelle et que, marchant ainsi à la tête de cette petite procession, engagé dans une conversation muette avec lui-même ou un autre, une sorte de curiosité l'entraînait au loin, au-delà de notre horizon. Oui, un visage extraordinaire. Le portail résonna.

3

Ils sont donc partis ! se dit-elle avec un soupir de soulagement et de contrariété. Sa sympathie semblait ricocher et lui revenir en plein visage comme une ronce qui se détend. Elle se sentait curieusement partagée. Il lui semblait qu'une partie d'elle-même était attirée là-bas — c'était une journée calme, un peu brumeuse ; le Phare paraissait ce matin se trouver à une distance immense. L'autre partie s'était fixée ici, sur la pelouse, avec une solide obstination. Elle avait l'impression que sa toile portée vers elle était venue placer bien devant elle son irréductible blancheur. Cette toile semblait diriger sur sa personne un froid regard et lui reprocher toute cette hâte, toute cette agitation, cet absurde gaspillage d'émotions ; elle la rappelait impitoyablement à elle-même et répandait dans son esprit d'abord une impression de paix, à mesure que ses sensations désordonnées battaient en retraite (il était parti et quelque pitié qu'il lui inspirât elle n'avait rien dit) ; et puis une impression de vide. Elle jeta un regard vague sur cette blancheur irréductible qui la dévisageait, puis considéra le jardin. Il y avait quelque chose (elle clignait ses petits yeux de Chinoise dans son visage plissé et menu), quelque chose qu'elle se rappelait à propos des relations entre elles de ces lignes qui s'entrecroisent, se découpent, et de la masse de la haie avec sa verte cavité faite de bleus et de bruns. Cette chose-là était restée dans son esprit ; elle avait fait comme un nœud dans son esprit, si bien qu'à toutes sortes de moments inattendus, et sans que sa volonté y fût pour rien, lorsque par exemple elle s'avançait dans Brompton Road ou se coiffait, elle se surprenait à peindre ce tableau, à promener son regard sur lui et à défaire ce nœud en imagination. Mais il y avait une immense différence entre cette façon dégagée de manier le pinceau loin de la toile et le fait bien réel de se saisir de lui pour poser la première touche.

212

Elle s'était trompée de pinceau dans l'agitation que lui avait causée la présence de Mr. Ramsay, et son chevalet, qu'elle avait enfoncé d'un mouvement nerveux, se trouvait avoir une inclinaison défectueuse. Après avoir corrigé cela et avoir du même coup mis bon ordre aux impertinences et aux incongruités qui absorbaient son attention et la faisaient se souvenir qu'elle était telle ou telle personne, qu'elle avait tels et tels rapports avec les gens, elle assura sa main et prit son pinceau. Il demeura un instant en l'air, saisi dans le frémissement d'une douloureuse mais enivrante extase. Où commencer ? — c'était là la question ; à quel endroit poser la première touche ? Une seule ligne placée sur sa toile la liait à d'innombrables dangers, à de fréquentes et irrévocables décisions. Tout ce qui semblait simple en théorie devenait en pratique immédiatement complexe ; de même que les vagues lorsqu'on les voit du haut de la falaise prennent des formes symétriques mais paraissent au nageur qui se trouve au milieu d'elles divisées par des gouffres profonds et des crêtes écumantes. Et cependant il faut courir le risque ; il faut poser sa touche.

Elle donna son premier coup de pinceau d'un mouvement brusque et décidé, avec une sensation curieuse, celle d'être à la fois poussée en avant et retenue en arrière. Le pinceau descendit. Son brun frémissement courut sur la toile et laissa une longue traînée. Elle répéta son geste, une fois, deux fois. Et la succession de ces pauses et de ces frémissements finit par devenir un mouvement dansant et rythmé ; les pauses semblaient être une partie de ce rythme et les touches une autre ; une relation existait entre les unes et les autres. Toujours rapide et légère, tant dans ses pauses que ses coups de pinceau, elle finit par hacher sa toile de traits nerveux et bruns qui, sitôt posés, continrent un espace qu'elle sentait lui opposer sa présence énorme. Car que pouvait-il y avoir de plus formidable ? Et comme elle se reculait pour le considérer, elle songea qu'elle se trouvait, une fois de plus, soustraite aux bavardages, à ce dont se compose la vie, à sa communauté de sentiments avec ses frères humains et jetée en présence de son ancien et formidable ennemi — cette autre chose, cette vérité, cette réalité qui mettait soudainement la main sur elle, dressait sa rigidité puissante sur le fond des apparences et exigeait son attention. Elle était à demi docile et à demi résistante. Pourquoi être toujours attirée, happée, emportée ? Pourquoi ne pas être laissée en paix, ne pas pouvoir faire la conversation avec Mr. Carmichaël sur la pelouse ? C'était là des façons de faire bien tyranniques, pour dire le moins. D'autres objets de vénération se contentaient d'être vénérés ; hommes, femmes, Dieu même laissaient leurs fidèles se prosterner devant eux ; mais cette forme, quand il ne se fût agi que de celle d'un blanc globe de lampe se détachant sur une table d'osier, provoquait à un combat perpétuel, défiait en un duel dans lequel on était certain d'avoir le dessous. Toujours (elle ne savait si cette nécessité lui venait de son sexe ou de sa nature), avant d'échanger la fluidité de la vie pour la concentration de la peinture, elle traversait quelques instants de nudité pendant lesquels elle avait l'impression d'être une âme à naître, ou arrachée à son corps, hésitante au sommet d'une flèche battue par le vent, exposée sans protection à toutes les rafales du doute. Pourquoi donc peignait-elle ? Elle regarda sa toile légèrement zébrée de coups de pinceau. Elle serait accrochée dans une chambre de bonne. Elle serait roulée et fourrée sous un canapé. A quoi bon faire ce tableau, donc ? Et elle entendit une voix qui disait qu'elle ne savait pas peindre, qu'elle était incapable de créer. C'était comme si elle eût été prise dans un de ces courants d'habitude que l'expérience forme au bout d'un certain temps dans l'esprit et qui nous font répéter certains mots sans que nous puissions nous rappeler plus longtemps par qui ils ont pour la première fois été prononcés.

Incapable de peindre, incapable d'écrire ! murmurait-elle sur un ton monotone, tout en se demandant avec anxiété quel devait être son plan d'attaque. Car cette masse devant elle prenait de vastes proportions ; elle faisait saillie ; elle la sentait qui faisait pression sur ses paupières. Puis comme si une substance nécessaire à la lubrifaction de ses facultés jaillissait spontanément de quelque tube, elle se mit à toucher périlleusement les bleus et les terre de Sienne. Son pinceau s'agitait de divers côtés, mais il avait maintenant un mouvement plus lourd et plus lent. Il paraissait s'être adapté à un rythme qui lui était imposé par ce qu'elle voyait (elle ne cessait de regarder la haie, puis sa toile), si bien que, alors que sa main était toute frémissante de vie, ce rythme était assez fort pour l'emporter dans son courant. Elle perdait certainement la conscience du monde extérieur. Et à mesure qu'elle perdait cette conscience, qu'elle oubliait son propre nom, sa personnalité, son aspect, sans s'inquiéter de la présence de Mr. Carmichaël, son esprit, lui, ne s'arrêtait pas de lancer, du fond de ses abîmes, des visions, des noms, des phrases, ainsi que des souvenirs et des idées, à la façon d'une fontaine se dégorgeant sur cet espace blanc qui la confrontait avec ses difficultés hideuses et qu'elle façonnait avec ses verts et ses bleus.

Charles Tansley, elle se le rappelait, disait que les femmes sont incapables de peindre et d'écrire. Cet être haïssable s'était approché derrière elle, s'était mis tout contre elle, pendant qu'elle peignait en ce même endroit. « Du tabac commun, disait-il, à cinq pence l'once. » Il faisait parade de sa pauvreté, de ses principes. (Mais la guerre avait émoussé en elle le dard de sa féminité.) Ah ! les pauvres diables, était-on tenté de se dire, en songeant à ceux qui, dans les deux sexes, vont se fourrer dans de pareils guêpiers ! Il portait toujours un livre sous le bras — un livre violet. Il « travaillait ». Elle se rappelait qu'il s'installait en plein soleil pour travailler. A dîner il s'asseyait bien en vue de tous. Il y avait aussi, songeait-elle, cette scène qui s'était déroulée sur la plage. Il ne fallait pas l'oublier. Il ventait ce matin-là. Tout le monde était allé sur la plage. Mrs. Ramsay s'était assise près d'un rocher pour faire sa correspondance. Elle écrivait lettres sur lettres. « Oh ! demanda-t-elle, levant enfin les yeux vers quelque chose qui flottait, est-ce un casier à homard ? Est-ce un bateau naufragé ? » Elle était si myope qu'elle ne pouvait se rendre compte et, à ce moment, Charles Tansley avait fait montre de toute la gentillesse dont il était capable. Il s'était mis à faire des ricochets. Ils choisissaient des petites pierres noires et plates et les faisaient rebondir sur les vagues. De temps en temps Mrs. Ramsay regardait par-dessus ses lunettes et riait de les voir. Lily ne se souvenait plus de ce qu'on disait, tout ce qui lui restait c'était une vision d'elle et de Charles lançant des pierres. Ils avaient tout d'un coup éprouvé du plaisir à se trouver ensemble. Mrs. Ramsay les observait. Elle s'en rendait bien compte. Mrs. Ramsay, songea-t-elle, reculant d'un pas et clignant des yeux. (Le groupe qu'elle et James formaient assis là avait dû grandement modifier sa composition. Il devait nécessairement y avoir une ombre.) Mrs. Ramsay ! En songeant à elle-même et à Charles en train de faire des ricochets et à la scène tout entière qui se déroulait sur la plage, il semblait à Lily, sans qu'elle sût comment, que tout dépendait du fait que Mrs. Ramsay se trouvait assise sous un rocher en train d'écrire des lettres, un bloc sur ses genoux. (Elle écrivait d'innombrables lettres ; le vent les emportait parfois et elle et Charles avaient juste le temps d'arracher une page à la mer.) Mais quelle puissance il y a dans l'âme humaine ! se dit-elle. Cette femme assise là, sous le rocher, écrivant ses lettres, résolvait tout en simplicité, faisait tomber ces irritations et ces colères comme de vieilles guenilles ; elle rapprochait ceci, cela, et puis encore ceci ; de ces misérables manifestations de sottise et d'aigreur (elle et Charles s'étaient querellés, chamaillés, s'étaient montrés sots et hargneux) elle tirait ainsi quelque chose — cette scène sur la plage par exemple, cet instant d'amitié, de plaisir d'être ensemble — qui après tant d'années survivait avec tant de plénitude que Lily s'y plongeait pour remodeler son souvenir de Charles et qui demeurait dans l'esprit un peu à la façon d'une œuvre d'art.

« A la façon d'une œuvre d'art », répéta-t-elle, portant son regard de son tableau aux marches qui conduisaient au salon, puis le ramenant à son premier objet. Il lui fallait se reposer un instant. Et tandis qu'elle se reposait, promenant vaguement ses yeux d'un point à un autre, la vieille question qui ne cesse de traverser le ciel de la pensée, la question vaste et générale qui tend à se particulariser dans des moments comme celui où elle se trouvait, alors que, leur travail fini, elle laissait ses facultés se détendre, vint s'arrêter au-dessus d'elle, la domina, la couvrit de son ombre. Quel est le sens de la vie ? Voilà tout — c'est une question bien simple ; une question qui tend à nous hanter à mesure que les années passent. La grande révélation n'était jamais venue. La grande révélation ne vient peut-être jamais. Elle est remplacée par de petits miracles quotidiens, des révélations, des allumettes inopinément frottées dans le noir ; en voici une. Ceci, cela et l'autre chose ; elle-même, Charles Tansley et la vague en train de se briser ; Mrs. Ramsay les rapprochant ; Mrs. Ramsay disant à la vie : « Arrête-toi » ; Mrs. Ramsay faisant de l'instant présent quelque chose de permanent (comme dans une autre sphère Lily elle-même essayait de le faire) — cela était de la nature d'une révélation. Au milieu du chaos il y a la forme ; ce passage, ce flot éternel (elle regarda les nuages s'en aller et les feuilles trembler) était d'un seul coup stabilisé. « Arrête-toi ! » avait dit Mrs. Ramsay à la vie. « Mrs. Ramsay ! Mrs. Ramsay ! » répéta-t-elle. Elle lui devait cette révélation.

Tout était silence. Personne ne semblait se lever encore dans la maison. Lily la regarda ainsi endormie dans la lumière commençante avec ses fenêtres auxquelles les feuilles donnaient un reflet vert et bleu. La place légère que Mrs. Ramsay tenait en ce moment dans sa pensée semblait en harmonie avec la tranquillité de cette maison ; avec cette fumée ; cet air délicat du petit matin. Tout cela était vague, irréel, mais d'une pureté, d'un attrait étonnamment vifs. Lily espérait que personne n'ouvrirait la fenêtre ni ne sortirait de la maison et qu'on lui permettrait de rester toute seule à songer et à peindre. Elle revint à sa toile. Mais, poussée par quelque curiosité, par la gêne que lui faisait éprouver cette sympathie dont elle ne trouvait pas l'emploi, elle fit un pas ou deux vers l'extrémité de la pelouse pour voir si, là-bas sur la plage, elle ne pourrait pas apercevoir la petite troupe en train de mettre à la voile. En bas, parmi les petits bateaux qui flottaient, les uns avec leurs voiles carguées, les autres en train de s'éloigner lentement, car le temps était très calme, il y en avait un légèrement à l'écart des autres. On était justement en train de hisser la voile. Elle eut la certitude que là, dans ce petit bateau très lointain et entièrement silencieux, Mr. Ramsay se trouvait assis avec Cam et James. Voici qu'ils avaient hissé la voile ; voici qu'après quelques battements et quelque hésitation elle s'était gonflée. Et enveloppée dans un profond silence, elle regarda la barque prendre délibérément sa direction et dépasser les autres bateaux en route vers le large.

4

Les voiles battaient au-dessus de leurs têtes. L'eau gargouillait, clapotait sur les flancs du bateau qui sommeillait, immobile au soleil. De temps en temps, au contact d'une petite brise, un frisson parcourait les voiles mais cessait aussitôt. Le bateau ne faisait aucun mouvement. Mr. Ramsay était assis au milieu. Il allait bientôt s'impatienter, se disait James, et Cam avait la même pensée. Ils regardaient leur père (James gouvernait ; Cam était assise toute seule à l'avant) qui se trouvait entre eux, les jambes bien ramenées sous lui. Il détestait rester sans bouger. Et, comme il fallait s'y attendre, après s'être agité quelques instants, il dit quelque chose sur un ton bref au fils Macalister qui sortit ses avirons et se mit à ramer. Mais James et Cam savaient que leur père ne serait content que lorsque le bateau volerait sur la mer. Il ne cesserait de guetter la brise, s'agiterait, marmonnerait des choses que Macalister et son fils entendraient et ils savaient d'avance qu'ils en seraient tous les deux extrêmement gênés. Il les avait fait venir. Il les avait obligés à venir. Dans leur colère, ils espéraient que la brise ne se lèverait jamais et qu'il serait déçu de toutes les manières possibles puisqu'il les avait contraints à l'accompagner contre leur gré.

Pendant tout le chemin de la maison à la plage ils avaient tous les deux traîné derrière lui, sans rien dire, malgré ses cris de : « Allons, marchons ! » Ils penchaient, ils courbaient la tête comme sous un impitoyable ouragan. Lui parler, ils en étaient incapables. Il fallait marcher, il fallait le suivre. Il fallait s'avancer derrière lui en portant des paquets en papier marron. Mais ils juraient en silence, tout en marchant, de rester fidèles l'un à l'autre et d'observer leur grand pacte — résister à la tyrannie jusqu'à la mort. Aussi demeuraient-ils assis en silence, chacun à une extrémité du bateau. Ils ne disaient rien, se contentant de le regarder de temps en temps. Il était assis, les jambes repliées. Il fronçait les sourcils, s'agitait, faisait des oh ! et des ah ! se marmonnait des choses à lui-même et attendait la brise avec impatience. Ils espéraient que le temps resterait calme. Ils espéraient qu'il serait déçu. Ils espéraient que la promenade tout entière serait manquée et qu'ils seraient obligés de revenir sur la plage avec leurs paquets.

Mais voici que, lorsque le fils Macalister eut en ramant fait un peu avancer le bateau, les voiles tirèrent lentement sur les vergues, le bateau prit de la vitesse, se coucha, s'élança. Mr. Ramsay déplia ses jambes, sortit sa blague à tabac, la tendit avec un léger grognement à Macalister et se trouva, ils le savaient, et en dépit de ce qu'ils enduraient, parfaitement satisfait. Maintenant ils allaient naviguer pendant des heures ainsi et Mr. Ramsay poserait une question au vieux Macalister — probablement sur la grande tempête de l'hiver précédent — et le vieux Macalister lui répondrait et ils tireraient ensemble des bouffées de leurs pipes et Macalister prendrait entre ses doigts une corde goudronnée, ferait ou déferait un nœud, et son fils se mettrait à pêcher et ne dirait mot à personne. James, tout ce temps-là, serait obligé de veiller sur la voile. Car s'il l'oubliait elle ferait des poches, claquerait, le bateau perdrait de sa vitesse et Mr. Ramsay dirait brusquement : « Attention ! attention ! » et le vieux Macalister se tournerait lentement sur son banc. Ils entendirent en effet Mr. Ramsay poser une question sur la grande tempête de Noël. « Il est arrivé en doublant le cap », dit le vieux Macalister décrivant cette grande tempête au cours de laquelle dix navires avaient dû chercher refuge dans la baie, et il en avait vu « un là, un là, un là » (il fit lentement du doigt le tour de la baie. Mr. Ramsay suivit son geste en tournant la tête). Il avait vu trois hommes se cramponner au mât. Puis le navire avait disparu. « Et nous avons fini par mettre le bateau à la mer », continua-t-il (mais Cam et James ne saisissaient qu'un mot par-ci par-là, assis qu'ils étaient aux deux extrémités, toujours irrités et silencieux, toujours fidèles à leur engagement de lutter contre la tyrannie jusqu'à la mort). A la fin on avait mis le bateau à la mer, on avait lancé sur les flots le bateau de sauvetage et on l'avait amené jusqu'au-delà de la pointe — Macalister continuait son histoire ; et bien qu'ils n'eussent saisi que des bribes éparses, ils étaient tout le temps conscients de la présence de leur père — il se penchait en avant, mettait sa voix en harmonie avec celle de Macalister ; puis, tirant sur sa pipe et regardant çà et là aux endroits que désignait celui-ci, il savourait la vision de la tempête, de la nuit sombre et de l'effort des pêcheurs. Il aimait que des hommes besognassent, la sueur au front, la nuit, sur la plage balayée par le vent, opposassent leurs muscles et leur intelligence aux vagues et aux rafales ; il aimait que les marins s'employassent ainsi, se fissent noyer, au large, dans la tempête, pendant que les femmes gardaient la maison et demeuraient assises auprès de leurs enfants endormis. C'est ce que James devinait, ce que Cam devinait aussi (ils le regardaient puis se regardaient), rien qu'à voir sa façon de secouer la tête, l'attention avec laquelle il écoutait, le ton de sa voix et la pointe d'accent écossais qui lui donnait l'air d'un paysan et qui s'introduisait dans les questions à Macalister sur les onze navires chassés dans la baie par la tempête. Trois d'entre eux avaient coulé.

Il regardait avec fierté les endroits que désignait Macalister ; et Cam, qui se sentait fière de lui sans trop savoir pourquoi, se disait que s'il avait été là il aurait mis à la mer le bateau de sauvetage, il serait arrivé jusqu'à l'épave. Il était si brave, si audacieux ! se disait-elle. Mais elle se rappelait l'existence du pacte : résister à la tyrannie jusqu'à la mort. Ils étaient enchaînés par leur grief. On les avait forcés ; on les avait obligés à venir. Il les avait dominés une fois de plus avec son air sombre et son ton autoritaire ; il les avait soumis à sa volonté, les avait fait venir, par cette belle matinée, suivant son désir, pour apporter ces paquets au Phare ; prendre part à ces rites détestés qu'il observait pour sa propre satisfaction, en souvenir de gens disparus. Aussi avaient-ils traîné le pas derrière lui et tout le plaisir de la journée se trouvait gâté.

Oui, la brise fraîchissait. Le bateau penchait ; il fendait vigoureusement l'eau qui retombait en vertes cascades, en bulles, en cataractes. Cam regardait l'écume, la mer où tant de trésors sont contenus et la vitesse l'hypnotisait et le lien qui l'enchaînait à James se détendait un peu. Oui, ce lien se relâchait légèrement. Elle se mit à songer : « Comme nous marchons vite ! Où allons-nous ? » Et ce mouvement l'hypnotisait, tandis que James, l'œil fixé sur la voile et sur l'horizon, gouvernait avec un air farouche. Mais tout en tenant la barre il commença à se dire qu'il pouvait échapper, être quitte de tout. Peut-être aborderait-on quelque part ; ils seraient libres alors. Tous deux, se regardant un instant, eurent un sentiment d'évasion et d'exaltation qui leur était inspiré tant par la vitesse que par ce que cette promenade apportait de changement dans leur vie. Mais la brise stimulait Mr. Ramsay de la même façon et, comme le vieux Macalister se tournait pour jeter sa ligne, il s'écria, d'une voix forte : « Nous pérîmes », puis il ajouta : « Chacun tout seul. » Ensuite, éprouvant son spasme habituel de repentir ou de timidité, il se ressaisit et agita la main dans la direction du rivage.

« Regardez la petite maison », dit-il, faisant un geste pour que Cam regardât dans la même direction. Elle se souleva de mauvaise grâce et regarda. Mais laquelle était-ce ? Elle ne pouvait plus distinguer, là-bas, sur la colline, laquelle était leur maison. Tout avait l'air lointain, plongé dans une paix étrange. Dans son éloignement le rivage prenait comme un raffinement qui le rendait irréel. La petite distance qu'ils avaient parcourue les avait déjà mis bien loin de la terre et avait donné à celle-ci l'aspect changé, fixé, des choses qui s'éloignent de nous et dans l'existence desquelles nous ne jouons plus aucun rôle. Laquelle était leur maison ? Elle ne pouvait pas la voir.

« Mais moi sous une mer plus rude », murmura Mr. Ramsay. Il avait trouvé la maison et, en la voyant, il s'y était vu lui aussi ; il s'était vu en train de se promener sur la terrasse, tout seul. Il arpentait la terrasse entre les urnes et il se paraissait à lui-même très vieux et très courbé. Dans le bateau où il était assis, il se pencha, il s'aplatit pour se mettre aussitôt à jouer son rôle — celui d'un homme désolé, privé de sa femme, privé de tout. Par là il évoquait en foule les gens qui sympathisaient avec lui ; il se jouait à lui-même, sur son banc de bateau, un petit drame qui exigeait de sa part de la décrépitude, de l'épuisement et de l'affliction (il leva les mains et en considéra la maigreur à l'appui de sa rêverie). Puis il reçut en abondance la sympathie des femmes et il les imagina en train de le calmer, de lui exprimer leurs sentiments. Et, introduisant ainsi dans ses pensées un reflet de ce plaisir exquis que lui procurait cette sympathie, il soupira et dit doucement, d'une voix lamentable :

> Mais moi, sous une mer plus rude,
> J'ai roulé plus profondément,

de telle façon que ces vers si tristes furent distinctement entendus par tous. Cam faillit sursauter. Elle était choquée, outragée. Son mouvement tira son père de sa songerie. Il frissonna et s'interrompit en s'écriant : « Regardez ! regardez ! » sur un ton si pressant que James tourna lui aussi la tête pour regarder l'île par-dessus son épaule. Tout le monde regarda. On regardait l'île.

Mais Cam ne pouvait rien voir. Elle se disait que tous ces sentiers et cette pelouse, si richement jonchés de toutes leurs existences, si fortement noués à elles, étaient effacés, passés, irréels, remplacés par cette réalité présente : le bateau avec sa voile rapiécée ; Macalister et ses boucles d'oreille, le bruit des vagues — oui, tout cela était irréel. Livrée à de telles pensées, elle se murmurait à elle-même : « Nous pérîmes, chacun tout seul », car les paroles de son père ne cessaient de lui revenir à l'esprit. Mais celui-ci, remarquant le vague de son regard, se mit à la taquiner. Ne connaissait-elle pas les divisions de la boussole ? demanda-t-il. Ne savait-elle pas distinguer le nord du sud ? Croyait-elle vraiment qu'ils habitassent là-bas ? Et de nouveau il lui indiqua du doigt où se trouvait leur maison, là, près de ces arbres. Il eût souhaité qu'elle se montrât plus précise et dit : « Montrez-moi donc où est l'est, où est l'ouest ? » sur un ton où se mêlaient la moquerie et la gronderie, car il ne pouvait comprendre l'état d'esprit de quelqu'un qui, n'étant pas tout à fait un imbécile, ne connaît pas les divisions de la boussole. C'était cependant le cas de sa fille. Et, la voyant regarder avec un air vague, et maintenant un peu effrayé, un endroit où il ne se trouvait pas de maison, Mr. Ramsay oublia son rêve ; il cessa de se voir arpentant la terrasse entre les urnes ; il cessa de voir les bras qui se tendaient vers lui. Il se dit : « Les femmes sont toujours ainsi ; le vague de leur esprit est incurable » ; il n'avait jamais pu comprendre cela, qui n'en était pas moins bien réel. Elle avait été pareille — sa femme. Elles ne peuvent rien fixer clairement dans leur esprit. Mais il avait eu tort de se fâcher avec Cam ; d'ailleurs n'avait-il pas un faible pour ce vague féminin ? Il faisait partie de leur charme extraordinaire. « Je veux qu'elle me sourie, se dit-il. Elle a l'air d'avoir peur. » C'est qu'elle était tellement silencieuse ! Il serra les poings et décida que sa voix, son visage et tous les gestes pleins de vivacité et d'expression dont il avait disposé pour se faire plaindre et louer par les gens depuis tant d'années recevraient désormais une sourdine. Il voulait qu'elle lui sourît. Il trouverait bien quelque chose de simple et de facile à lui dire. Mais quoi ? Car, absorbé dans son travail comme il l'était, il oubliait quelle espèce de choses il fallait dire. Il y avait un petit chien. Ils avaient un petit chien. Qui s'occupe du petit chien aujourd'hui ? demanda-t-il. « Oui, se disait James impitoyablement, en voyant la tête de sa sœur se détacher sur la voile, à présent elle va capituler. Je resterai seul pour combattre le tyran. » Il n'y aurait plus que lui pour exécuter le pacte. « Cam ne résistera jamais au tyran jusqu'à la mort », songeait-il farouchement tout en observant son visage dans l'expression duquel se mêlaient la tristesse, la maussaderie, l'abdication. Lorsqu'au passage d'un nuage, la gravité descend sur le flanc vert d'une colline, alors que sur les autres collines avoisinantes règnent déjà la tristesse et la douleur, on a l'impression que ces dernières se préoccupent du sort de leur compagne ainsi obscurcie et, ou bien la plaignent, ou bien se réjouissent méchamment de sa détresse. Ainsi Cam sentait peser sur elle l'ombre d'un nuage au milieu des gens calmes et résolus qui l'entouraient et elle se demandait comment elle allait répondre à la question de son père sur le petit chien, comme elle allait résister à la prière qui s'y trouvait contenue — pardonnez-moi, aimez-moi — cependant que James, cet édicteur de lois, les tablettes de l'éternelle sagesse ouvertes sur ses genoux (aux yeux de Cam sa main posée sur la barre avait pris une valeur symbolique), disait : « Résistez-lui. Combattez-le. » Il était bien, il était juste qu'il parlât ainsi. Car, se disait-elle, il faut résister à la tyrannie jusqu'à la mort. De toutes les qualités humaines c'était la justice qu'elle révérait le plus. Son frère représentait la divinité dans ce qu'elle a de plus austère ; son père, la supplication dans ce qu'elle a de plus pathétique. Et auquel des deux cédait-elle ? Assise entre eux, elle se le demandait tout en regardant le rivage dont tous les promontoires lui étaient inconnus et en songeant à la pelouse, à la terrasse, à la maison enveloppées maintenant dans la douceur et dans la paix de l'éloignement.

« Jasper, dit-elle sur un ton maussade. C'est lui qui doit s'occuper du chien. »

Et son père continua. Comment allait-on l'appeler ? Il avait eu un petit chien quand il était enfant, appelé Frisk. Elle va céder, pensait James, en observant sur son visage la venue d'une certaine expression, une expression qu'il se rappelait. A ce moment-là les femmes baissent les yeux sur leur ouvrage ou ce qu'elles ont entre les mains. Puis, soudainement elles les lèvent. Il y eut une brusque vision de bleu, dans son souvenir, puis quelqu'un qui se trouvait assis avec lui se mettait à rire, se rendait, et il en demeurait très irrité. Ce devait être sa mère, se dit-il, assise sur une chaise basse, tandis que son père se tenait debout et la dominait. Il se mit à chercher dans la série infinie d'impressions que le temps avait déposées sur son cerveau, feuille à feuille, pli à pli, avec une incessante douceur ; il fouillait dans les parfums, les sons, les voix parmi lesquelles il en était d'aigres, de profondes, de délicieuses ; dans le passage des lumières et le tapement des balais ; le froufroutement, le silence de la mer ; pour y trouver cet homme qui, marchant de long en large, s'était brusquement arrêté et les regardait de sa hauteur. Cependant il remarqua que Cam trempait ses doigts dans l'eau, regardait le rivage et ne disait rien. « Non, se dit-il, elle ne cédera pas ; elle n'est plus la même. » Eh bien, puisque Cam ne voulait pas lui répondre, Mr. Ramsay décida de ne plus l'ennuyer et il chercha un livre dans sa poche. Mais elle voulait lui répondre ; elle avait un désir passionné d'écarter un obstacle qui pesait sur sa langue et de répondre : « Oh ! oui. Frisk. Je l'appellerai Frisk. » Elle voulait même ajouter : « Est-ce que c'est ce chien-là qui a trouvé son chemin sur la lande tout seul ? » Mais elle avait beau faire, elle n'arrivait à rien trouver à dire dans ce genre car elle restait farouchement fidèle à son pacte, tout en faisant passer à son père, à l'insu de James, un gage secret de l'affection qu'elle avait pour lui. Car, se disait-elle, tout en trempant sa main dans l'eau (et maintenant le fils Macalister avait attrapé un maquereau qui se débattait au fond du bateau avec du sang aux ouïes), car, se disait-elle, en regardant James qui fixait la voile avec un air impassible, avec de temps en temps un coup d'œil à l'horizon, vous, vous n'êtes pas exposé à cela, à cette pression, cette division de sentiment, cette extraordiaire tentation. Son père cherchait dans ses poches ; un instant de plus, et il aurait trouvé son livre. Car personne n'attirait Cam plus que lui ; elle admirait ses mains, comme elle admirait ses pieds, sa voix, ses paroles, sa précipitation, son caractère, ses bizarreries, son emportement, sa façon de dire carrément, devant tout le monde : « Nous périssons, chacun tout seul », et le caractère lointain de toute sa personne. (Il avait ouvert son livre.) Mais ce qui demeurait intolérable chez lui, trouvait-elle, assise bien raide à sa place, et tout en regardant le fils Macalister tirer sur son hameçon pris dans les ouïes d'un autre poisson, c'était ce grossier aveuglement, cette grossière tyrannie qui avaient empoisonné son enfance et suscité tant d'amers orages qu'il lui arrivait encore de s'éveiller, la nuit, tremblante de colère en se rappelant un de ses ordres, une de ses insolences, comme : « Faites ceci », « Faites cela », sa façon de vouloir dominer, ses « Faites ce que je vous dis ».

Aussi ne répondit-elle rien, mais elle continua à regarder avec une tristesse obstinée le rivage qu'enveloppait son manteau de paix. Ses habitants, trouvait-elle, avaient l'air d'être tombés endormis, d'être libres à la façon de la fumée, de pouvoir aller et venir comme des fantômes. Il n'y a pas de souffrance là, se disait-elle.

Oui, c'est bien leur bateau, décida Lily Briscoe se tenant sur le bord de la pelouse. C'était le bateau aux voiles d'un gris brun qu'elle voyait maintenant se coucher sur l'eau et s'élancer à travers la baie. C'est là qu'il est assis, songea-t-elle, et les enfants gardent encore un profond silence. Et elle ne pouvait pas aller jusqu'à lui. La sympathie qu'elle ne lui avait pas donnée pesait sur elle. Il lui était devenu difficile de peindre.

Elle avait toujours trouvé Mr. Ramsay difficile. Elle n'avait jamais pu le complimenter en face, elle se le rappelait. Et cela réduisait leur amitié à quelque chose de neutre, d'où était absent cet élément sexuel qui mettait tant de galanterie et presque de gaieté dans ses façons avec Minta. Il lui cueillait des fleurs, lui prêtait des livres. Mais pouvait-il croire que Minta les lisait ? Elle les traînait dans le jardin et y mettait des feuilles pour marquer les pages.

« Vous rappelez-vous, Mr. Carmichaël ? » avait-elle envie de demander, en regardant le vieillard. Mais il avait tiré son chapeau qui couvrait maintenant la moitié de son front ; il dormait, ou rêvait, ou consacrait ce repos à faire la chasse aux mots, probablement.

« Vous rappelez-vous ? » eut-elle envie de lui demander, en passant devant lui et songeant de nouveau à Mrs. Ramsay sur la plage, revoyant le baril danser sur les vagues et les pages s'envoler. Pourquoi, après tant d'années, ce souvenir avait-il survécu, d'un contour si net, si bien éclairé, visible jusqu'au moindre détail, alors que devant lui et derrière lui s'étendait une immense zone de néant ?

« Est-ce un bateau ? Est-ce un bouchon ? » demandait-elle, et Lily répéta cette question en revenant, encore une fois à contrecœur, à son tableau. Dieu merci, le problème de l'espace demeurait, se dit-elle, en reprenant son pinceau. Il la confrontait d'éclatante façon. La masse tout entière du tableau reposait en équilibre sur ce poids. Il fallait qu'il fût beau et brillant sur la surface, duveté, évanescent, fait de couleurs se fondant les unes dans les autres comme celles de l'aile d'un papillon ; mais là-dessous il fallait que la texture fût assemblée comme avec des boulons. Ce devait être quelque chose qu'on pourrait agiter d'un souffle et, en même temps, qu'on ne pourrait pas déloger avec un attelage de chevaux. Et elle se mit à poser un rouge, un gris, puis à façonner son chemin dans le creux qui se trouvait là. En même temps elle avait l'impression d'être assise à côté de Mrs. Ramsay sur la plage.

« Est-ce un bateau ? Est-ce un baril ? » demandait celle-ci. Et elle s'était mise à chercher partout ses lunettes. Et, après les avoir trouvées, elle restait assise, silencieuse, regardant la mer. Et Lily, en train de peindre assidûment, eut la sensation qu'une porte s'ouvrait, qu'on entrait et qu'on regardait sans rien dire, autour de soi, dans un grand édifice semblable à une cathédrale, très sombre, très solennel. Des cris venaient d'un monde très éloigné. Des vapeurs disparaissaient à l'horizon en longues tiges de fumée. Charles jetait des pierres et les faisait ricocher.

Mrs. Ramsay restait assise sans rien dire. Elle était heureuse, pensait Lily, de se reposer ainsi en silence, sans rien communiquer de ce qu'elle éprouvait ; de se reposer dans l'obscurité extrême des relations humaines. Qui sait ce que nous sommes, ce que nous éprouvons ? Qui sait, même au moment de l'intimité, si ceci représente une connaissance ? Ne gâtons-nous donc pas les choses ? aurait pu demander Mrs. Ramsay (cela semblait s'être produit si souvent, ce silence à son côté !) en les exprimant.

N'en disons-nous pas davantage ainsi ? Cet instant en tout cas paraissait d'une extraordinaire fertilité. Elle creusa un petit trou dans le sable puis le couvrit, en signe qu'elle y enterrait cette perfection. C'était comme une goutte d'argent dans laquelle on trempait pour la rendre lumineuse l'obscurité du passé.

Lily se recula pour donner à son tableau — comme cela — la perspective. C'est un drôle de chemin à parcourir, que celui du peintre. On n'en finit pas d'avancer, plus loin, toujours plus loin, si bien qu'à la fin on a l'impression de se trouver absolument seul, sur une planche étroite qui domine la mer. Et en touchant la couleur bleue de son pinceau, elle touchait en même temps le passé là-bas. Puis Mrs. Ramsay s'était levée, elle se le rappelait. Il était temps de revenir à la maison ; c'était l'heure de déjeuner. Et ils s'en revinrent tous de la plage, elle marchant derrière William Bankes et Minta les précédant avec un trou dans son bas. Que ce petit rond de talon rose semblait donc s'imposer à leur vue ! Que William Bankes le regrettait, sans pourtant, autant qu'elle pouvait se le rappeler, y faire la moindre allusion ! Cela représentait pour lui l'annihilation de la féminité, évoquait des visions de malpropreté et de désordre, de domestiques donnant congé, de lits pas encore faits à midi — tout ce qu'il abhorrait le plus. Il avait une façon de frémir et d'écarter les doigts comme pour repousser une vision répugnante à laquelle il eut recours en ce moment — il tenait sa main devant lui. Et Minta marchait devant et il est à présumer que Paul était allé à sa rencontre et qu'elle s'en était allée avec lui dans le jardin.

« Les Rayley », songea Lily Briscoe en pressant son tube de peinture verte. Elle rassemblait ses impressions sur les Rayley. Leurs deux vies lui apparaissaient dans une succession de scènes. L'une se passait sur l'escalier au petit jour. Paul était rentré se coucher de bonne heure ; Minta était en retard. Puis elle apparut sur l'escalier, enguirlandée, peinte, parée d'éclatante façon, vers trois heures du matin. Paul sortit en pyjama, un tisonnier à la main, croyant que c'était des voleurs. Minta mangeait un sandwich, au milieu de l'escalier, près d'une fenêtre, dans la lumière cadavérique, et il y avait un trou dans le tapis. Mais que dirent-ils ? Lily se le demandait, comme si en regardant elle pouvait les entendre. Quelque chose de violent. Minta continua à manger son sandwich, d'un air exaspérant, pendant qu'il parlait. Il s'exprimait avec indignation, en mari jaloux, l'insultait, et tout cela sans élever la voix pour ne pas réveiller les enfants, les deux petits garçons. Il avait les traits vieillis et tirés ; elle était flamboyante, intrépide. Car les choses s'étaient gâtées après la première année, ou à peu près ; ce mariage n'avait pas bien réussi.

Et ça, songea Lily prenant de la peinture verte sur son pinceau, ces scènes que nous imaginons à propos des gens sont ce que nous appelons les « connaître », « penser » à eux, les « aimer » ! Pas un mot de tout cela n'était vrai ; elle avait tout inventé ; et cependant c'était à travers cela qu'elle les connaissait. Elle se remit à creuser dans son tableau, dans son passé.

Une autre fois Paul dit qu'il « jouait aux échecs au café ». Elle avait également construit tout un édifice sur la base de cette déclaration. Elle se rappelait que, au moment où il parlait ainsi, elle se dit qu'il avait sonné la domestique et celle-ci l'informant que Mrs. Rayley était sortie, il avait décidé qu'il ne rentrerait pas lui non plus. Elle le vit assis dans un coin d'un endroit lugubre où la fumée s'attachait aux banquettes de peluche rouge et où les servantes apprenaient à connaître les clients, en train de jouer avec un petit homme qui était dans le commerce du thé et vivait à Surbiton. C'est là tout ce que Paul savait de son partenaire. Puis Minta était sortie quand il rentra chez lui et il s'ensuivit cette scène dans l'escalier au cours de laquelle il s'empara du tisonnier pour se défendre contre les voleurs (et sans doute pour lui faire peur aussi) et s'exprima avec tant d'amertume et lui dit qu'elle avait ruiné sa vie. En tout cas, lorsque Lily vint les voir dans la petite maison qu'ils habitaient près de Rickmansworth, les rapports entre mari et femme étaient horriblement tendus. Paul l'emmena dans le jardin pour lui faire voir les lièvres belges qu'il élevait et Minta, qui les suivait en chantant, posa son bras nu sur l'épaule de son mari pour l'empê-cher de parler à Lily.

Celle-ci eut l'impression que les lièvres excédaient Minta. Mais Minta ne se trahissait jamais. Elle n'eût jamais raconté par exemple que Paul jouait aux échecs dans les cafés. Elle était bien trop avisée, trop rusée. Mais pour en revenir à leur histoire — ils avaient maintenant franchi la passe dangereuse. Lily avait fait un séjour chez eux l'été dernier. Ils avaient eu une panne d'auto et Minta avait dû faire passer ses outils à son mari. Il s'était assis sur la route pour réparer sa voiture et c'était la façon dont elle lui avait tendu ce qu'il demandait — simple, franche, amicale — qui avait fait voir à Lily que tout était arrangé. Il n'y avait plus « d'amour » entre eux ; non, il s'était épris d'une autre femme, une personne sérieuse celle-là, qui portait ses cheveux dans un filet et un sac à la main (Minta l'avait décrite avec reconnaissance, presque avec admiration), allait dans des réunions publiques et partageait les opi-nions de Paul (de plus en plus prononcées) sur la taxation de la propriété bâtie et l'impôt sur le capi-tal. Loin de briser l'union du ménage, cette alliance de Paul avec cette femme l'avait consolidée. Il était évident que les deux époux étaient maintenant d'excellents amis à les voir, lui, assis sur la route, et elle, lui faisant passer ses outils.

Telle était l'histoire des Rayley, se dit Lily avec un sourire. Elle s'imaginait la racontant à Mrs. Ramsay qui serait très curieuse de savoir ce qui leur était arrivé. Elle éprouverait un certain sentiment de triomphe en disant à Mrs. Ramsay que ce mariage n'avait pas été un succès.

« Mais les morts ! » songea Lily, rencontrant dans sa composition un obstacle qui la fit s'arrêter et reculer d'un ou deux pas pour réfléchir. « Oh ! les morts, murmura-t-elle, on a pitié d'eux, on les écarte, on les méprise même un peu. Ils sont à notre merci. » Mrs. Ramsay avait pâli, était passée ; « Nous pouvons, se dit-elle, ne tenir aucun compte de ses désirs, mettre au rancart ses idées bornées et démodées. Elle s'éloigne de plus en plus de nous. » Et Lily, moqueuse, croyait l'apercevoir là-bas, au bout du corridor des années, et l'entendre donner ce conseil suprêmement incongru : « Mariez-vous, mariez-vous ! » (elle se tenait droite dans son lit, le matin, de bonne heure, alors que les oiseaux commençaient à gazouiller au-dehors dans le jardin). Et il faudrait lui répondre : « Rien n'a marché comme vous le désiriez. Ils sont heureux ainsi et je suis heureuse ainsi. La vie a complètement changé. » Là-dessus son être tout entier, sa beauté même, devinrent pendant quelques instants poussiéreux et désuets. Pendant quelques instants Lily, debout avec la chaleur du soleil dans le dos et passant en revue l'histoire des Rayley, triompha de Mrs. Ramsay qui ne saurait jamais que Paul allait au café et avait une maîtresse ; qu'il s'asseyait par terre et que Minta lui faisait passer ses outils ; qu'elle était là en train de peindre, qu'elle ne s'était jamais mariée, même pas avec William Bankes.

Mrs. Ramsay avait fait ce projet de mariage. Peut-être, si elle avait vécu, l'aurait-elle imposé. Déjà, cet été-là, il était « le plus aimable des hommes ». (C'était « le premier savant de son temps, à ce que dit mon mari ». C'était aussi « le pauvre William — cela me fait beaucoup de peine, quand je vais le voir, de trouver qu'il n'y a rien de joli chez lui — ni personne pour arranger les fleurs ».) On les envoyait donc chercher pour qu'ils allassent faire des promenades ensemble et Lily s'entendait dire, avec cette touche légère d'ironie grâce à laquelle Mrs. Ramsay vous filait toujours entre les doigts, qu'elle avait l'esprit scientifique ; qu'elle aimait les fleurs, qu'elle était d'une grande exactitude. Pourquoi avait-elle cette manie de marier les gens ? Lily se le demandait, tout en s'approchant de son chevalet et en s'en écartant de nouveau.

(Soudain, aussi brusquement qu'une étoile glisse dans le ciel, elle eut l'impression qu'une lumière rougeâtre brillait dans son esprit et que, issue de Paul Rayley, elle enveloppait ce dernier. Cette lumière montait à la façon d'un feu allumé par des sauvages sur un rivage lointain pour célébrer un grand événement. Elle entendait leurs cris et le pétillement du bois. La mer tout entière, sur des milles et des milles d'étendue, était rouge et or. Une odeur vineuse se mêlait à ce feu et enivrait Lily, car elle éprouvait de nouveau son ancien désir de se jeter de la falaise et de se noyer en cherchant une broche sur une plage. Et les cris et le pétillement la faisaient reculer avec crainte et dégoût, comme si, tout en voyant la splendeur et la force de ce feu, elle vît aussi qu'il se nourrissait du trésor de la maison avec une répugnante avidité qui lui faisait horreur. Mais en tant que spectacle, en tant que magnificence, il surpassait tout ce qu'elle connaissait ; il continuait à brûler à travers les années comme un signal sur une île déserte à l'extrémité de la mer, et il suffisait de dire « amour » pour qu'aussitôt, comme dans le cas présent, montât de nouveau la flamme de Paul. Puis cette flamme baissa et elle dit en riant : « Les Rayley » ; et songea que Paul allait jouer aux échecs dans les cafés.)

Elle songea qu'elle n'avait cependant échappé que par miracle. Elle venait de regarder la nappe et la pensée lui avait traversé l'esprit qu'elle pousserait son arbre au milieu et qu'elle n'avait besoin d'épouser personne. Et elle avait éprouvé une immense exaltation. Elle avait eu l'impression que désormais elle se trouvait à égalité avec Mrs. Ramsay — elle rendait par là hommage à l'extraordinaire pouvoir que Mrs. Ramsay exerçait sur les gens. Faites ceci, disait-elle, et on le faisait. Son ombre même, à côté de James, à la fenêtre, était pleine d'autorité. Elle se rappelait que William Bankes avait été choqué de ce qu'elle négligeait la signification du groupe ainsi formé par cette mère et ce fils. N'admirait-elle pas leur beauté ? avait-il demandé. Mais elle se rappelait aussi que William l'avait écoutée avec ses yeux d'enfant grave lorsqu'elle lui avait expliqué qu'il n'y avait pas chez elle d'irrévérence : qu'une lumière qui se trouvait ici appelait une ombre là et ainsi de suite. Elle n'avait pas l'intention de dénigrer un sujet que Raphaël, ils en convenaient tous les deux, avait traité divinement. Elle n'était pas cynique. Bien au contraire. Grâce à la tournure scientifique de son esprit, il avait compris — et ç'avait été une preuve d'impartialité intellectuelle qui lui avait plu et l'avait extrêmement réconfortée. A vrai dire, son amitié pour elle avait été un des grands plaisirs de sa vie. Elle avait de l'affection pour William Bankes.

Ils allaient à Hampton Court et il lui laissait toujours, en parfait gentleman qu'il était, amplement le temps de se laver les mains, pendant qu'il allait se promener le long de la rivière. C'était là un détail caractéristique de leurs rapports. Il y avait beaucoup de choses qu'ils ne disaient pas. Puis ils se promenaient dans les cours du château et admiraient, chaque été, les proportions architecturales et les fleurs. Il lui donnait pendant leur promenade des explications sur la perspective, l'architecture ; il s'arrêtait pour regarder un arbre, la vue sur le lac et admirer un enfant (le grand chagrin de sa vie était de ne pas avoir de fille) d'une façon un peu vague et lointaine mais naturelle chez un homme dont le temps était si accaparé par son laboratoire que, lorsqu'il en sortait, le monde semblait l'éblouir. Aussi marchait-il lentement, levait la main pour s'abriter les yeux et, rejetant la tête en arrière, s'arrêtait simplement pour respirer. Puis il lui racontait que sa gouvernante était en vacances, qu'il lui fallait acheter un tapis neuf pour l'escalier. Peut-être voudrait-elle bien venir avec lui faire cet achat ? Et une fois il fut amené à lui parler des Ramsay et il lui dit que lorsqu'il avait vu Mrs. Ramsay pour la première fois elle portait un chapeau gris ; elle n'avait pas plus de dix-neuf ou vingt ans. Elle était d'une beauté étonnante. Il regardait la perspective de l'avenue de Hampton Court comme s'il eût pu l'apercevoir là, au milieu des fontaines.

Elle regardait maintenant la marche qui conduisait au salon. Elle voyait, par les yeux de William, la silhouette d'une femme, paisible et silencieuse, le regard baissé. Elle était assise et songeait, réfléchissait (elle était en gris ce jour-là, pensait Lily). Son regard était baissé. Elle ne le lèverait jamais. « Oui, se disait Lily, l'examinant avec attention, j'ai dû la voir avec cet aspect, mais pas en gris ; pas si tranquille non plus, ni si jeune, ni si paisible. » La silhouette s'évoquait assez facilement. Elle était d'une étonnante beauté, disait William. Mais la beauté n'était pas tout. La beauté avait son mauvais côté — elle venait trop vite et trop complètement. Elle figeait la vie, la glaçait. On oubliait les petites agitations ; la montée du sang, la pâleur, une déformation curieuse, une lumière, une ombre qui, pendant un instant, rendaient le visage méconnaissable mais lui ajoutaient une qualité qu'on continuait toujours à voir. Il était plus simple d'effacer tout cela sous le masque unificateur de la beauté. Mais quelle expression avait-elle, se demandait Lily, lorsqu'elle se coiffait de son feutre de chasseur ou traversait la pelouse en courant, ou grondait Kennedy, le jardinier ? Qui pouvait le lui dire ? Qui l'éclairerait ?

Contre son gré elle avait remonté à la surface de la vie et se trouvait émerger à demi de son tableau et regarder Mr. Carmichaël, un peu éblouie, comme s'il s'agissait d'un objet irréel. Il était assis sur un fauteuil, les mains croisées sur son ventre. Il ne lisait ni ne dormait, mais paressait au soleil comme une créature repue d'existence. Son livre était tombé sur le gazon.

Elle voulait aller droit à lui et lui dire : « Mr. Carmichaël ! » Il lèverait comme toujours vers elle ses yeux fumeux, d'un vert vague, et la regarderait avec bienveillance. Mais on ne réveille les gens que lorsqu'on sait ce qu'on veut leur dire. Et ce qu'elle voulait dire ce n'était pas une chose seulement, mais tout. Des petits mots qui brisent la pensée et la dispersent n'expriment rien. « Sur la vie, sur la mort ; sur Mrs. Ramsay » — non, se dit-elle, on ne peut rien dire à personne. Sous la pression du besoin particulier qui vous fait parler à un moment déterminé on manque toujours le but essentiel. Les mots dans leur agitation perdent leur direction et s'en vont frapper le but beaucoup trop bas. Alors on y renonce ; l'idée retombe au fond de la conscience ; on se met à ressembler à la plupart des gens d'âge mûr qui sont prudents, furtifs, avec des rides entre les yeux et une expression de perpétuelle appréhension. Car comment peut-on traduire en paroles ces émotions corporelles, la sensation de ce vide-là ? (Elle était en train de regarder les marches du salon ; elles avaient l'air extraordinairement vides.) C'est là ce que l'on éprouve avec son corps et non pas avec son esprit. Les sensations physiques qui accompagnaient cet aspect dépouillé des marches étaient soudain devenues extrêmement désagréables. Désirer et ne pas avoir, cela communiquait à son corps tout entier une impression de dureté, de vide, d'effort. Et puis désirer et ne pas avoir — désirer et désirer encore — comme cela déchire le cœur et le déchire sans cesse ! Oh ! Mrs. Ramsay ! elle appelait silencieusement cet être essentiel qui était assis près du bateau, cette sorte d'abstraction qu'on avait tiré d'elle, cette femme en gris, comme pour l'invectiver en raison de ce qu'elle était partie, et, une fois partie, revenue. Songer à elle avait paru ne présenter aucun danger. Un fantôme, une vapeur, une réalité, un jouet dont on pouvait facilement s'amuser et sans aucun inconvénient à toute heure du jour et de la nuit, oui, assurément, elle avait bien été tout cela, mais voici que soudain elle étendait la main et vous arrachait le cœur, comme ceci. Soudain les marches vides du salon, la bordure du fauteuil à l'intérieur, le petit chien trébuchant sur la terrasse, toute la vague murmurante de vie qui traversait le jardin, devinrent autant de courbes et d'arabesques ordonnées en fonction d'un centre fait d'un vide total.

« Qu'est-ce que cela veut dire ? Comment expliquez-vous tout cela ? » avait-elle envie de demander en se tournant de nouveau vers M. Carmichaël. Car le monde entier semblait s'être dissous à cette heure matinale dans une mare de pensée, un réceptacle profond de réalité, et l'on pouvait presque imaginer que si Mr. Carmichaël avait parlé, une larme légère en aurait déchiré la surface. Et puis ? Quelque chose émergerait. Une main serait levée, une lame serait brandie. Cela était naturellement absurde.

Une pensée curieuse lui vint à l'esprit. Peut-être, après tout, entendait-il les choses qu'elle ne pouvait pas dire. C'était un indéchiffrable vieillard, avec sa tache jaune sur sa barbe, sa poésie et ses énigmes, faisant sereinement la traversée d'un monde qui satisfaisait à tous ses besoins, si bien qu'elle croyait qu'il n'avait qu'à poser la main à l'endroit où il reposait sur le gazon pour y ramasser tout ce qu'il désirait. Elle regarda son tableau. La réponse qu'il lui aurait faite eût probablement été celle-ci : « Vous », « moi », et « elle » passons et disparaissons ; rien ne dure ; tout change ; mais pas les mots, pas la peinture. » Et pourtant, se disait-elle, ce tableau finira au grenier ; on le roulera, on le jettera sous un canapé ; néanmoins, même quand il s'agissait d'une peinture comme celle-ci, cette assertion était vraie. Même de ce gribouillage, non point peut-être de ce qu'il représentait en fait mais tout au moins de ce qu'il s'efforçait d'exprimer, on pouvait dire qu'il « resterait toujours », voulait-elle ajouter ou tout au moins suggérer sans se servir du langage parlé, car il lui semblait qu'il y avait trop de vantardise à s'exprimer ainsi. Mais, comme elle regardait son tableau, elle fut surprise de constater qu'elle était incapable de l'apercevoir. Ses yeux se remplissaient d'un chaud liquide (elle ne s'avisa pas tout d'abord qu'il s'agissait de larmes) qui, sans troubler la fermeté de ses lèvres, roulait le long de ses joues et brouillait son atmosphère. Elle était parfaitement maîtresse d'elle-même — oh ! oui — sous tous les autres rapports. Etait-elle donc en train de pleurer sur Mrs. Ramsay, sans se rendre compte qu'elle éprouvât le moindre chagrin ? Elle s'adressa de nouveau au vieux Mr. Carmichaël. Qu'était-ce donc ? Qu'est-ce que cela voulait dire ? Les choses pouvaient-elles étendre la main et vous saisir ? La lame pouvait-elle couper ? le poing saisir son objet ? Ne pouvait-on avoir aucune sécurité ? N'y avait-il pas moyen d'apprendre par cœur les usages de ce monde ? N'existait-il ni guide ni abri, tout était-il miracle, bondissement du sommet d'une tour dans l'espace ? Etait-il possible, même pour les gens âgés, que ceci fût la vie ? — le saisissant, l'inattendu, l'inconnu ? Pendant un instant elle eut l'impression que s'ils se levaient tous les deux ici, Mr. Carmichaël et elle, pour demander une explication de cette brièveté, de ce caractère inexplicable, et s'ils formulaient leur demande avec violence, comme peuvent le faire deux êtres humains en pleine possession de leurs moyens et auxquels rien ne doit être caché, alors la beauté s'enroulerait ; l'espace vide se remplirait ; ces vaines arabesques prendraient une forme ; oui, s'ils criaient assez fort, Mrs. Ramsay reviendrait. « Mrs. Ramsay ! dit-elle à voix haute, Mrs. Ramsay ! » Les larmes coulaient sur son visage.

6

(Le fils Macalister prit un des poissons et découpa un morceau de son flanc pour appâter son hameçon. Puis il rejeta le corps mutilé — il vivait encore — dans la mer.)

7

« Mrs. Ramsay ! criait Lily, Mrs. Ramsay ! » Mais rien ne se produisit. Sa souffrance augmenta. Et dire que l'angoisse peut vous amener à un tel degré d'imbécillité ! songea-t-elle. En tout cas le vieillard ne l'avait pas entendue. Il restait béat et calme — ou, si l'on veut, sublime. Dieu soit loué ! personne n'avait entendu son cri, ce cri ignominieux. Assez de souffrance, assez ! Elle n'avait pas ouvertement perdu le sens. Personne ne l'avait vue franchir la planche étroite qui la séparait de l'annihilation. Elle était toujours une chétive vieille fille qui se tenait sur une pelouse, un pinceau à la main.

Puis, lentement, elle sentit diminuer la souffrance que lui causaient sa privation et son amère irritation. (Il avait fallu qu'elle les rappelât, juste au moment où elle s'imaginait qu'elle ne s'affligerait plus à propos de Mrs. Ramsay. Avait-elle ressenti son absence au milieu des tasses à café du breakfast ? Nullement.) Et, de l'angoisse qu'elles lui avaient procurée, elles laissèrent ce qui servait d'antidote à celle-ci, un soulagement qui, en lui-même, était déjà un baume et, en outre, mais d'une façon plus mystérieuse, le sentiment de la présence de quelqu'un là, de Mrs. Ramsay, délivrée un moment du poids que le monde avait placé sur elle. Elle se tenait légèrement à côté de Lily puis (car il s'agissait de Mrs. Ramsay dans toute sa beauté) elle porta à son front une couronne de fleurs blanches et s'en alla avec cette parure. Lily se remit à presser ses tubes. Elle attaqua le problème de la haie. C'était étrange de la voir si dictinctement s'avancer avec sa vivacité habituelle à travers les champs et disparaître au milieu de leurs douces ondulations violacées et de leurs hyacinthes ou de leurs lis. Il y avait là quelque tour que jouait à Lily son œil de peintre. Pendant plusieurs jours après avoir appris la nouvelle de sa mort, elle l'avait vue ainsi porter une couronne à son front et s'en aller à travers champs sans poser de questions, accompagnée d'une ombre. Le spectacle, la parole ont un pouvoir consolant. Partout où elle se trouvait en train de peindre, ici, à la campagne ou à Londres, la même vision lui revenait et ses yeux, fermés à demi, cherchaient quelque chose sur quoi baser cette vision. Elle regardait de son wagon, de son omnibus ; empruntait une ligne à cette épaule ou à cette joue ; examinait les fenêtres d'en face et Piccadilly nocturne avec son cordon de réverbères. Tout cela avait fait partie des champs de la mort. Mais toujours quelque chose — ce pouvait être un visage, une voix, un petit vendeur de journaux criant *Standard News* — venait se mettre au travers, la bafouait, la tirait de son rêve, lui demandait et finissait par obtenir d'elle un effort d'attention qui l'obligerait à refaire perpétuellement sa vision. Une fois de plus, poussée comme elle l'était par un besoin instinctif de distance et de bleu, elle regarda la baie qui s'étendait sous elle, transformant en monticules les barres bleues des vagues et en champs pierreux les espaces où dominait le violet. Une fois de plus elle fut, comme à l'habitude, tirée de sa contemplation par quelque chose d'incongru. Il y avait un point brun au milieu de la baie. C'était un bateau, oui, elle s'en rendit compte au bout d'un instant. Mais le bateau de qui ? Celui de Mr. Ramsay, répondit-elle. Mr. Ramsay ; l'homme qui était passé devant elle, la main levée, d'un air supérieur, à la tête de la procession, dans ses beaux souliers, et qui lui demandait une sympathie qu'elle avait refusée. Le bateau se trouvait maintenant au milieu de la baie.

La matinée était si belle que, sauf quand se produisait çà et là une bouffée de vent, la mer et le ciel semblaient faits de la même texture, comme si les voiles se trouvassent fichées dans les hauteurs du ciel ou comme si les nuages fussent tombés dans la mer. Un vapeur, bien au large, avait entraîné à sa suite un grand panache de fumée qui formait une courbe et un cercle d'un bel effet décoratif et demeurés immobiles. On eût dit que l'air était fait d'une gaze fine qui gardait doucement les objets dans ses mailles et se contentait de les balancer légèrement de côté et d'autre. Et, ainsi qu'il arrive par très beau temps, les falaises avaient l'air de se rendre compte qu'il y avait des navires et ceux-ci avaient l'air de se rendre compte qu'il y avait des falaises et les uns et les autres avaient l'air d'échanger des messages secrets. Car alors qu'il était parfois tout près du rivage, le Phare, pris ce matin dans la brume, paraissait se trouver à une distance énorme.

« Où sont-ils maintenant ? » se demanda Lily, regardant la mer. Où était-il, ce très vieil homme qui était passé devant elle silencieusement, tenant sous le bras un paquet enveloppé de papier marron ? Le bateau se trouvait au milieu de la baie.

8

On n'éprouve rien là, se disait Cam en regardant le rivage qui, sans cesser de monter et de descendre à ses yeux, devenait régulièrement plus lointain et plus paisible. Sa main découpait la mer et son esprit composant des dessins avec les remous et les raies de l'eau verte pénétrait dans un engourdissement obscur. Alors son imagination errait dans ce monde profond où les perles forment des grappes sur de blancs rameaux, où dans la lumière verte l'esprit tout entier se transforme et le corps à demi transparent brille, enveloppé dans un manteau de même couleur.

Puis les remous se détendirent autour de sa main. L'eau cessa de se fendre ; le monde se remplit de petits craquements et grincements. On entendit les vagues se briser et clapoter contre les flancs du bateau comme si celui-ci fût mouillé au port. Tout devint très rapproché. Car la voile sur laquelle James avait fixé les yeux au point qu'elle avait fini par devenir pour lui une personne bien connue, se mit à battre de haut en bas ; ils s'arrêtèrent, oscillants et attendant la brise, sous les rayons du soleil, à plusieurs milles du rivage, à plusieurs milles du Phare. Tout dans le monde entier semblait frappé d'immobilité. Le Phare devint immuable et la ligne de son rivage lointain se fixa. Le soleil devenait plus chaud et chacun semblait se trouver plus rapproché des autres, avait l'impression de sentir leur présence qu'il avait presque oubliée. La ligne de Macalister descendit toute droite dans la mer. Mais Mr. Ramsay continua de lire, ses jambes repliées sous lui.

Il lisait un petit livre luisant à la reliure mouchetée comme un œuf de pluvier. De temps en temps, dans l'horrible suspension produite par ce calme, on le voyait tourner une page. Et James sentait que chaque page était tournée avec un geste particulier dirigé contre lui, soit que son père voulût affirmer son autorité, soit qu'il lui donnât un ordre, soit qu'il eût l'intention de se faire prendre en pitié ; et tout le temps qu'il lisait et tournait l'une après l'autre ces petites pages, James ne cessait de redouter le moment où il lèverait les yeux et lui parlerait sèchement de quelque chose. Pourquoi traîne-t-on ici ?

Il poserait cette question-là ou une autre tout aussi déraisonnable. « Et s'il le fait, se disait James, je prendrai un couteau et je le frapperai au cœur. »

Il avait toujours conservé ce vieux symbole du couteau avec lequel il frapperait son père au cœur. Mais à présent qu'il devenait plus âgé, lorsqu'il regardait son père avec une rage impuissante, ce n'était plus lui, ce vieillard en train de lire, qu'il voulait frapper, mais ce qui descendait sur lui, sans peut-être qu'il s'en rendît compte : cette harpie aux ailes noires qui s'acharnait sur les gens avec ses serres et son bec, si froids et si durs (il sentait encore ce bec sur ses jambes nues, à l'endroit où il l'avait frappé quand il était enfant), et puis s'envolait, ne laissant à sa place qu'un vieillard très triste qui lisait un livre. C'est cela qu'il voulait tuer, qu'il voulait frapper au cœur. Quoi qu'il fît — (et, les yeux fixés sur le Phare, il sentait qu'il pourrait faire n'importe quoi), qu'il fût dans les affaires, dans une banque, au barreau, à la tête de quelque entreprise, c'est contre cela qu'il lutterait, c'est cela qu'il pourchasserait et foulerait aux pieds — cette chose qu'il appelait tyrannie, despotisme, et qui consistait à imposer aux gens ce qu'ils n'ont pas envie de faire, à mutiler leur droit de parler. Comment aucun d'eux aurait-il pu répondre : « Mais je ne veux pas », lorsqu'il disait : « Venez au Phare », « Faites ceci », « Allez me chercher cela. » Les ailes noires s'éployaient et le bec impitoyable déchirait. Puis, l'instant d'après, il était là en train de lire son livre ; et il pouvait lui arriver, on ne savait jamais, de lever les yeux et de se montrer très raisonnable. Il se pouvait qu'il parlât aux Macalister. Il pouvait lui arriver de fourrer un souverain dans la main d'une vieille femme transie de froid dans la rue, se disait James ; de protester bruyamment contre certains divertissements de pêcheurs ; de lever les bras sous la poussée de son émotion. Il pouvait aussi lui arriver de s'asseoir à une extrémité de la table sans dire un seul mot du commencement du dîner à la fin. Oui, pendant que le bateau clapotait sans avancer, en plein soleil, James songeait à la vaste étendue de neige et de rochers austère et désertique où, depuis quelque temps, lorsque son père disait quelque chose qui surprenait les autres, il avait eu très souvent l'impression qu'il n'existait que les traces de deux pas : ceux de son père et les siens. Ils étaient seuls à se connaître réciproquement. Pourquoi donc cette terreur, cette haine ? Il se tourna vers les feuilles si nombreuses que le passé avait pliées en lui, il scruta le cœur de cette forêt où la lumière et l'ombre s'entrecroisent au point que tout est déformé et qu'on ne peut que trébucher avec, dans les yeux, cette rapide succession de soleil et d'obscurité. Il cherchait une image par laquelle son sentiment refroidi pût s'extérioriser et prendre une forme concrète. Voyons, supposons qu'à l'époque où, petit enfant, il se trouvait assis sans pouvoir bouger dans sa voiture ou sur les genoux de quelqu'un, il ait vu une charrette écraser en toute ignorance et innocence le pied de quelqu'un ? Supposons qu'il ait vu d'abord ce pied, posant, intacte sur le gazon, la douceur de sa chair ; puis qu'il ait aperçu la roue ; et enfin le même pied écrasé et violacé. La roue cependant était innocente. Ainsi, à présent, lorsque son père venait à grands pas dans le corridor les réveiller à une heure matinale pour faire une promenade au Phare, il passait sur son pied, sur celui de Cam, sur celui de n'importe qui. On ne pouvait que le regarder de l'endroit où l'on était assis.

Mais au pied de qui pensait-il, et dans quel jardin tout cela était-il arrivé ? Car ces scènes avaient leur décor ; des arbres, des fleurs poussaient là ; il y

avait eu une certaine lumière ; quelques personnages.
Tout tendait à se disposer dans un jardin où il n'y
avait rien de cette tristesse, rien de cette tendance
à lever les bras au ciel ; on s'y exprimait sur un ton
de voix ordinaire. On y entrait et on en sortait toute
la journée. Il y avait une vieille femme qui bavar-
dait dans la cuisine ; tous les stores étaient aspirés
ou gonflés par la brise ; ce n'était que souffles et
végétation ; et sur toutes ces assiettes, tous ces bols,
sur ces grandes fleurs qui brandissaient leur rouge
et leur jaune un voile jaune très mince était tendu
le soir, semblable à une feuille de vigne. Les choses
devenaient plus tranquilles et plus obscures le soir.
Mais ce voile en forme de feuille était si fin que les
lumières le soulevaient et les voix le froissaient ;
James distinguait au travers une forme humaine qui
se penchait ; il entendait, arrivant tout près puis
s'éloignant, le frou-frou d'une robe, le cliquetis d'une
chaîne.

Ce fut dans ce monde-là que la roue passa sur le
pied. Il se rappelait que quelque chose s'était arrêté
au-dessus de lui, avait posé son ombre sur lui, avait
refusé de s'en aller ; puis il y eut un moulinet dans
l'air ; quelque chose d'aride et d'aiguisé descendit à
cet endroit précis à la façon d'une lame, d'un cimeterre, faucha les feuilles et les fleurs de ce monde
heureux et les fit se flétrir et tomber.

« Il va pleuvoir », disait son père — il s'en souvenait. « Vous ne pourrez pas aller au Phare. »

Le Phare était alors une tour d'argent, d'aspect
brumeux et possédant un œil jaune qui s'ouvrait le
soir avec soudaineté et douceur.

James regarda le Phare. Il pouvait distinguer les
rochers baignés d'une écume blanche ; la tour, nue
et droite ; reconnaître qu'elle portait des barres
blanches et noires ; apercevoir les fenêtres qui y
étaient percées et même la lessive qu'on faisait

sécher sur les rochers. Ainsi c'était donc cela le Phare ?

Non, l'autre vision était, elle aussi, le Phare. Car rien n'est simplement quelque chose. L'autre Phare était bien aussi le Phare. A certains moments c'est à peine si on pouvait l'apercevoir de l'autre côté de la baie. Le soir, en levant les yeux, on voyait cet œil s'ouvrir et se fermer et la lumière semblait arriver jusqu'à eux dans ce jardin plein d'air et de soleil où ils étaient assis.

Mais il se ressaisit. Toutes les fois qu'il parlait de « on » ou de « quelqu'un », puis commençait à entendre un frou-frou s'approcher ou un cliquetis s'éloigner, il devenait extrêmement sensible à la présence de quiconque se trouvait dans la pièce. Cette fois-ci c'était son père. La situation devint extrêmement tendue. Car dans un instant, s'il n'y avait toujours pas de brise, son père allait fermer bruyamment son livre et demander : « Voyons, qu'est-ce qui se passe ? Pourquoi poirotons-nous ici ? » de la même façon qu'il avait, une fois déjà, abattu son glaive au milieu d'eux sur la terrasse. Cette fois-là sa mère en était restée toute raidie et s'il y avait eu à portée de James une hache, un couteau, n'importe quoi de pointu, il s'en serait emparé pour frapper son père au cœur. Sa mère en était restée toute raidie, puis, laissant retomber son bras de telle sorte qu'il se rendait compte qu'elle n'écoutait plus ce qu'il lui disait, elle s'était levée comme elle avait pu et s'en était allée en le laissant là, impuissant, ridicule, assis sur le plancher, une paire de ciseaux à la main.

Il n'y avait pas un souffle d'air. L'eau faisait des gargouillis au fond du bateau où trois ou quatre maquereaux battaient de la queue dans une flaque d'eau qui n'était pas assez profonde pour les recouvrir. A tout moment Mr. Ramsay (James osait à peine le regarder) pouvait se secouer, fermer son livre et dire quelque chose de désagréable ; mais pour le moment il était en train de lire. Aussi James, prenant ses précautions comme s'il eût été en train de descendre l'escalier, pieds nus, en s'efforçant de ne pas réveiller un chien de garde par le craquement d'une marche, continuait-il à se demander comment elle était, où elle était allée ce jour-là ? Il se mit à la suivre de pièce en pièce jusqu'à ce qu'ils arrivassent dans une chambre où elle se mit à parler à quelqu'un dans une lumière bleue, réfléchie, semblait-il, par une multitude de plats en porcelaine. Il l'écoutait. Elle s'adressait à une domestique et lui disait bonnement tout ce qui lui passait par la tête : « Il nous faudra un grand plat ce soir. Où est-il — le plat bleu ? » Elle seule disait la vérité et à elle seule il pouvait la dire. C'était peut-être là la source de la perpétuelle attraction qu'elle exerçait sur lui ; c'était quelqu'un à qui on pouvait dire tout ce qui vous passait par la tête. Mais tout le temps qu'il pensait à elle il sentait que son père suivait sa pensée, l'emboîtait, la faisait frémir et vaciller.

Il finit par ne plus penser à rien ; il restait assis la main sur la barre, au soleil, regardant le Phare, incapable de bouger, incapable de chasser d'une chiquenaude ces grains d'affliction qui, l'un après l'autre, se posaient sur son esprit. Il lui semblait qu'il était lié par une corde dont son père avait fait les nœuds et qu'il ne pouvait échapper qu'en saisissant un couteau et le plongeant... Mais à ce moment la voile tourna lentement, se gonfla peu à peu, le bateau parut se secouer, puis s'avancer encore à demi endormi et, enfin réveillé, s'élancer à travers les vagues. Le soulagement éprouvé par tous fut extraordinaire. Il leur semblait qu'ils se trouvaient de nouveau séparés les uns des autres et à leur aise. Les lignes faisaient avec l'eau un angle rigide le long du bateau. Mais Mr. Ramsay ne se secoua pas. Il se contenta de lever mystérieusement sa main droite très haut et de la laisser retomber sur son genou comme s'il eût été en train de diriger une secrète symphonie.

9

La mer sans une tache, songea Lily Briscoe, toujours debout et en train de regarder la baie. La mer est tendue comme une soie en travers de la baie. La distance a un pouvoir extraordinaire. Elle avait l'impression qu'ils avaient été engouffrés, qu'ils étaient partis pour toujours, qu'ils étaient incorporés à la nature des choses. Quelle tranquillité, quel calme ! Le vapeur lui-même s'était évanoui ; mais la grande traînée de fumée restait toujours suspendue en l'air et retombait à la façon d'un morne signal d'adieu.

10

C'est donc ainsi qu'elle est cette île, songeait Cam, enfonçant une fois de plus ses doigts dans la mer. Elle ne l'avait encore jamais vue du large. Elle se posait comme cela sur la mer avec une entaille au milieu et deux falaises bien droites. La mer après s'être brisée sur elle s'étendait sans fin de chaque côté. Elle était très petite, et sa forme ressemblait quelque peu à celle d'une feuille placée sur son extrémité. « Nous prîmes donc un petit bateau », se dit-elle, car elle commençait à se raconter une histoire d'aventure dans laquelle on s'échappait d'un navire en perdition. Mais le jaillissement de l'eau entre ses doigts, derrière lesquels traînait un morceau de varech, l'empêchait de prendre à cette histoire un intérêt bien sérieux ; ce qu'elle voulait c'était la sensation d'aventure et de sauvetage. Car tandis que le bateau continuait sa course elle se disait que la colère de son père à propos des divisions de la boussole, l'obstination de James relativement à leur pacte et sa propre angoisse, tout cela avait glissé, s'en était allé, avait été emporté au loin. Qu'est-ce donc qui arrivait ensuite ? Où étaient-ils en train d'aller ? De sa main glacée, qu'elle tenait profondément enfoncée dans la mer, jaillissait une fontaine de joie à la pensée de ce changement, de cette évasion, de cette aventure (car elle était vivante, elle se trouvait là). Et les gouttes qui tombaient de cette fontaine de joie, soudaine et irréfléchie, allaient se poser çà et là sur les formes obscures et dormantes de son esprit ; formes d'un monde non encore entré dans la réalité mais qui déjà se mouvaient dans leur obscurité et recevaient de temps en temps une tache de lumière ; la Grèce, Rome, Constantinople. Si petit qu'il fût, ce monde, qui rappelait par sa forme une feuille posée sur sa queue et que pénétraient, qu'entouraient des eaux saupoudrées d'or, il avait, elle le supposait, une place dans l'univers — n'eût-ce été que cette petite île ? Les vieux messieurs qui se tenaient dans le cabinet de travail auraient pu le lui dire, pensait-elle. Il lui arrivait d'y pénétrer en arrivant du jardin exprès pour les y surprendre. Elles les trouvait (ça pouvait être Mr. Carmichaël, ou Mr. Bankes, très vieux, très raides) assis en face l'un de l'autre dans leurs fauteuils bas. Ils tenaient devant eux et froissaient les pages du *Times* lorsqu'elle arrivait du jardin et éprouvaient de grandes perplexités à propos de quelque chose que quelqu'un avait dit sur le Christ ; d'un mammouth trouvé dans des fouilles à Londres ; de l'aspect du grand Napoléon. Ils s'emparaient de tout cela de leurs mains propres (ils portaient des vêtements gris ; ils sentaient la bruyère), rassemblaient les miettes de leurs informations, tournaient leur journal, se croisaient les jambes et disaient de temps en temps quelque chose très brièvement. Elle-même éprouvait une sorte de transe, prenait un livre sur un rayon et restait là à regarder son père écrire d'une écriture bien égale et bien formée, d'un côté de la page à l'autre, avec de temps en temps une petite toux ou une brève parole adressée à l'autre vieux monsieur assis en face de lui. Et là, se disait-elle, assise avec son livre ouvert, on pouvait laisser sa pensée, quelle qu'elle fût, s'épanouir comme une feuille dans l'eau ; et si elle se comportait bien, au milieu de ces vieux messieurs en train de fumer et de froisser le *Times* entre leurs doigts, c'est qu'elle était ce qu'il fallait. Tout en regardant son père écrire dans son cabinet, elle se disait (en ce moment elle était assise dans le bateau) qu'il était délicieux et très savant ; qu'il n'était ni vaniteux ni tyrannique. Car, lorsqu'il l'apercevait là, en train de lire un livre, il lui demandait, avec toute la douceur possible, s'il y avait quelque chose qu'il pût faire pour elle.

Craignant de se tromper, elle le regarda en train de lire le petit livre à la couverture luisante et tachetée comme un œuf de pluvier. Non, elle ne se trompait pas. Regardez-le à présent, avait-elle envie de dire à James. (Mais celui-ci fixait son regard sur la voile.) C'est une brute avec ses façons sarcastiques, dirait James. Il s'arrange pour ramener toujours la conversation sur lui-même et sur ses livres, dirait encore James. Son égoïsme est intolérable. Et surtout c'est un tyran. « Mais, regardez ! dit-elle, le regardant elle-même. Regardez-le en ce moment. » Elle le considérait, assis les jambes repliées, en train de lire son petit livre ; ce petit livre aux pages jaunâtres qu'elle connaissait sans savoir ce qu'il y avait d'écrit dessus. Il était petit, imprimé très fin ; sur la feuille de garde elle savait qu'il avait écrit que son dîner lui avait coûté quinze francs ; le vin avait été tant ; il avait donné tant au garçon ; tout cela faisait une addition très propre jusqu'au bas de la page. Mais ce qui pouvait bien être écrit dans le livre dont les coins s'étaient arrondis dans sa poche, cela elle n'en savait rien. Ce qu'il en pensait leur était inconnu à tous. Cependant il s'absorbait dans sa lecture au point que lorsqu'il levait les yeux, comme il le faisait un moment pour quelques instants, ce n'était pas tout à fait dans le but de voir quoi que ce fût ; c'était pour fixer dans son esprit une pensée avec plus d'exactitude. Cela fait, son esprit prenait de nouveau son vol et il se replongeait dans sa lecture. Elle trouvait qu'il lisait comme s'il eût été en train de guider quelque chose ou d'amadouer un grand troupeau de moutons ou de monter tout en haut d'un unique et étroit sentier ; parfois il allait vite et droit devant lui et coupait au travers des fourrés et parfois on eût dit qu'une branche venait le frapper, qu'une ronce l'aveuglait. Mais il n'allait pas se laisser arrêter pour si peu ; et il allait toujours, tournant les pages, inlassablement. Elle se remit à se raconter une histoire de sauvetage à bord d'un vaisseau en perdition, car elle ne courait aucun danger, tant qu'il se trouvait là ; elle se sentait aussi protégée que lorsqu'elle quittait le jardin pour se glisser dans la maison, qu'elle prenait un livre dans le cabinet de travail et que le vieux monsieur, abaissant brusquement son journal, disait, par-dessus sa page, quelque chose de très bref sur le caractère de Napoléon.

Elle regarda de nouveau la mer et l'île. Mais la feuille était en train de perdre de la netteté. Elle était très petite, elle était très lointaine. La mer avait maintenant plus d'importance que le rivage. Les vagues les entouraient de tous côtés ; elles se dressaient, se creusaient ; un morceau de bois descendait la pente de l'une d'elles ; une mouette en chevauchait une autre. Par ici, songeait Cam, tripotant l'eau, avait coulé un navire et, murmura-t-elle, l'air songeur, à demi endormie, nous pérîmes, chacun tout seul.

11

« La distance, se disait Lily Briscoe en regardant la mer qui était à peine tachée, et d'une telle douceur d'aspect que les voiles et les nuages paraissaient être sertis dans son bleu, la distance, se disait-elle, a donc une si grande importance ; et le fait que les gens sont près ou loin de nous. » Car son sentiment pour Mr. Ramsay changeait à mesure qu'il s'éloignait. Il semblait s'allonger, se distendre, devenir de plus en plus lointain. Lui et ses enfants avaient l'air d'être absorbés par ce bleu, cette distance ; mais ici, sur la pelouse, à côté d'elle, Mr. Carmichaël poussa soudain un grognement. Elle se mit à rire. Il ramassa sur le gazon son livre, cette proie. Il s'installa de nouveau dans son fauteuil en soufflant et haletant comme un monstre marin. Elle en éprouvait une impression entièrement différente parce qu'il était très près d'elle. Puis tout redevint tranquille. On devait être levé à cette heure, supposait-elle. Et elle regarda la maison, mais rien n'y apparaissait. Elle se rappela, il est vrai, que tout le monde s'en allait toujours à ses petites affaires dès qu'un repas était terminé. L'aspect de la maison s'accordait avec le silence, le vide, l'irréalité de cette heure matinale. Tandis qu'elle s'attardait à regarder les longues fenêtres brillantes et le panache de fumée bleue, elle se disait que c'était là une façon de faire que les choses ont parfois : elles deviennent irréelles. Ainsi lorsqu'on revient d'un voyage, ou après une maladie, avant que les habitudes se soient tissées sur la surface de notre vie, on sent cette même irréalité qui est d'un effet saisissant ; on sent que quelque chose émerge. C'est à ces moments-là que la vie est le plus vivante. On peut être alors à son aise. Dieu merci ! on n'est pas obligé de dire sur un ton empressé à la vieille Mrs. Beckwith qui vient chercher un coin pour s'asseoir et à la rencontre de laquelle on va en traversant la pelouse : « Oh ! bonjour, Mrs. Beckwith ! Quelle délicieuse journée ! Aurez-vous le courage de vous asseoir au soleil ? Jasper a caché les chaises. Laissez-moi vous en trouver une ! » ni de continuer à servir toutes les banalités habituelles. On n'a nullement besoin de parler. On glisse, on secoue ses voiles (il y avait beaucoup de mouvement dans la baie, les bateaux étaient en train d'appareiller), on passe entre les choses et au-delà des choses. La vie n'est pas vide alors, mais au contraire remplie jusqu'au bord. Il semblait à Lily qu'elle se trouvait immergée jusqu'aux lèvres dans quelque substance où elle pouvait se mouvoir, flotter et aussi s'enfoncer, car ces eaux-là sont d'une insondable profondeur. Que de vies y ont été jetées ! Celles des Ramsay ; de leurs enfants ; sans compter toutes sortes de choses hétéroclites. Une blanchisseuse avec son panier ; une corneille ; un plan de tritoma ; les couleurs violettes et gris vert des fleurs : une communauté de sentiment par laquelle le monde se trouve maintenu.

C'était peut-être un sentiment analogue d'achevé qui, il y avait dix ans, et presque à l'endroit même où elle se trouvait à présent, lui avait fait dire qu'elle était certainement amoureuse de cette maison. L'amour peut prendre mille formes. Il peut y avoir des amoureux qui ont le don de choisir et d'extraire les éléments des choses ainsi que de les assembler. Ils leur donnent ainsi une unité qu'ils n'ont pas dans la réalité et font d'une scène ou de la rencontre de gens ' maintenant tous partis et séparés) une de ces masses arrondies et compactes sur lesquelles la pensée aime s'attarder et l'amour jouer.

Ses yeux se fixaient sur la tache brune que formait le bateau à voiles de Mr. Ramsay. Elle supposait qu'ils arriveraient au Phare pour déjeuner. Mais le vent avait fraîchi, et, à mesure que l'aspect du ciel et de la mer se modifiait légèrement et que les bateaux changeaient leurs positions, le spectacle qui, l'instant d'auparavant, avait paru d'une miraculeuse fixité, était maintenant devenu peu satisfaisant. Le vent avait dispersé la traînée de fumée ; il y avait quelque chose de déplaisant dans la façon dont les bateaux se trouvaient placés.

La disproportion qui existait là lui semblait détruire une harmonie dans son propre esprit. Elle éprouvait un obscur sentiment de détresse. Il se confirma lorsqu'elle se tourna vers son tableau. Elle avait gaspillé sa matinée. Pour une raison ou pour une autre, elle ne pouvait pas arriver à équilibrer avec une précision absolue ces deux forces opposées, Mr. Ramsay et sa peinture ; et cet équilibre était pourtant nécessaire. Peut-être y avait-il quelque chose de défectueux dans sa composition ? Etait-ce, se demandait-elle, la ligne du mur qui avait besoin d'être brisée, ou bien la masse formée par les arbres qui était trop épaisse ? Elle eut un sourire ironique ; car ne s'était-elle pas imaginé, en commençant, qu'elle avait résolu le problème ?

Quel était donc ce problème ? Il lui fallait s'efforcer de s'emparer de quelque chose qui lui échappait. Cette chose-là lui échappait lorsqu'elle pensait à Mrs. Ramsay ; elle lui échappait maintenant lorsqu'elle pensait à la peinture. Des phrases lui venaient. Des visions lui venaient. Et de beaux tableaux. De belles phrases. Mais ce dont elle voulait s'emparer c'était la discordance qui agit sur les nerfs, la chose elle-même avant qu'on en ait rien tiré. Procurez-vous cela et recommencez par le commencement, se disait-elle avec désespoir en se plantant fermement devant son chevalet. C'était un misérable appareil et bien imparfait, se disait-elle, que cet appareil dont les hommes se servent pour peindre ou pour sentir ; il fait toujours défaut au moment critique ; il faut héroïquement l'obliger à continuer sa tâche. Elle regarda fixement, les sourcils froncés. C'était la haie, évidemment. Mais on n'obtient rien en se faisant trop pressant. On ne fait que s'éblouir en regardant la ligne du mur ou en songeant — elle portait un chapeau gris. Elle était d'une étonnante beauté. Qu'elle vienne si elle doit venir, cette chose-là, se dit-elle. Car il y a des moments où l'on ne peut ni penser si sentir. Et si l'on ne peut ni penser ni sentir, où se trouve-t-on ?

Ici sur l'herbe, sur le sol, se dit-elle, en s'asseyant et en examinant avec son pinceau une petite colonie de plantains. Car la pelouse était grossièrement tenue. Ici où, elle le sentait, elle était assise sur le monde, car elle ne pouvait se dégager de l'impression que tout, ce matin-ci, arrivait pour la première fois, peut-être pour la dernière fois ; ainsi un voyageur, même à moitié endormi, sait, en regardant à la portière de son wagon, qu'il lui faut faire bien attention car il ne reverra jamais cette ville, ni cette charrettes à mules, ni cette femme en train de travailler dans les champs. La pelouse était le monde ; ils se trouvaient là ensemble, sur cette magnifique hauteur, songea-t-elle, en regardant le vieux Mr. Carmichaël qui semblait partager ses pensées (bien qu'il n'eût pas soufflé mot pendant tout ce temps). Et peut-être ne le reverrait-elle plus jamais. Il se faisait vieux. Elle se rappela aussi, en remarquant avec un sourire la pantoufle qui se balançait au bout de son pied, qu'il était en train de devenir fameux. On disait que ses vers étaient « si beaux ». On publiait des choses qu'il avait écrites il y avait quarante ans. Il y avait maintenant un homme célèbre du nom de Carmichaël ; et elle sourit encore en songeant à toutes les apparences qu'une personne peut prendre et qu'il était un homme célèbre dans les journaux mais qu'ici il était comme il avait toujours été. Il avait toujours le même air — peut-être un peu plus grisonnant. Oui, il avait l'air d'être resté le même, mais quelqu'un avait dit, elle se le rappelait, que lorsqu'il apprit la mort d'Andrew Ramsay (tué en une seconde par un obus ; ç'aurait été un grand mathématicien) Mr. Carmichaël avait « perdu tout intérêt à l'existence ». Qu'est-ce que cela voulait dire ? se demandait-elle. Avait-il défilé dans Trafalgar Square un gros bâton à la main[1] ? Avait-il tourné des pages et des pages sans les lire, assis tout seul dans sa chambre de Saint John's Wood ? Elle ne

---

1. Allusion aux défilés de manifestants ou de volontaires qui eurent lieu à Trafalgar Square pendant la guerre. (N. d. T.)

savait pas ce qu'il avait fait lorsqu'il avait appris qu'Andrew avait été tué, mais elle n'en sentait pas moins ce qu'il y avait eu en lui. Ils ne faisaient qu'échanger un murmure en se rencontrant dans les escaliers ; ils regardaient le ciel et disaient qu'il allait faire beau ou mauvais. Mais c'était là une façon de connaître les gens, se disait-elle : on connaît le contour et pas le détail, comme, assis dans son jardin, on regarde les pentes violettes d'une colline s'en aller se perdre dans la bruyère lointaine. Elle le connaissait de cette manière. Elle savait qu'il avait changé d'une certaine façon. Elle n'avait jamais lu un vers de lui. Elle croyait savoir néanmoins comment ses poèmes se déroulaient, avec une lenteur sonore. Ils donnaient l'impression d'être mûris, bien à point. Ils parlaient du désert et du chameau. Ils parlaient du palmier et du coucher de soleil. Ils étaient extrêmement impersonnels, parlaient un peu de la mort et très peu de l'amour. Il y avait en lui quelque chose de distant. Il avait très peu besoin des gens. Ne s'était-il pas toujours faufilé assez maladroitement lorsqu'il passait devant la fenêtre de la salle à manger, un journal sous le bras, pour essayer d'éviter Mrs. Ramsay que, pour une raison ou une autre, il n'aimait pas beaucoup ? C'est pour cette raison justement qu'elle s'efforçait toujours de l'arrêter. Il la saluait. Il faisait halte de mauvaise grâce et la saluait profondément. Mrs. Ramsay était ennuyée qu'il ne voulût rien d'elle et lui demandait (Lily croyait encore l'entendre) s'il n'avait pas envie d'un manteau, d'une couverture, d'un journal ? Non, il n'avait besoin de rien. (Ici il saluait.) Il y avait quelque chose en elle qu'il n'aimait pas. Peut-être était-ce son autorité, son assurance, le côté positif de sa nature ? Elle allait tellement droit au but !

(Un bruit attira l'attention de Lily vers la fenêtre

du salon — c'était le grincement d'un gond. La brise légère jouait avec la fenêtre.)

Il avait dû y avoir des gens qui avaient beaucoup d'antipathie pour Mrs Ramsay, se dit Lily. (Oui, elle se rendait bien compte que la marche du salon était vide, mais cela n'avait aucun effet sur elle. Elle n'avait plus besoin d'elle à présent.) Oui, des gens qui la trouvaient trop sûre d'elle-même, trop tranchante. Il est probable aussi que sa beauté portait ombrage à bien des gens. Que c'est donc monotone, disait-on, de voir cette beauté toujours la même ! On préférait un autre type : le type brun, avec de la vivacité. Et puis elle était faible avec son mari.. Elle le laissait faire ses scènes bien connues. Et puis elle était réservée. Personne ne savait exactement ce qui lui arrivait. Et (pour en revenir à Mr. Carmichaël et à son antipathie) on ne pouvait pas imaginer Mrs. Ramsay en train de peindre ou de s'asseoir pour lire toute une matinée sur la pelouse. C'était inconcevable. Sans dire un mot, et un panier au bras pour tout signe de sa mission, elle s'en allait en ville voir les pauvres, s'installer dans quelque chambrette sentant le renfermé. Que de fois Lily l'avait-elle vue s'en aller silencieusement au milieu de quelque partie, de quelque discussion, son panier au bras et se tenant très droite ! (Elle avait remarqué son retour.) S'adressant à elle dans son for intérieur, elle lui disait, moitié riant (elle se montrait si méthodique en ce qui concernait les tasses à thé) et moitié émue (car sa beauté coupait la respiration) : « Des yeux qui se ferment sous la souffrance vous ont regardée. Vous êtes restée près d'eux. »

Puis Mrs. Ramsay était mécontente parce que quelqu'un était en retard, le beurre n'était pas frais, la théière ébréchée. Et pendant tout le temps qu'elle déclarait que le beurre n'était pas frais, on songeait aux temples grecs et au fait que la beauté avait hanté ce monde. Elle ne parlait jamais de ses visites — elle se contentait de les faire, toujours ponctuelle et toujours simple. C'était son instinct que d'aller ainsi, semblable à celui qui entraîne les hirondelles vers le sud, les artichauts vers le soleil. Cet instinct la faisait infailliblement se tourner vers la race humaine et faire son nid dans le cœur de ses semblables. Et cet instinct, comme tous les autres, ne laissait pas de tourmenter quelque peu ceux qui ne le partageaient pas ; Mr. Carmichaël peut-être ; elle, Lily, certainement. Tous deux croyaient quelque peu à l'inutilité de l'action, à la suprématie de la pensée. Le départ de Mrs. Ramsay représentait pour eux un reproche, donnait un coup de pouce à leur conception du monde ; aussi étaient-ils tentés de protester en voyant disparaître leurs préventions et de se cramponner à celles-ci. Charles Tansley faisait de même : c'était un peu pour cette raison qu'on ne l'aimait pas. Il bouleversait les proportions du monde dans l'esprit de chacun. Et qu'était-il devenu ? se demandait Lily, tout en agitant nonchalamment les plantains avec son pinceau. Il avait obtenu son « fellowship [1] ». Il s'était marié ; il habitait Golder's Green.

Elle était un jour entrée dans une salle pendant la guerre et l'avait entendu parler. Il était en train d'accuser quelqu'un : il déblatérait contre ce quelqu'un. Il prêchait l'amour fraternel. Et tout ce qu'elle éprouvait en l'écoutant c'était l'impossibilité de comprendre comment il pouvait aimer son espèce, lui qui ne savait pas distinguer un tableau d'un autre, qui était resté derrière elle à fumer du tabac

1. Agrégation au corps enseignant d'un collège universitaire. (N. d. T.)

commun (« cinq pence l'once, Miss Briscoe ») et s'était chargé de lui dire que les femmes sont incapables d'écrire, incapables de peindre ; et non point tant parce qu'il le croyait que parce qu'il désirait qu'il en fût ainsi pour quelque étrange raison. Il était là, maigre, rouge et la voix rauque, en train de prêcher l'amour sur une estrade (des fourmis couraient au milieu des plantains et elle les tourmentait avec son pinceau — des fourmis rouges et énergiques, un peu comme Charles Tansley). Du siège qu'elle occupait dans la salle à moitié vide elle l'avait regardé avec ironie pomper de l'amour dans ce vide glacé, lorsque, tout à coup, ce vieux baril d'elle ne savait quoi s'était remis à sautiller sur les vagues et Mrs. Ramsay avait recommencé à chercher son étui à lunettes au milieu des galets. « Oh ! mon Dieu ! Comme c'est ennuyeux ! Je l'ai encore perdu. Ne vous tourmentez pas, Mr. Tansley. J'en perds des milliers chaque saison », sur quoi il s'engonçait de nouveau dans son col de l'air de quelqu'un qui n'ose pas sanctionner une pareille exagération bien que capable de la supporter chez elle parce qu'il l'aimait, et il souriait avec beaucoup de charme. Il avait dû lui faire des confidences à la faveur d'une de ces longues expéditions au cours desquelles les gens se séparent et reviennent seuls. Il s'était chargé de l'éducation de sa petite sœur, lui avait dit Mrs. Ramsay. C'était magnifique de sa part. L'idée qu'elle-même se faisait de lui était grotesque, Lily le savait bien et se le disait tout en continuant à taquiner les plantains de son pinceau. La moitié des notions que nous nous formons sur les gens sont en somme grotesques. Elles servent nos propres buts. Il jouait pour elle le rôle de ces pages qu'on fouettait pour les fautes d'autrui. Elle se surprenait à flageller ses maigres flancs lorsqu'elle était en colère. Si elle voulait le prendre au sérieux il lui fallait revenir à ce que Mrs. Ramsay disait de lui, le voir par les yeux de celle-ci.

Elle construisit une petite montagne pour y faire grimper les fourmis. Elle les rendit folles d'indécision en intervenant ainsi dans leur cosmogonie. Elles prirent des directions diverses.

Il faudrait cinquante paires d'yeux pour bien voir, se dit-elle. On n'aurait même pas eu assez de cinquante paires d'yeux pour faire le tour de cette femme. Il aurait dû y en avoir une parmi elles qui fût complètement incapable d'apercevoir sa beauté. Ce qu'il fallait surtout c'était un sens secret, aussi délicat que l'air, grâce auquel on pût s'insinuer par les trous de serrure et l'entourer à l'endroit où elle était en train de tricoter, de causer, de ne rien dire, à sa place solitaire, dans la fenêtre ; et qui saisît et conservât précieusement, comme l'air conserve la fumée du vapeur, ses pensées, ses imaginations, ses désirs. Quelle signification la haie, le jardin, une vague en train de se briser avaient-ils pour elle ? (Lily leva les yeux comme elle avait vu Mrs. Ramsay le faire ; elle aussi entendit une vague se briser sur la plage.) Et encore qu'est-ce qui s'agitait et frémissait en elle lorsque les enfants criaient : « Ça y est-il ? Ça y est-il ? » en jouant au cricket ? Elle arrêtait son tricot une seconde. Elle regardait avec attention. Puis elle retombait dans sa rêverie et soudainement Mr. Ramsay s'arrêtait tout d'un coup devant elle au milieu de sa promenade. Alors elle était parcourue par un choc étrange qui semblait la prendre contre sa poitrine, la bercer avec une agitation profonde lorsque Mr. Ramsay, s'arrêtant, abaissait son regard sur elle. Il semblait à Lily qu'elle le voyait.

Mr. Ramsay étendit la main et l'aida à se lever de sa chaise. On avait comme une impression qu'il avait fait déjà cela ; qu'il s'était incliné de la même façon pour l'aider à sortir d'un bateau dont la position, à quelques pouces du rivage d'une île, avait rendu nécessaire que les messieurs fissent ainsi descendre les dames. C'était là une scène d'autrefois qui demandait, ou presque, des crinolines et des pantalons à sous-pied. Tout en acceptant sa main Mrs. Ramsay avait songé (Lily le supposait) que le moment était arrivé ; maintenant elle allait répondre « oui ». Elle l'épouserait. Et elle posa lentement, tranquillement le pied sur le rivage. Il est probable qu'elle ne dit qu'un seul mot en laissant sa main reposer dans celle de Mr. Ramsay. « Je veux bien vous épouser », avait-elle pu dire, mettant sa main dans celle de Mr. Ramsay ; mais rien de plus. Bien des fois ils avaient échangé le même frémissement — oui, bien évidemment, se disait Lily, en train d'aplanir le terrain, de faire une route pour ses fourmis. Elle n'inventait rien ; elle essayait simplement d'effacer les plis de quelque chose qu'on lui avait donné tout plié il y avait des années ; quelque chose qu'elle avait vu. Car dans le tohu-bohu de la vie quotidienne, avec tous ces enfants autour de soi, tous ces visiteurs, on éprouvait constamment un sentiment de répétition — le sentiment qu'un objet tombe à l'endroit où un autre est tombé, et par là met en branle un écho dont le carillon remplit l'air de vibrations.

Mais ce serait une erreur, jugeait-elle, tandis qu'elle les imaginait s'éloignant, au bras l'un de l'autre, elle en châle vert, lui avec sa cravate flottante, de simplifier les rapports qui existaient entre eux. Il ne s'agissait pas dans leur cas d'une félicité monotone — qu'eussent rendue impossible les impulsions subites, les vivacités de Mrs. Ramsay, d'une part ; les frémissements et les humeurs noires de son mari, d'autre part. Oh ! non. La porte de leur chambre à coucher claquait violemment le matin de bonne heure. Il se levait de table en colère. Il envoyait son assiette par la fenêtre. Puis dans toute la maison on avait une impression de portes battantes et de stores agités comme si le vent eût soufflé en rafales et que les gens s'empressassent de tous côtés en grande hâte pour fermer les écoutilles et tout bien arrimer. C'est dans de telles circonstances qu'elle avait un jour rencontré Paul Rayley sur l'escalier. Ils avaient ri et ri, comme deux enfants, et cela parce que Mr. Ramsay, trouvant un perce-oreille dans le lait de son breakfast — avait tout envoyé promener sur la terrasse. « Un perce-oreille, murmurait Prue, horrifiée, dans son lait ! » D'autres personnes y trouvaient peut-être des mille-pattes. Mais il s'était bâti un tel sanctuaire et l'occupait avec tant de majesté qu'un perce-oreille dans son lait devenait un monstre.

Cela fatiguait Mrs. Ramsay, cela l'impressionnait un peu — ces assiettes qui volaient en l'air et ces portes qui claquaient. Et entre elle et son mari tombaient parfois de longs et rigides silences pendant lesquels l'état d'esprit de Mrs. Ramsay, que Lily regrettait de constater chez elle, et où se mêlaient la plainte et la rancune, semblait la rendre incapable de dominer cette tempête avec calme, ou de rire comme les autres riaient. Peut-être sous sa lassitude cachait-elle quelque chose ? Elle restait silencieusement absorbée dans ses pensées. Au bout d'un certain temps son mari venait timidement tourner autour d'elle — il errait sous la fenêtre devant laquelle elle s'était assise en train d'écrire des lettres ou de causer, car elle s'arrangeait pour être occupée lorsqu'il passait, l'éviter, faire semblant de ne pas le voir. Alors il devenait doux comme de la soie, affable, courtois et s'efforçait de la gagner ainsi. Mais elle tenait bon et, pendant une brève période, elle prenait quelques-uns de ces grands airs orgueilleux, apanage de sa beauté, dont elle était généralement tout à fait dépourvue. Elle tournait la tête, regardait de cette façon-là, par-dessus son épaule, et avait toujours à côté d'elle quelque Minta ou Paul ou William Bankes. A la fin Mr. Ramsay, qui ressemblait, ainsi à l'écart du groupe, à quelque loup affamé (Lily se leva de l'herbe sur laquelle elle était assise et se mit à regarder les marches, la fenêtre où elle l'avait vu), prononçait son nom, une seule fois, tout à fait à la façon d'un loup hurlant sur la neige. Elle continuait pourtant à se dérober. Alors il répétait ce nom, et cette fois il y avait quelque chose dans son ton qui ébranlait sa femme. Elle allait à lui, laissant soudainement tout le monde, et ils partaient ensemble au milieu des poiriers, des choux et des framboisiers. Ils avaient leur explication. Mais avec quelles attitudes et quelles paroles ! Ils apportaient dans leurs rapports une telle dignité qu'elle, Paul et Minta se détournaient pour dissimuler leur curiosité et leur gêne et se mettaient à cueillir des fleurs, à échanger des balles, à bavarder, jusqu'à l'heure du dîner ; à ce moment on les retrouvait, lui à un bout de la table et elle à l'autre, comme d'habitude.

« Pourquoi aucun de vous ne se met-il à la botanique ?... Avec tous ces bras et ces jambes, comment se fait-il qu'il n'y en ait pas un seul qui... ? » Ainsi parlaient-ils l'un et l'autre, comme ils le faisaient toujours, avec des rires, au milieu de leurs enfants. Rien n'était changé, sauf que parfois un frémissement passait entre eux, semblable au balancement d'une lame passant entre eux, comme si la vue de leurs enfants assis autour de leurs assiettes à soupe avait pris à leurs yeux une fraîcheur nouvelle après cette heure au milieu des poires et des choux. Lily avait l'impression que c'était surtout Prue que Mrs. Ramsay regardait. Elle était assise au milieu, entourée de frères et de sœurs, et, semblait-il, toujours si occupée à veiller à ce que tout se passât bien, que c'est à peine si elle-même parlait. Comme elle avait dû se reprocher ce perce-oreille dans le lait ! Comme elle était devenue blanche lorsque Mr. Ramsay avait lancé son assiette par la fenêtre ! Comme elle avait l'air abattue pendant ces longs silences qui s'établissaient entre ses parents ! Il semblait en tout cas que sa mère lui faisait maintenant des avances ; lui assurait que tout était bien ; lui promettait qu'un jour elle aurait le même bonheur en partage. Cependant elle n'en avait joui que pendant moins d'une année.

Elle avait laissé tomber les fleurs de son panier, songeait Lily, clignant des yeux et se reculant comme pour regarder sa peinture, que cependant elle ne touchait pas. Toutes ses facultés se trouvaient dans un état de transe ; sous une couche superficielle de glace elles se mouvaient avec une extrême rapidité.

Elle laissa tomber les fleurs de son panier ; elle les répandit, les jeta sur l'herbe, puis, à regret et avec hésitation, mais sans questionner ni se plaindre — ne possédait-elle pas à la perfection la faculté d'obéir ? — elle partit elle aussi. Elle descendait les champs, traversait les vallées, blanche, couverte de fleurs — c'est ainsi que Lily aurait voulu la peindre. Les collines étaient austères. Ce n'était que rochers et escarpements. Les vagues se brisaient en bas sur les pierres avec un rauque mugissement. Ils étaient partis, tous les trois. Mrs. Ramsay marchait en tête assez vite, comme si elle se fût attendue à rencontrer quelqu'un au tournant.

Soudain elle aperçut à la fenêtre qu'elle regardait une blancheur produite par une étoffe légère derrière la vitre. Quelqu'un avait donc fini par entrer dans le salon ; quelqu'un était assis dans le fauteuil.

« Fasse le Ciel, pria-t-elle, qu'ils restent là bien tranquilles et qu'ils ne se précipitent pas sur moi pour venir me parler ! » Dieu soit loué ! Celui ou celle dont il s'agissait demeura paisiblement à l'intérieur ; il s'était par une heureuse chance installé de telle manière qu'il projetait sur la marche une ombre triangulaire d'une forme singulière. C'était intéressant. Ce pouvait être utile. Lily redevenait peintre. Il faut regarder toujours, sans laisser une seconde se relâcher l'intensité de l'émotion, ni sa détermination de ne pas se laisser abuser, de ne pas se laisser jouer. Il faut tenir son tableau — comme cela — comme dans un étau, et ne le laisser gâter par rien. Tout en trempant avec soin le bout de son pinceau, elle se disait qu'on a besoin de se trouver de plain-pied avec l'expérience commune, de sentir tout simplement que ceci est une chaise et cela une table, tout en sentant en même temps que c'est un miracle et une extase. Le problème pouvait, après tout, être résolu. Ah ! mais qu'était-il donc arrivé ? Une vague de blanc parcourut la vitre de la fenêtre. L'air avait dû faire s'agiter quelque volant de robe. Son cœur bondit, s'empara d'elle et se mit à la torturer.

« Mrs. Ramsay ! Mrs. Ramsay ! » s'écria-t-elle, sentant revenir son ancienne terreur — ce désir, ce désir qu'on ne peut satisfaire. Pouvait-elle lui infliger encore cette souffrance ? Puis, tranquillement, comme si elle l'eût maîtrisée, cette émotion s'incorpora elle aussi à son expérience ordinaire, se mit de plain-pied avec le fauteuil, avec la table. Mrs. Ramsay — cela faisait partie de la parfaite bonté qu'elle avait toujours témoignée à Lily — était assise là, très simplement, dans son fauteuil ; elle faisait aller ses aiguilles, tricotait ses bas rouge sombre, projetait son ombre sur la marche. Elle était assise là.

Et comme si elle eût possédé quelque chose qu'il

lui fallait partager, tout en se trouvant dans la quasi-impossibilité d'abandonner son chevalet, tant son esprit était plein de ses pensées et de ses visions, Lily passa devant Mr. Carmichaël et s'en alla jusqu'au bord de la pelouse, son pinceau à la main. Où était donc ce bateau, maintenant ? Où était Mr. Ramsay ? Elle avait besoin de lui.

12

Mr. Ramsay avait presque fini sa lecture. Une de ses mains planait sur la plage comme pour être prête à la tourner dès qu'il aurait terminé. Il était assis tête nue, exposé d'une façon extraordinaire à toutes les intempéries, le vent soufflant dans ses cheveux. Il avait l'air très vieux. James, qui gouvernait tantôt sur le Phare, tantôt sur l'étendue d'eau qui allait se perdre au large, trouvait qu'il ressemblait à une vieille pierre sur la plage ; on aurait dit qu'il était devenu physiquement ce qui se trouvait toujours au fond de leurs pensées à tous deux — cette solitude qui, pour eux, exprimait la vérité des choses.

Il lisait très vite comme s'il eût été pressé d'arriver au bout de son livre. A vrai dire, ils se trouvaient maintenant tout près du Phare. Il se dressait là, tout nu et tout droit, éclatant de blancheur et de noirceur, et l'on pouvait apercevoir les vagues qui se brisaient sur les rochers en blancs éclats semblables à des morceaux de verre. On distinguait les lignes et les plis des rochers. Les fenêtres apparaissaient distinctement ; il y avait une tache blanche sur l'une d'elles et une petite touffe verte sur le rocher. Un homme était sorti, les avait regardés avec une lorgnette et était rentré. Il était donc comme cela, se disait James, le Phare qu'on apercevait depuis tant d'années de l'autre côté de la baie ; c'était une tour toute nue sur un rocher stérile. Ce spectacle le satisfaisait, confirmait un obscur sentiment qu'il avait de son propre caractère. « Les vieilles dames, se disait-il, en songeant au jardin de chez lui, traînent partout leurs chaises sur la pelouse. La vieille Mrs. Beckwith, par exemple, disait toujours que c'était charmant et délicieux et qu'ils devraient être fiers et qu'ils devraient être heureux, mais le fait est, ajoutait James en regardant le Phare ainsi planté sur son rocher, que les choses sont comme ça. » Il regardait son père lisant avec ardeur, les jambes repliées. Ils étaient tous les deux à le savoir. « Nous fuyons devant une tempête — nous n'échapperons pas au naufrage », commença-t-il à se dire à mi-voix, exactement à la façon de son père.

Personne ne semblait avoir parlé depuis une éternité. Cam était fatiguée de regarder la mer. De petits morceaux de liège noir avaient passé le long du bateau ; les poissons étaient morts au fond. Son père lisait toujours ; James le regardait et elle faisait de même. Ils juraient de combattre la tyrannie jusqu'à la mort et il continuait à lire sans se douter nullement de ce qu'ils pensaient. C'était ainsi qu'il échappait, se dit-elle. Oui, avec son grand front et son grand nez, et tenant son petit livre tacheté devant lui, il échappait. On avait beau essayer de mettre la main sur lui, il ouvrait les ailes comme un oiseau, il se laissait emporter dans l'air pour aller se poser hors de portée quelque part, très loin, sur quelque souche désolée. Elle considéra l'immense étendue de la mer. L'île était devenue si petite qu'elle n'avait plus guère la forme d'une feuille. Elle ressemblait au sommet d'un rocher qu'une grosse vague va couvrir. Et cependant sa fragilité renfermait tous ces sentiers, ces terrasses, ces chambres à coucher — toutes ces choses innombrables. Mais de même que, juste avant le moment où l'on s'endort, les choses se simplifient au point qu'un seulement de la myriade de leurs détails a le pouvoir de s'affirmer, ainsi elle avait l'impression, en promenant sur l'île un regard engourdi, que tous ces sentiers, toutes ces terrasses, toutes ces chambres s'effaçaient et disparaissaient et qu'il ne restait rien qu'un pâle et bleu encensoir balancé rythmiquement de-ci de-là dans son esprit. C'était un jardin suspendu ; c'était une vallée, pleine d'oiseaux, de fleurs et d'antilopes... Elle s'endormait.

« Allons, voyons ! » dit Mr. Ramsay, fermant soudainement son livre.

Aller où ? Vers quelle extraordinaire aventure ? Elle se réveilla en sursaut. Atterrir quelque part, grimper quelque part ? Où les conduisait-il ? Car après son immense silence ces paroles avaient sur eux un effet saisissant. Mais c'était absurde. Il avait faim, disait-il. C'était le moment de déjeuner. « D'ailleurs, regardez, dit-il. Voilà le Phare. Nous y sommes presque. »

« Il s'en tire très bien, dit Macalister, en parlant de James. Il fait très bien tenir le cap à son bateau. »

« Mais mon père ne me fait jamais de compliments », se dit James farouchement.

Mr. Ramsay ouvrit le paquet et partagea les sandwiches. Maintenant il se sentait heureux de manger du pain et du fromage avec ces pêcheurs. « Il aurait aimé vivre dans une cabane et flâner dans le port et cracher avec les autres vieux marins », songeait James qui le regardait découper son fromage en minces tranches jaunes avec son canif.

Ça c'est bien, c'est tout à fait ça, Cam continuait à trouver, en pelant son œuf dur. Elle éprouvait en ce moment les mêmes sensations qu'à l'époque où, dans le cabinet de travail, les vieux messieurs lisaient le *Times*. « Maintenant je peux continuer à penser ce que je veux sans tomber dans un précipice ou me noyer, car il est là en train de m'observer », se dit-elle.

En même temps ils passaient si vite le long des rochers qu'ils se sentaient envahis par une agréable émotion — il leur semblait qu'ils faisaient deux choses à la fois : prendre leur déjeuner là, au soleil, et être en train de fuir devant la tempête, après un naufrage. L'eau allait-elle durer suffisamment ? Et les provisions ? se demandait Cam. Elle se racontait une histoire tout en sachant bien ce qui en était.

Pour eux ils seraient bientôt hors de cause, disait Mr. Ramsay au vieux Macalister ; mais leurs enfants verraient d'étranges choses. Macalister dit qu'il avait eu soixante-quinze ans en mars dernier ; Mr. Ramsay en avait soixante et onze. Macalister dit qu'il n'avait jamais vu le médecin ; il n'avait jamais perdu de dent. « Et c'est comme ça que je voudrais que mes enfants vivent. » Cam était sûre que son père pensait cela car il l'empêcha de jeter un sandwich dans la mer et lui dit, comme s'il eût été en train de penser aux pêcheurs et à leur existence, que si elle ne le voulait pas il fallait le remettre dans le paquet. Il ne fallait pas le gaspiller. Il s'exprima avec tant de sagesse, il avait l'air de savoir si bien tout ce qui se passe dans le monde, qu'elle remit aussitôt son sandwich dans le paquet. Puis il lui donna, de son propre paquet, un morceau de pain d'épice, à la façon, trouva-t-elle, d'un grand seigneur espagnol offrant une fleur à une dame penchée à sa fenêtre (tant il montra de courtoisie). Mais il était négligé dans sa mise, simple dans ses manières, et il se nourrissait de pain et de fromage ; néanmoins il les entraînait dans une grande expédition dans laquelle, pour autant qu'elle pouvait le savoir, ils se noieraient tous.

« C'est ici qu'il a coulé », dit soudainement le fils Macalister.

« Trois hommes se sont noyés à l'endroit où nous sommes à présent », dit le vieux. Lui-même les avait vus se cramponner au mât. Et Mr. Ramsay, tout en regardant l'endroit indiqué, était sur le point, comme James et Cam le redoutaient, de s'écrier : « Mais moi, sous une mer plus rude. »

S'il le faisait ils ne pourraient pas le supporter ; ils hurleraient ; ils ne pouvaient pas supporter une nouvelle explosion de la passion qui bouillait en lui ; mais, à leur grande surprise, tout ce qu'il dit fut : « Ah ! » comme s'il se fût dit à lui-même : « Mais pourquoi faire tant d'histoires à propos de ça ? Il est bien naturel que des hommes se noient au cours d'une tempête ; rien ne peut être plus normal et les profondeurs de la mer (il répandit sur elle les miettes provenant du papier qui avait enveloppé ses sandwiches) ne sont, après tout, que de l'eau. » Puis, ayant allumé sa pipe, il sortit sa montre. Il la regarda attentivement ; peut-être se livrait-il à quelque opération de mathématique. A la fin il dit, sur un ton de triomphe :

« Bravo ! James nous a barré comme un vrai marin ! »

« Voilà ! songeait Cam en s'adressant silencieusement à James. Vous avez fini par l'avoir, votre compliment. » Car elle savait que c'était cela que James voulait et aussi que, maintenant qu'il l'avait, il était si content qu'il ne voudrait regarder ni elle, ni son père, ni personne. Il restait assis, bien droit, la main sur la barre, l'air un peu maussade et fronçant légèrement les sourcils. Il était si content qu'il n'allait laisser personne le frustrer d'une parcelle de son plaisir. Son père l'avait félicité. Il fallait que tout le monde crût qu'il était parfaitement indifférent. « Mais, pensait Cam, vous l'avez eu votre compliment. »

Ils avaient viré de bord et ils s'avançaient rapidement, en bondissant sur de longues vagues balancées qui se faisaient passer le bateau de l'une à l'autre le long du récif avec un entrain et une musique extraordinaires. Sur la gauche, une rangée de rochers bruns apparaissait sous l'eau qui devenait moins profonde et plus verte. Sur l'un d'eux, plus haut que les autres, une vague se brisait perpétuellement et crachait une petite colonne de gouttelettes qui retombaient en averse. On pouvait entendre le clapotis de l'eau, le tapotement des gouttes et une sorte de bruit étouffé et sifflant que produisaient les vagues en roulant, sautillant et frappant les rochers à la façon de créatures sauvages et parfaitement libres de se secouer, s'écrouler et s'amuser ainsi pour l'éternité.

On apercevait maintenant deux hommes sur le Phare qui les observaient et se préparaient à les recevoir.

Mr. Ramsay boutonna son veston et releva ses pantalons. Il prit le grand paquet de papier marron que Nancy avait préparé et s'assit en le gardant sur ses genoux. Ainsi, complètement prêt à descendre à terre, il regardait à l'arrière l'île qu'il venait de quitter. Avec ses yeux de presbyte il pouvait peut-être distinguer clairement, toute diminuée qu'elle fût, sa forme de feuille dressée sur sa pointe et posée sur un plat d'or. Que pouvait-il voir ? Cam se le demandait. Tout cela se brouillait devant ses yeux. A quoi pensait-il maintenant ? se demandait-elle. Que cherchait-il avec tant de fixité, d'application, de silence ?

Ils l'observaient, tous deux, assis tête nue avec son paquet sur les genoux, fixant incessamment son regard sur la frêle forme bleue semblable à la vapeur de quelque chose qui venait de se consumer. Que voulez-vous ? avaient-ils tous les deux envie de lui demander. Ils avaient tous les deux envie de lui dire : « Demandez-nous n'importe quoi et nous vous le donnerons. » Mais il ne leur demanda rien. Il demeurait assis, regardant toujours l'île, et peut-être se disait-il. « Nous pérîmes, chacun tout seul », ou peut-être : « J'y suis arrivé. Je l'ai trouvé. » Mais il ne disait rien.

Puis il mit son chapeau.

« Prenez ces paquets », dit-il, désignant d'un signe de tête les objets que Nancy avait préparés pour les porter au Phare. « Les paquets pour les gardiens du Phare », ajouta-t-il. Il se leva et se tint debout à l'avant du bateau, très droit et très grand, absolument, songea James, comme s'il eût été en train de dire : « Il n'y a pas de Dieu », ou, suivant Cam, de bondir dans l'espace. Tous deux se levèrent pour le suivre lorsqu'il sauta sur le rocher avec la légèreté d'un jeune homme, son paquet à la main.

13

« Il a dû arriver », se dit à voix haute Lily Briscoe, qui se sentit soudain complètement épuisée. Car le Phare était devenu presque invisible, s'était fondu dans la brume bleue et l'effort qu'elle faisait pour le regarder et celui qu'elle faisait pour se représenter le débarquement de Mr. Ramsay, qui semblaient tous deux ne former qu'un seul et même effort, avaient tiré de son corps et de son esprit tout ce qu'ils pouvaient donner. Mais aussi elle était soulagée ! Quoi qu'elle eût désiré lui donner, lorsqu'il l'avait quittée ce matin, elle avait fini par le lui donner.

« Il a débarqué, dit-elle à voix haute. C'est fini. » A ce moment surgit le vieux Mr. Carmichaël, qui, en soufflant un peu, vint se placer à côté d'elle. Il avait l'air d'un dieu antique et païen, avec son poil hirsute mêlé de brins d'herbe et son trident dans sa main (ce n'était qu'un roman français). Il se tenait à côté d'elle sur le bord de la pelouse, et dit, en balançant légèrement sa masse et se faisant un écran de sa main : « Ils ont dû aborder », et elle sentit qu'elle ne s'était pas trompée. Ils n'avaient pas eu besoin de parler. Ils avaient pensé aux mêmes choses et il lui avait répondu sans qu'elle lui eût rien demandé. Il restait là, étendant les mains sur toute la faiblesse, toute la souffrance de l'humanité ; il semblait à Lily qu'il contemplait avec une tolérante compassion leur destinée finale. « Et voici qu'il a couronné ce moment », se dit-elle lorsque sa main retomba lentement. C'était comme si elle l'avait vu laisser tomber de sa grande hauteur une couronne de violettes et d'asphodèles qui, descendant lentement et toute frémissante, finit par se poser sur le sol.

Vite, comme si quelque chose derrière elle l'eût rappelée, elle se tourna vers sa toile. Oui, il était là, son tableau. Il était là avec tous ses verts et ses bleus, ses zébrures perpendiculaires et latérales, son effort pour réaliser quelque chose. « On l'accrochera au mur d'une mansarde, songea-t-elle ; il sera détruit. Mais qu'importe ? » se dit-elle, reprenant son pinceau. Elle regarda les marches : elles étaient vides ; elle regarda sa toile : elle devenait confuse. Avec une intensité soudaine, comme si, l'espace d'une seconde, elle l'apercevait avec clarté, elle traça un trait, là, au centre. C'était fait ; c'était fini. « Oui, songea-t-elle, reposant son pinceau avec une lassitude extrême, j'ai eu ma vision. »

BIBLIOGRAPHIE

1915 THE VOYAGE OUT
 Trad. Savitzky, *La Traversée des Apparences*, Le Cahier gris, 1948. Préface de Max-Pol Fouchet.
1919 NIGHT AND DAY
 Trad. Bec, *Nuit et Jour*, Editions du Siècle, 1933, avec une introduction de René Lalou.
1922 JACOB'S ROOM
 Trad. Talva, *La Chambre de Jacob*, Stock, 1942.
1925 THE COMMON READER I.
 MRS. DALLOWAY
 Trad. David, *Mrs. Dalloway*, Stock, 1929. Préface d'André Maurois.
1927 TO THE LIGHTHOUSE, Prix Fémina-Vie Heureuse.
 Trad. Lanoire, *La Promenade au Phare*, Stock, 1929.
1928 ORLANDO
 Trad. Mauron, *Orlando*, Stock, 1931. Préface de Charles Mauron.
1929 A ROOM OF ONE'S OWN
 Trad. Clara Malraux, *Une Chambre à soi*, Robert Marin, 1951.
1931 THE WAVES
 Trad. Yourcenar, *Les Vagues*, Stock, 1937, avec une introduction de Marguerite Yourcenar.
1933 FLUSH
 Trad. Mauron, *Flush,* Stock, 1935. Préface de Louis Gillet.
1937 THE YEARS
 Trad. Delamain, *Années,* Stock, 1938. Préface de René Lalou.
1938 THE COMMON READER II.
 THREE GUINEAS
1940 ROGER FRY : A BIOGRAPHY

Ouvrages posthumes édités par Léonard Woolf:

1941 BETWEEN THE ACTS
    Trad. Cestre, *Entre les Actes*, Stock, 1952. **Préface de**
    Max-Pol Fouchet.
1942 THE DEATH OF THE MOTH
1943 THE HAUNTED HOUSE
    Trad. Bokanovski, *La Maison hantée*, Charlot, 1945.
1947 THE MOMENT
1950 THE CAPTAIN'S DEATH BED
1953 A WRITER'S DIARY

PRINCIPAUX OUVRAGES SUR VIRGINIA WOOLF

EN ANGLAIS :

Joan Bennett, *Virginia Woolf*, Cambridge University Press,
1945.
Bernard Blackstone, *The novels of Virginia Woolf*, The
Hogarth Press, 1949.
R. L. Chambers, *The novels of Virginia Woolf*, Olivier Boyd,
1947.
David Daiches, *Virginia Woolf*, Poetry, 1935.
Aileen Pippett, *The moth and the star : a biography of Virginia
Woolf*, Little Brown, 1955.
J. K. Johnstone, *The Bloomsbury group*, Secker and Warburg,
1954.

EN FRANÇAIS :

Floris Delattre, *Le roman psychologique de Virginia Woolf*,
Vrin, 1932.
Maxime Chastaing, *La philosophie de Virginia Woolf*, Presses
Universitaires de France, 1951.
Monique Nathan, *Virginia Woolf par elle-même*, Le Seuil, 1956.

TABLE

IMPRIMÉ EN FRANCE PAR BRODARD ET TAUPIN
7, bd Romain-Rolland - Montrouge - Usine de La Flèche.
LIBRAIRIE GÉNÉRALE FRANÇAISE - 14, rue de l'Ancienne-Comédie - Paris.
ISBN : 2 - 253 - 03153 - 4